1 MONTH OF
FREE
READING

at

www.ForgottenBooks.com

By purchasing this book you are
eligible for one month membership to
ForgottenBooks.com, giving you
unlimited access to our entire
collection of over 1,000,000 titles via
our web site and mobile apps.

To claim your free month visit:
www.forgottenbooks.com/free985232

ISBN 978-0-260-90873-5
PIBN 10985232

For support please visit www.forgottenbooks.com

Fundamentalphilosophie.

Von

Wilhelm Traugott Krug.

Δος μοι που στω.

Züllichau und Freystadt,
in der Darnmannschen Buchhandlung.
1803.

Alum-Bk. Fund
LOAN STACK

Vorrede.

———

Keine Wissenschaft ist so mannichfaltiger Formen fähig, als die Philosophie.
Unter wie vielen Gestalten zeigte sie sich
schon bey ihren ersten Pflegern, den Griechen! Und wie hat sie sich in den neuern
und neuesten Zeiten nach und nach um-
gewandelt! Selbst nach Erscheinung der
Kantischen Kritiken, wodurch diese Wissenschaft von Grund aus reformirt werden
und vermittelst dieser Reform eine vest
bestimmte und für alle Zeiten gültige Form
gewinnen sollte, sind so viele sogenannte
neue Philosophien entstanden, daſs jene

Kritiken fast mehr das Signal zu einer
Revoluzion in der Philosophie gegeben
als eine gründliche Reformazion derselben
bewerkstelligt zu haben scheinen.

Manche haben diefs der Philosophie
zu einem besondern Vorwurfe gemacht
und gemeynt, diese angebliche Königin
der Wissenschaften sey nichts als ein leeres Phantom, ein Irrlicht, welchem nach-
zugehen sich nicht der Mühe verlohne,
weil man es doch nie erhasche, sondern
Gefahr laufe, am Ende in faulen Sümpfen
stecken zu bleiben; höchstens sey sie ein
Spielball für müfsige Köpfe, welche sich
der Spekulazion hingegeben haben, um
nur die lange Weile zu vertreiben, mit
dem sich aber ein Gelehrter, der reellere
Wissenschaften betreibe, oder ein Ge-
schäftsmann, der die Wissenschaften nur
für den praktischen Gebrauch erlerne,
nicht befassen dürfe.

Allein zu geschweigen, dafs bey der
rastlosen Thätigkeit des menschlichen Geistes in Bearbeituug der mannichfaltigen
Felder der Erkenntnifs und bey den dadurch herbeygeführten Entdeckungen und
Erfindungen alle Wissenschaften nach und
nach ihre Gestalt verändern, mithin jener
Vorwurf nicht der Philosophie ausschlies-
send gemacht werden kann, so beweist gerade die grofse Mannichfaltigkeit der Formen, deren die Philosophie freylich mehr
als jede andre fähig ist, dafs diese Wissenschaft auch mehr als jede andre an der
vielseitigen Bildung unsers Geschlechts
Theil habe, dafs sie das edelste Produkt
des sich nach allen Richtungen ausbreiten-
den menschlichen Geistes und der wür-
digste Gegenstand des angestrengtesten
Nachdenkens für jeden sey, der nicht
sein ganzes Leben dem Erwerbe oder Ge-
nusse oder einer gemeinen Brauchbarkeit

für die beliebigen Zwecke Andrer gewidmet hat, sondern dem es um Veredlung seines ganzen Wesens, um harmonische Ausbildung aller seiner Anlagen, um Erringung eines selbständigen Werthes und um Beförderung der Wahrheit und Sittlichkeit in der grofsen Gesellschaft der Menschen überhaupt zu thun ist. Auch werden die Verächter derselben, die zwar auf Kenntnifs und Bildung Ansprüche machen, aber — ohne je über die wichtigsten Angelegenheiten der Menschheit gründlich nachgedacht (oder, was eben so viel heifst, philosophirt) zu haben — dennoch über jene Angelegenheiten mit dem gemeinen Menschenverstande und nach blofsen Gefühlen absprechen wollen, dafür sehr empfindlich bestraft, indem ihre Urtheile oft so einseitig und so verkehrt sind, dafs sie sich selbst in die handgreiflichsten Widersprüche verwickeln und, wenn nach vernünftigen Urtheilsgründen gefragt wird, in die lächerlichste Verlegenheit gerathen.

Es giebt aber, wie verschieden auch die Individuen, welche sich mit Philosophie beschäftigen, philosophiren mögen, eigentlich nur Eine Philosophie und kann nur Eine geben, weil es nur Eine Wahrheit und Eine Gutheit geben kann. Alle sogenannte Philosophieen oder Systeme der Philosophie, die in ältern und neuern Zeiten nach und nach zum Vorschein kamen, sind nur verschiedne Wege, welche die philosophirenden Individuen betraten, um sich jener Einen Philosophie zu nähern und sie wo möglich in ihren Werken darzustellen. So lange es nun nicht von Allen, die hierüber ein Urtheil haben, anerkannt ist, daſs dieser oder jener die Eine Philosophie würklich erreicht und dargestellt habe — und es dürfte wohl

wegen mancherley objektiver und subjektiver Ursachen so leicht nicht zu einer solchen allgemeinen Anerkenntnifs kommen
— so lange mufs es jedem, der sich dazu
berufen fühlt, frey stehen, einen neuen
Versuch zu wagen, sich selbst ein System
zu schaffen und es dem philosophirenden
Publikum zur Prüfung vorzulegen. Ist es
auch nicht die Eine Philosophie selbst, so
gewinnt doch dadurch die philosophirende
Vernunft vielleicht einen bedeutenden Vor-
schritt zu derselben, so zeigt sich doch
dadurch dieselbe vielleicht von einer
neuen interessanten Seite. Und selbst im
schlimmsten Falle, wenn der Versuch, wie
viele andre, gänzlich verunglückt wäre,
hätte man doch wenigstens einen neuen
Irrweg kennen gelernt, den niemand in
der Folge wieder zu betreten brauchte.

So gerecht nun auch das Mifstrauen des
Publikums gegen philosophische Systeme,

die sich als neu und zugleich als allgemeingültig (d. h. als wahr, denn nur das
Wahre ist allgemeingültig, wenn auch
nicht immer allgemeingeltend) ankündigen, seyn mag, da so viele mifslungene
Versuche der Art gemacht worden sind:
so ist doch die Klage, dafs durch Verviel-
fältigung der philosophischen Systeme das
Studium der Philosophie erschwert und
die Philosophie selbst für das Leben un-
brauchbar werde, geradezu von der Hand
zu weisen. Denn die Philosophie soll
nicht eine Wissenschaft seyn, die man historisch erlernen und mit träger Gemäch-
lichkeit als ein bequemes Werkzeug zur
Befriedigung gewisser Bedürfnisse oder
einer eiteln Neubegierde brauchen könne.
Sie soll vielmehr das eigenste Produkt des
angestrengtesten Forschens eines jeden denkenden Kopfes seyn und in das wissenschaftliche Studium überhaupt Geist, Leben

und Regsamkeit bringen. Denn sie ist die Wissenschaft des Wissens selbst. Wessen Talent oder Beruf es also nicht gestattet, sich in jene tiefen Untersuchungen einzulassen, welche auf dem Gebiete dieser Wissenschaft angestellt werden müssen, wenn sie gedeihen soll, der thut freylich wohl, wenn er sich auch würklich nicht darauf einläfst. Nur mufs er sich dann auch kein Urtheil über den Werth oder Unwerth derselben anmaafsen, noch weniger aber die Freyheit derer, welche sich darauf einzulassen geneigt sind, beschränken wollen. Denn eben dadurch wird es unmöglich gemacht, dafs die menschliche Erkenntnifs überhaupt und das praktische Leben insonderheit von der Philosophie reellen Gewinn ziehe, weil diefs nur vermittelst der freyesten und vielseitigsten Ausbildung dieser Wissenschaft geschehen kann.

Auf der andern Seite werden aber auch diejenigen, welche mit dergleichen Versuchen im gelehrten Publikum hervortreten, dabey mit derjenigen Achtung verfahren müssen, die sie diesem Publikum und besonders ihren Mitarbeitern an derselben Wissenschaft schuldig sind. Das Fehltreten auf dem schlüpfrigen Wege der Spekulazion ist so leicht möglich, daſs derjenige, welcher mit der Miene der Untrüglichkeit auftritt und jeden Gegner seiner Behauptungen zu Boden werfen oder lieber gar vernichten möchte, sich nur lächerlich und seinen Eifer für das Wahre und Gute, dessen Beförderung ihm vorgeblich so sehr am Herzen liegt, verdächtig macht. Es giebt unstreitig eine verstellte Bescheidenheit und Humanität, die der Verbreitung des Wahren und Guten mehr hinderlich als förderlich und eben darum des geraden und offenen Mannes unwürdig ist.

Wer durch das gewissenhafteste Nachdenken über das Wahre und Gute zu einer
vesten Überzeugung gelangt ist, der darf
diese auch mit Freymüthigkeit bekennen
und sagen: Ich glaube gefunden zu haben,
was Andre bisher vergeblich suchten. Aber
er kann diefs auch sagen, ohne mit Arro-
ganz jedem fremden Verdienste Hohn zu
sprechen und die Achtung zu verletzen,
die er andern Schriftstellern auch als Menschen schuldig ist *).

---

*) Ich kann mich nicht entbalten, hier an die gold-
nen Worte zu erinnern, welche der ehrliche
Wandsbecker Bothe bey Gelegenheit des mit so
vieler Bitterkeit geführten Streites über den Les-
singschen Spinozism aussprach. Es heifst nämlich in der Schrift: *Zwey Rezensionen in Sachen
der Herren* Lessing, M. Mendelssohn *und* Ja-
kobi (Hamburg 1786. 8.) gleich zu Anfange:
„Die philosophischen Systeme, die von ihren
„Verfassern für andre erfunden und als Feigen-
„blätter oder des Zanks und der Schau wegen

Der Verfasser gegenwärtiger Schrift hat darin ebenfalls ein neues System der Philosophie aufgestellt d. h. einen neuen Versuch gemacht, der Einen Philosophie, welche die ächte ist, sich möglichst anzunähern und sie durch Worte darzustellen. Wahrheit in der Sache und Deutlichkeit im Ausdrucke sind bey dieser Darstellung sein einziges Augenmerk gewesen. Er wollte

---

„aufgestellt werden, gehen vernünftige Leute eigentlich gar nicht an. Die Philosophen aber, „die nach Licht und Wahrheit forschten für eignes Bedürfnils und um sich den Stein der Unwahrheit, der sie drückte, vom Herzen zu schaffen, gehen andre Menschen eigentlich und sehr „nahe an. Auch wo sie irrten und verunglückten, irrten und verunglückten sie auf dem Bette der Ehren. Denn „wenn du den Trieb zur Wahrheit und „zum Guten im Menschen nicht ehren „willst, was hat er denn noch, das du „ehren mögest?"

nicht durch paradoxe Neuheit und, den
Schein des Tiefsinns affektirende, Dunkel-
heit den Ruhm einer zweydeutigen Originalität erringen, sondern unbekümmert,
ob das, was er fand, schon sonst jemand
entdeckt habe und ob es so oder anders
schon ehedem gesagt worden, nur das
Wahre mit Gewißheit erkennen und das
Erkannte so darstellen, daß es auch von
jedem im methodischen Denken Geübten
und mit dem gegenwärtigen Zustande der
Philosophie Bekannten verstanden würde.
Daher ist oft ein langes Nachdenken bloß
darauf verwandt worden, die passendsten
Worte und zweckmäßigsten Formeln zu
finden, durch welche dem Leser die Gedanken und Überzeugungen des Verfassers
mit möglichster Klarheit vorgehalten werden könnten. Freylich ist dadurch der
Vortheil verloren gegangen, daß der Leser
hinter dem mystischen Dunkel des Aus-

drucks mehr ahnet als sieht, dem Verfasser, wo dieser etwa gefehlt hat, nicht so leicht auf die Spur kommen kann, und, wenn er ihn dennoch darauf ertappt, dieser über unendliche Mißverständnisse klagen und in der beliebigen Deutung seiner Worte noch einige Ausflüchte suchen kann. Man wollte aber lieber diesen armseeligen Vortheil freywillig aufgeben, als würkliche Mißverständnisse veranlassen. Denn derjenige Schriftsteller, der nicht mit aller möglichen Sorgfalt darauf hinarbeitet, verstanden zu werden, verletzt eben dadurch die Achtung gegen das Publikum und verdient auch nicht gelesen zu werden. Wenigstens hat er kein Recht zu klagen, wenn er dann vernachlässigt oder falsch beurtheilt wird. Auch wollte der Verfasser nicht, daß der Leser dieß Buch erst ein Dutzend mal durchzulesen genöthigt seyn sollte, ehe ihm ein Licht

darüber aufginge, oder daſs ein durch
diese mühseelige Lektüre endlich einge-
weihter Leser sich über das Buch her-
machen und es für Andre exzerpiren
und kommentiren möchte, um auch ihnen ein Licht anzuzünden. Es giebt der
lesenswerthen Bücher so viele, daſs es
viel Eigendünkel verräth, wenn man Andern zumuthet, über seinem Buche ewig
zu brüten, und das leidige Exzerpiren
und Kommentiren hat in unsrer philosophischen Literatur so über Hand genommen, daſs jeder philosophische Schriftsteller lieber dagegen protestiren, als dazu auffodern sollte *).

Ob

---

*) Hr. Bouterweck sagt in der Vorrede zu sei-
ner Apodiktik (S. 21.): „Vielleicht findet
„einmal ein denkender Kopf die Arbeit nicht
„unter seiner Würde, auch dieses System“ —
die Apodiktik — „wie so viele andre in einem
„klarer

Ob nun das von dem Verfasser aufgestellte System wahr sey und wiefern
es das Prädikat eines neuen verdiene,
mögen die Leser selbst beurtheilen. Die
Grundzüge desselben hat der Verfasser

„klaren Auszuge darzustellen. Der Verfasser
„möchte dazu wohl weniger als jeder Andre fä-
„big seyn." Wir geben daher den philosophischen Schriftstellern, welche sich etwa unterwin-
den möchten, nach Erscheinung der Apodiktik
noch ein anderweites System aufzustellen, den
wohlmeynenden Rath, statt dessen lieber jenes
System zu exzerpiren und dadurch dem einge-
standenen Unvermögen des Verfassers zu Hülfe zu
kommen, um hernach dafür in den Göttinger gelehrten Anzeigen als denkende Köpfe gepriesen
zu werden. Aufserdem wird man sie vom apodiktischen Dreyfufse herab kurz weg mit dem
Bescheide abweisen, dafs alles, was sie in ihren
Systemen vorgebracht hätten, schon längst in
der Apodiktik entweder aufgestellt oder abgethan
sey. Und das V. R. W.

bereits in zwey andern Schriften dargelegt.
(**Entwurf eines neuen Organon's
der Philosophie — und — Über
die Methoden des Philosophirens
und die Systeme der Philosophie.**)
Diese Schriften haben, wie bey dem gegenwärtigen Zustande der Philosophie
und dem in literarischen Streitigkeiten
herrschenden Tone leicht vorauszusehen
war, in einigen gelehrten Blättern und
Zeitschriften mancherley sonderbare Urtheile erfahren. Man hat sie (vornehmlich das Organon; denn über die zweyte
Schrift sind dem Verfasser bis jetzt nur
zwey öffentliche Beurtheilungen bekannt
worden) zum Theil mit vornehmer
Miene zum Theil mit Spott abgefertigt,
und sich kaum die Mühe genommen,
den Hauptinhalt derselben vollständig an-
zuzeigen und den allerwesentlichsten
Punkt, worauf es bey diesem Systeme

ankommt (die transzendentale Synthesis des Seyns und des Wissens oder die ursprüngliche Verknüpfung des Realen und des
Idealen im Bewußtseyn) heraus-
zuheben, sondern sich begnügt, über
einzelne Sätze einzelne Gegenbemerkun-
gen zu machen. Der Verfasser glaubt
aber, mit vollem Rechte gegen ein solches Verfahren protestiren zu dürfen.
Es ist Pflicht und Schuldigkeit eines jeden Rezensenten, der sein übernomme-
nes Richteramt mit Gewissenhaftigkeit
verwalten will, vor allen Dingen die
Akten zum Spruche gehörig zu instrui-
ren, mithin ohne alle Parteynahme und
Einmischung fremdartiger Dinge den
Hauptinhalt eines literarischen Produktes, welches eine Wissenschaft auf eine
neue Art zu bearbeiten vorgiebt, darzulegen und vorzüglich dasjenige, was in

Ansehung des neuen Systems oder der
neuen Methode wesentlich ist, zu bemerken, damit die Leser der Rezension,
welche das Buch noch nicht selbst gelesen haben, den Geist der Schrift kennen lernen und in Stand gesetzt werden, ein eignes Urtheil zu fällen, so
weit diefs nach einer fremden Relazion
möglich ist. Hinterher mag auch der
Rezensent sein Urtheil aussprechen. Er
lobe oder tadle, mit oder ohne Grund;
das ist alles gleich viel, wenn er nur
seinem Publikum hinlängliche Daten zum
eignen Urtheile gegeben hat. Werden
aber aus einem systematischen Werke
nur einzelne Behauptungen herausgeho-
ben und dagegen einzelne Bemerkungen
hingeworfen, so bekommt durch eine
solche Rezension (die man kursorisch
nennen könnte, weil sie gleichsam nur
im Durchfluge des zu rezensirenden

Buchs gemacht wird, da hingegen eine
statarische Rezension ein gründliches
Studium desselben, mithin freylich weit
mehr Zeit und Mühe fodert, als die
Rezensionsfabriken durch ihr armseeliges
Honorar vergüten können) es bekommt
— sag' ich — durch eine solche kur-
sorische Rezension kein Mensch in der
Welt eine Idee vom Ganzen und dem
darin herrschenden Geiste, sondern er
hat nur einzelne Bruchstücke, von welchen der Schluſs auf das Ganze sehr
unsicher ist. Denn es kann der Verfasser einer Schrift in einzelnen Behauptungen gefehlt oder sich falsch ausgedrückt, und im Ganzen dennoch Recht
haben. Was aber die vornehme Miene
anlangt, mit welcher manche Rezensenten auftreten und auch gegen das
Organon aufgetreten sind, so sollten

diese Herren doch bedenken, daſs jene
Miene Niemanden weniger ansteht, als
einem Ungenannten, da hinter dem
Schilde der Anonymität sich Unwissen-
heit und Bosheit so leicht verbergen
und dann dieselbe Miene annehmen
können. Wenn aber auch sonst ehr-
würdige Namen hinter diesem Schilde
verborgen wären, so kann doch ein
vernünftiger Leser in wissenschaftlichen
Untersuchungen nicht Namen, sondern
nur Gründe respektiren. Daher wird
jeder Rezensent, wenn er sich selbst
auch noch so groſs und wichtig auf
seinem kritischen Stuhle vorkommen
möchte, dennoch wohl thun, wenn er
sich dieſs nicht merken läſst, sondern
seine vermeynte Superiorität über den
Schriftsteller lieber durch den Gehalt
der Rezension beurkundet. Was endlich

den Spott betrifft, zu welcnem manche
Beurtheiler in Ermangelung der Gründe
ihre Zuflucht nehmen, so kann derselbe in wissenschaftlicher Hinsicht zu
gar nichts führen. Ist er witzig und
fein, so lacht man wohl darüber; aber
der Bespöttelte kann ruhig selbst mit-
lachen; denn er darf der gewissen Zuversicht seyn, daſs dieser Spott der
Wahrheit keinen Abbruch thun werde;
und an seine Persönlichkeit soll er,
wenn es ihm einzig um Erkenntniſs
der Wahrheit zu thun ist, nicht weiter denken. Ist aber der Spott plump
und fade, so kann nur den Spötter
Belachung, oder vielmehr Verachtung
treffen; und die Wahrheit leidet so
wenig dabey, als die Persönlichkeit des
Schriftstellers. Indessen wäre es wohl
überhaupt noch eine der gründlichen

Prüfung nicht unwürdige Frage, ob und
wiefern in wissenschaftlichen Untersuchungen, die mit Ernst und
Würde des Wahrheitsforschers angestellt werden sollen, Spott oder Witz
überhaupt zulässig sey oder nicht. So
viel ist wenigstens gewifs, dafs dadurch
nichts entschieden wird *).

---

*) In einer gewissen Literaturzeitung wandte der
Rezensent des Organon's einen bekannten Ausspruch LESSING's auf dieses Buch an, indem
er sagte, das Wahre in demselben sey nicht
neu und das Neue nicht wahr. Wie sehr
möchte aber der gute LESSING sowohl als der
sich ihm zur Seite stellende Rezensent (*si
parva licet componere magnis*) in Verlegenheit
kommen, wenn sie bestimmen sollten, was
denn eigentlich in der Philosophie wahr und
neu sey. Das Wahre ist oft gerade das Älteste,
nur dafs es nicht immer deutlich gedacht und
ausgesprochen, sondern nur dunkel gefühlt und

Der Verfasser übergiebt demnach jetzt
sein System in einer neuen und voll-

---

angedeutet worden ist. Daher liegen auch die
Keime fast aller neuen philosophischen Systeme
schon in den älteren verborgen, und die Er-
finder jener hatten nur das Verdienst der Entwickelung und Ausbildung. Und wenn man
nun noch überdiefs in vielen dieser neuen Systeme dasjenige, was durch die Einkleidung
und Darstellung (insonderheit durch neue technische Wörter und Formeln) blofs den Schein
der Neuheit bekommen hat, abziehen wollte,
wie viel würde ihnen wohl übrig bleiben, was
mit allgemeiner Beystimmung wahr und neu
zugleich genannt werden könnte? Man sieht
also hieraus, dafs jenes Urtheil LESSING's und
des ihm nachsprechenden Rezensenten mehr witzig als gründlich, und eigentlich damit so viel
als nichts gesagt sey. — In einer andern sogenannten kritischen (eigentlich kynischen) Zeit-
schrift wird sehr sinnreich auf den Namen des
Verfassers des Organon's angespielt und gesagt, dasselbe sey ein Krug, worin Kantisches

kommneren Gestalt dem gelehrten und insonderheit dem philosophirenden Publikum. Man prüfe und beurtheile es, so streng man wolle; nur unbefangen und wissenschaftlich d. h. nach Gründen der Vernunft und ohne die Persönlichkeit (weder die eigne noch eine fremde) einzumischen. Übrigens muſs aber der Beurtheiler wohl bemerken, daſs dieses Buch nichts weiter als die **Fundamentalphilosophie** enthält, und daſs diese blofs der erste **Theil**

---

abgestandnes Bier, Reinholdsches Wasser, aufklärender Syrup, Berlinismus genannt u. s. w. zusammengemischt wären. In diesem Tone werden denn auch Andre theils verspottet, theils geradezu Dummköpfe, Narren u. s. w. genannt. Was mag nun wohl die Wissenschaft durch ein solches Sammelsurium von Bierbanks-Witz und Gassenbuben-Schimpf gewinnen sollen?

eines vollständigen Systems der Philosophie ist, daſs mithin alle Untersuchungen, welche der Logik, Metaphysik,
Ästhetik u. s. w. eigenthümlich ange-
hören, von der Fundamentalphilosophie
ausgeschlossen und in dieser blofs die
Prinzipien für jene Untersuchungen aufgestellt werden muſsten. Die Bearbeitung der übrigen philosophischen Wissenschaften nach den hier aufgestellten
Grundsätzen bleibt also der Zukunft
vorbehalten und hangt von Umständen
ab, die der Verfasser nicht verbürgen
kann. Er hat daher vor der Hand nichts
weiter als diese Fundamentalphilosophie
geben wollen. Sie macht ein Ganzes
für sich aus, das von jeder andern philosophischen Wissenschaft unabhängig,
von dem aber jede andre abhängig ist. —
Die Einleitung dazu wurde schon ander-

wärts ohne Namen des Verfassers abge-
druckt; erscheint aber hier in einer ver-
änderten Form, welches blofs erinnert
wird, um möglichen Mifsverständnissen
vorzubeugen. Geschrieben zu Frankfurt
an der Oder, den 9. März, 1803.

Der Verfasser.

Inhaltsanzeige.

Anmerkung.

Der Verfasser hat wegen der Entfernung des Druckorts nur die ersten 14 Bogen revidiren können, in denselben aber keine bedeutenden Druckfehler gefunden, die den aufmerksamen Leser irreführen könnten und daher einer besondern Anzeige werth wären. Nur S. 185. von unten bittet man, statt *welcher* zu lesen *welches*, indem dieses Wort sich nicht auf *Gegenstand*, sondern auf *Streben* bezieht. Sollten in den übrigen Bogen sich noch erhebliche Druckfehler finden, so werden sie anderswo angezeigt werden.

Fundamentalphilosophie

oder

System

des

transzendentalen Synthetismes.

―――――――

Spekulative Einschränkung der Vernunft und praktische Erweiterung derselben bringen sie allererst in
dasjenige Verhältniſs, worin Vernunft überhaupt zweck-
mäſsig gebraucht werden kann; und eben dieses bewei-
set, daſs der Weg zur Weisheit, wenn er gesichert
und nicht ungangbar oder irreleitend werden soll, bey
uns Menschen unvermeidlich durch die Wissenschaft
durchgehen müsse, wovon man aber, daſs diese zu jenem Ziele führe, nur nach Vollendung derselben überzeugt werden kann.

IMMANUEL KANT.

Einleitung.

Der menschliche Geist hat das ganze Gebiet seiner Erkenntniſs in mehre kleine Gebiete, Wissenschaften genannt, zerlegt, und die Philosophie soll auch eine von diesen Wissenschaften seyn. Wodurch unterscheidet sich nun die Wissenschaft, welche jenen Namen führt, von allen übrigen Wissenschaften? — Der Name selbst enthält, wie man leicht einsieht, kein bestimmtes Unterscheidungsmerkmal, auch wenn man auf dessen ursprüngliche Bedeutung zurückgehen wollte. Denn jene Weisheit, deren Liebe uns durch diesen Namen empfohlen wird, hatte ursprünglich; einen so weiten Umfang, daſs alle menschliche Kunst und Wissenschaft sich unter dem Worte Philosophie befassen lieſse.

Es darf aber doch nicht als gleichgültig oder willkürlich angesehen werden, was für einen Begriff man sich von der Philosophie bilde. Denn der Inhalt sowohl als der Umfang einer jeden Wissenschaft hangt von der Idee derselben ab, und diese Idee muſs jedem Urtheile über Gehalt und Werth eines jeden Werkes, welches das Ganze oder auch nur einen Theil der Wissenschaft betrifft, zur Richtschnur dienen. Man muſs sich also vorerst dieser

Idee zu bemächtigen suchen, ehe man sich der Bearbeitung einer Wissenschaft oder der Beurtheilung eines Werkes über dieselbe unterziehen kann.

Gleichwohl ist offenbar, daſs der r i c h t i g e Begriff von der Philosophie d. h. derjenige, welcher von allen Philosophirenden als gültig anerkannt werden soll, erst i n und d u r c h die Philosophie selbst ausgemittelt werden kann. Denn woferne mir jener Begriff nicht schon anderweit gegeben ist — wer soll mir ihn aber geben, da die Philosophen über den Begriff ihrer Wissenschaft so wenig einig sind, als über das, was jeder nach seinem Begriffe in der Wissenschaft lehrt oder behauptet? — so muſs er, indem ich ü b e r die Philosophie s e l b s t philosophire und so eine Wissenschaft von der Philosophie erzeuge, erst von mir und jedem, der mit mir philosophiren will, für uns gemeinschaftlich gefunden werden.

Indessen kann und soll in dieser Einleitung jener Begriff noch nicht g e n a u b e s t i m m t und v o l l ständig entwickelt, sondern nur i n s o w e i t e r ö r t e r t werden, als es anfangs möglich und nöthig ist, um den Leser mit dem Verfasser über Inhalt und Umfang der Philosophie überhaupt und der Fundamentalphilosophie insonderheit v o r l ä u f i g zu v e r ständigen und uns gleichsam auf dem Gebiete unsrer künftigen gemeinschaftlichen Nachforschungen zu o r i e n t i r e n. Jene g e n a u e B e s t i m m u n g und v o l l s t ä n d i g e E n t w i c k e l u n g aber wird den B e s c h l u ſs der Fundamentalphilosophie machen, indem der bestimmte und vollständige Be-

griff von der Philosophie überhaupt eben
das letzte Resultat der Fundamentalphilosophie seyn muſs.

Die Philosophie soll also eine Wissenschaft
(*scientia*, επιϛημη) seyn; wir sollen in und durch sie
etwas wissen und erkennen, was wir in und durch
andre Wissenschaften nicht wissen und erkennen.
Denn jede Wissenschaft als ein besondrer Theil der
menschlichen Erkenntniſs setzt voraus erstlich Etwas,
das erkannt werden soll (*objectum scientiae*),
zweytens Etwas, das erkennen soll (*subjectum
scientiae*). Jenes — das Objekt — ist so mannichfaltig, als die Wissenschaften selbst; dieses — das
Subjekt — ist immer eines und ebendasselbe, nämlich das Gemüth oder der menschliche Geist
überhaupt, der aber in verschiednen Menschen als
individuellen erkennenden Subjekten auf verschiedne
Art würksam seyn kann, indem er bald dieses bald
jenes Objekt in Untersuchung zieht und so verschiedne
Wissenschaften hervorbringt, oder dasselbe Objekt
bald von dieser bald von jener Seite, bald mit mehr
bald mit weniger Sehkraft und Beharrlichkeit betrachtet und so in derselben Wissenschaft verschiedne Behauptungen aufstellt und diese Behauptungen auf verschiedne Art einkleidet. Die Philosophie als Wissenschaft setzt also ebenfalls voraus ein erkennendes Subjekt und ein zu erkennendes Objekt, durch welches,
wiefern es ihr eigenthümlich ist, sie sich von andern
Wissenschaften wesentlich unterscheidet und durch

dessen verschiedne Behandlungsart von den verschiednen philosophirenden Subjekten nicht eigentlich verschiedne Philosophieen, sondern nur verschiedne
Formen der Philosophie, dem richtigen Begriffe oder
der wahren Idee derselben mehr oder weniger angemessen, entstehen.

Jede Wissenschaft als Theil der menschlichen Erkenntnifs überhaupt besteht ferner aus mehren einzelnen Erkenntnissen, die sich aber alle auf
den Gegenstand der Wissenschaft beziehen und insoferne gleichartig seyn müssen. Zugleich müssen
sie mit und unter einander zu einem Ganzen der
Erkenntnifs verbunden seyn, um in und durch diese
Verbindung eine Wissenschaft zu bilden. Wissenschaft im objektiven Sinne ist also ein Inbegriff von gleichartigen und zusammenhangenden Erkenntnissen in Beziehung auf einen gewissen Gegenstand. Ein solches Ganze der Erkenntnifs heifst auch
ein System. Wissenschaft im subjektiven
Sinne aber ist die (mehr oder minder systematische)
Erkenntnifs selbst, die jemand von jenem Gegenstande
hat. Die Philosophie ist also — oder soll wenigstens
seyn — ebenfalls ein System, und der Philosoph als
solcher strebt — oder soll wenigstens streben — nach
einer systematischen Erkenntnifs dessen, was Gegenstand seiner Wissenschaft ist.

Jede Wissenschaft kann auch als Gegenstand des
Unterrichts d. h. des Lehrens und Lernens betrachtet werden und heifst insofern eine Lehre (doc-
trina, disciplina). Die einzelnen zur Wissenschaft

gehörigen Erkenntnisse müssen zu diesem Behuf in
Worte gefaſst und als Sätze aufgestellt werden, welche
ebendaher Lehrsätze (im allgemeinen Sinne des
Worts) heiſsen. Durch diese Lehrsätze an und für
sich betrachtet ist der Gehalt (*materia*), durch die
Art und Weise ihrer Verbindung unter einander aber
die Gestalt (*forma*) der Wissenschaft bestimmt;
und diese Verbindung geschieht dadurch, daſs man die
Lehrsätze der Wissenschaft auf einander als Grundsätze (*principia*) und als Folgesätze (*princi-
piata*) bezieht, indem man diese aus jenen ableitet
(*deducit*) d. h. diese durch jene als gültig erweist.
Gäbe es Sätze, die einer solchen Ableitung weder fähig noch bedürftig wären, weil ihre Gültigkeit durch
sich selbst einleuchtete, so müſsten dieselben als unmittelbar gewiſs angesehen und vorzugs-
weise oder schlechthin Grundsätze (*principia* κατ᾽ ἐξοχην s. *absoluta*) genannt werden; da hingegen alle Sätze, deren Gültigkeit erst durch einen
andern Satz vermittelt werden könnte und
müſste, nur mittelbar gewiſs, mithin an und
für sich blofs Folgesätze wären, ob sie gleich in
Beziehung auf daraus anderweit abzuleitende Sätze
auch Grundsätze (*principia relativa*) heiſsen möchten. Die Philosophie als Wissenschaft muſs also ebenfalls aus gewissen Lehrsätzen bestehen, welche als
Grund- und Folgesätze zusammenhangen und
vielleicht zuletzt auf einem oder mehren unmittelbar
gewissen Sätzen, als obersten oder höchsten
und letzten Prinzipien, beruhen.

Jede Wissenschaft ist ein freyes Erzeugniſs des
menschlichen Geistes; denn sie kann nur dadurch entstehen, daſs Einer oder nach und nach Mehre ihre geistige Thätigkeit auf einen gewissen Gegenstand hin-
lenken und dadurch ein wohlgeordnetes Ganze gleich-
artiger Erkenntnisse hervorbringen. Eben so ist auch
die Philosophie Niemanden ursprünglich gegeben oder
angeboren. Der menschliche Geist muſs sie also aus
sich selbst erzeugen, und diejenige geistige Thätigkeit, wodurch eben dieses geschieht, heiſst das Philosophiren. Was ist nun das Philosophiren?
— Es ist nichts anders als:

Ein Einkehren in sich selbst und ein Aufmerken auf sich selbst, um sich selbst zu
erkennen und sich selbst zu verstehen, und
dadurch zum Frieden in und mit sich selbst
zu gelangen.

Man kehrt nämlich in sich selbst ein, wenn
man von dem, was man als nicht zu sich selbst gehörig und als nicht in sich selbst anzutreffend betrachten
muſs, abstrahirt — das Äuſsere mit seinen Gedanken verläſst und in das Innere sich zurückzieht.
Man merkt auf sich selbst auf, wenn man eben
auf dieses Innere absichtlich reflektirt — sich selbst
zum unmittelbaren Gegenstande seines Forschens und
Suchens macht. Man erkennt sich selbst, wenn
man sein ganzes Vermögen, thätig zu seyn, richtig zu
schätzen weiſs — die Gesetze, die Schranken und das Ziel
seiner gesammten Thätigkeit kennt. Man versteht

sich selbst, wenn man im Stande ist, sich von allem, was man denkt und thut, eine vernünftige Rechenschaft zu geben — die Gründe seiner Überzeugungen und Handlungen bestimmt sich selbst darzulegen. Man hat endlich Frieden in und mit sich selbst, wenn man sich der durchgängigen Zusammenstimmung seiner Thätigkeit — der Beziehung derselben auf seine ganze Bestimmung bewußt ist. Abstrakzion und Reflexion ist also das erste, Selbsterkennung und Selbstverständigung das zweyte, Selbstbefriedigung das dritte Moment, worauf es beym Philosophiren ankommt. Das erste verhält sich zum zweyten und dritten, wie das Mittel zum Zwecke und zwar sowohl zum nächsten als zum entfernten (höchsten und letzten) Zwecke.

Wie macht man es aber, wenn man in sich selbst einkehren und auf sich selbst aufmerken will, um sich selbst erkennen und verstehen zu lernen? Ist jenes Einkehren und Aufmerken nicht vielmehr ein mystisches Beschauen seiner selbst und jenes Streben nach Selbsterkenntniß nicht vielmehr ein aszetisches Prüfen seines moralischen Zustandes, als ein szientifisches Meditiren und Spekuliren? Und ist der Versuch, auf diesem Wege ein wissenschaftliches Studium seiner selbst einzuleiten, nicht ein ganz verkehrtes Unternehmen? — Wer sich selbst erkennen will, muß doch wohl vor allen Dingen sein Vermögen zu erkennen überhaupt kennen lernen. Wodurch willst du dieß aber, nachdem du von allem Äußeren abstrahirt hast und

blofs auf das Innere reflektirst, kennen lernen, als eben
durch dein blofses Vermögen zu erkennen? Also das,
was du noch nicht kennst, willst du eben durch das,
was du noch nicht kennst, erkennen! — Ist es nicht
viel natürlicher und vernünftiger, wenn du zuerst
deine Aufmerksamkeit auf die Gegenstände richtest,
die dich umgeben, auf so mannichfaltige Art berühren
und dadurch gleichsam von selbst zur Aufmerksamkeit
auffordern, um dich von ihrer Beschaffenheit und den
Gesetzen ihrer Würksamkeit, zugleich aber auch, indem du so an ihnen deine Kraft versuchst und dich
derselben bewufst werden lernst, von deiner eignen
Beschaffenheit und den Gesetzen deiner Thätigkeit zu
belehren? Und hat nicht die philosophirende Vernunft
der Geschichte zufolge bey ihren Spekulazionen eben
diesen Gang genommen? Ja, nimmt nicht der tägli-
chen Erfahrung zufolge die Entwickelung der menschlichen Vernunft überhaupt bey jedem Menschen denselben Gang?

Zur Beantwortung dieser Fragen, die manchem
denkenden Leser bey den obigen Erörterungen dürften eingefallen seyn, mögen folgende Bemerkungen
dienen:

1) Über das W i e des Philosophirens selbst läfst
sich schlechterdings keine Anweisung geben. Denn
das Philosophiren besteht in einem s e l b s t t h ä t i g e n
P r o d u z i r e n von Erkenntnissen, die weder durch
unmittelbare Wahrnehmung gegebner Gegenstände
noch durch blofse Mittheilung von Seiten Andrer im
Gemüthe entstehen. Das P h i l o s o p h i r e n ist also

eine Art von Kunst, die sich durch blofse Regeln
oder blofses Nachmachen weder lehren noch lernen
läfst, obgleich ihr Produkt, die Philosophie als
Wissenschaft, gleich andern Wissenschaften als
ein Objekt des Lehrens und Lernens betrachtet wird *).

---

*) Man hat zuweilen, und nicht unschicklich, die Phi-
losophie mit der Poesie in Parallele gestellt. Denn
das Philosophiren ist auch ein Dichten, nur mit dem
Unterschiede, dafs der Philosoph mit der Vernunft,
der Poet mit der Einbildungskraft dichtet. Es
kann sich aber zutragen, dafs Beyde ihre Rollen ver-
tauschen, in welchem Falle der Erste nicht philosophirt, sondern (vielleicht sehr tiefsinnig) phantasirt,
und der Letzte nicht poetisirt, sondern (vielleicht in
sehr zierlichen Versen) räsonnirt. So wenig nun die
ächte Poesie gelehrt und gelernt werden kann, so wenig kann es auch die ächte Philosophie. Man kann
freylich einem Andern gewisse Philosopheme vorlegen.
Wenn aber dieser zum eignen Produziren unfähig ist,
so wird er immer nur fremde Philosopheme mit dem
Gedächtnisse auffassen, und in der philosophischen Erkenntnifs nie weiter kommen, als wohin er durch die
Hand seines Führers unmittelbar geleitet wird. Daher
soll jeder philosophische Vortrag blofs eine Erweckung
und Anreitzung zum eignen Philosophiren für diejenigen seyn, bey welchen sich die Anlage dazu vorfindet
— eine blofse Aufforderung des Lehrers an den Zuhörer, eben das in sich hervorzubringen, was jener selbst,
indem er redet, in sich hervorbringt. Der Lehrer be-
rührt also gleichsam gewisse Sayten seines eignen Geistes in der Voraussetzung, dafs es in einem fremden
Geiste entsprechende homogene Sayten gebe, und in

Zur glücklichen Ausübung jener Kunst aber gehört theils natürliches Talent d. h. eine angeborne eigenthümliche Anlage zum Philosophiren, theils guter Wille d. h. reine Liebe zur Wahrheit *).

---

der Hoffnung, dafs diese durch die hervorgebrachten Töne werden erschüttert und in harmonische Schwingungen versetzt werden. Dafs diese Hoffnung ihn täuschen müsse, wenn jene Voraussetzung falsch ist, versteht sich von selbst. Ungefähr in demselben Verhältnisse steht der philosophische Schriftsteller zu seinen Lesern, nur dafs er bey diesen (wenn sie nicht mehr Jünglinge, sondern Männer sind) gröfstentheils schon mehr Vorkenntnisse (zuweilen aber auch mehr Vorurtheile) und mehr Übung im Denken (zuweilen aber auch mehr Trägheit im Denken) voraussetzen kann und mufs. Übrigens erhellet schon hieraus, warum Mifsverständnisse und Streitigkeiten theils über Sachen theils über Worte gerade in der Philosophie so sehr einheimisch sind, und warum gerade diejenigen am wenigsten von der Philosophie verstehen, die in ihr am meisten gelernt zu haben meynen.

*) Die Nothwendigkeit der Vereinigung von Beyden, wenn die Philosophie aus den Bemühungen ihrer Bearbeiter reellen Gewinn ziehen und auf die Denkart des Publikums Einflufs erhalten soll, leuchtet aus der Geschichte des Tages nur allzusehr ein. Während Einige allen denen, die ihren Spekulazionen nicht unbedingten Beyfall geben, alles philosophische Talent absprechen und dieselben aus der philosophirenden Gemeine lieber ganz exkommuniziren möchten, verrathen sie selbst bey allem sonstigen Talente so viel Mangel an gutem Willen, dafs das Publikum gegen ihre Bemühungen wohl

2) Das Philosophiren ist in der That eine Art von
Beschauung seiner selbst und zwar eine Beschauung, die bis in die tiefsten Tiefen des mensch-

---

mistrauisch werden muſs uud am Ende die Philosophie
selbst geringschätzen lernt, weil ihre Pfleger und
Freunde sich gegen einander so unphilosophisch be-
nehmen. Kann man denn wohl reine Liebe zur Wahrheit bey demjenigen voraussetzen oder kann man sich
viel von dessen wissenschaftlichen Bemühungen versprechen, der Gründe, die seinen Behauptungen entgegengesetzt werden, nur mit skurrilem Spotte oder pö-
belhaften Schimpfworten erwiedert, der den Gegner
nicht eines Bessern zu belehren, sondern nur durch
Verächtlichmachung zu unterdrücken sucht? — Möchte
man doch auch in dieser Hinsicht beherzigen, was
KANT in seiner Tugendlehre (S. 141.), wo er von
den Pflichten gegen Andersdenkende redet, sagt! „Hier-
„auf“ — sind seine Worte — „gründet sich eine
„Pflicht der Achtung für den Menschen, selbst im lo-
„gischen Gebrauche seiner Vernunft: Die Fehltritte
„desselben nicht unter dem Namen der Ungereimtheit,
„des abgeschmackten Urtheils u. d. zu rügen, sondern
„vielmehr vorauszusetzen, daſs in demselben doch et-
„was Wahres seyn müsse, und dieses herauszusuchen;
„dabey aber zugleich den trüglichen Schein (das Sub-
„jektive der Bestimmungsgründe des Urtheils, was
„durch ein Versehen für objektiv gehalten wurde) auf-
„zudecken und so, indem man die Möglichkeit zu ir-
„ren erklärt, ihm noch die Achtung für seinen Ver-
„stand zu erhalten. Denn spricht man seinem Gegner
„in einem gewissen Urtheile durch jene Ausdrücke al-
„len Verstand ab, wie will man ihn denn darüber ver-
„ständigen, daſs er geirrt habe?“

lichen Geistes, wo ein geheimnifsvoller Schleyer den
Blick zu hemmen scheint, einzudringen sucht. Daher
nimmt freylich zuweilen die Philosophie ein etwas
mysteriöses Gewand um. Allein der Philosoph
verführt bey seiner Selbstbeschauung ganz anders als
der Mystiker. Jener handelt nämlich mit kalter
Besonnenheit und nach Gesetzen, deren er sich entweder schon bewufst ist oder doch ebendadurch bewufst zu werden sucht, um dann alles, was er gefunden hat, klar und offen darzulegen und jedem von seinem Verfahren vernünftige Rechenschaft zu geben,
während dieser bey seiner Selbstbeschauung über das,
was er in sich fühlt und empfindet, mit erhitzter und
regelloser Einbildungskraft brütet und grübelt, und,
indem er seine Gedanken in ein undurchdringliches
Dunkel hüllt, weiter nichts als ein apokalyptischer
Träumer ist, der sich nur sympathetisch (gleichsam
durch geistige Kontagion) andern mittheilen kann.
Wenn aber der Philosophirende jene kalte Besonnenheit verliert und seiner Einbildungskraft zu freyen
Spielraum läfst, so kann er am Ende wohl auch einem
mystischen Träumer ähnlich werden, indem er gleichsam methodisch raset und so die philosophirende Vernunft, die in alle Regionen der menschlichen Erkenntnifs ihr Licht hinüber tragen soll, zu einer unfrucht-
baren Geheimnifskrämerin und spitzfindigen Grillen-
fängerin macht *).

---

*) Wie leicht die philosophische Spekulazion in Mysti-
zism, Geheimnifskrämerey und Grillenfängerey ausarten

3) Die Selbsterkenntnifs, worauf das Philosophiren abzweckt (die philosophische Selbsterkenntnifs) ist an und für sich lediglich spekulativ oder theoretisch d. h. es soll durch sie blofs
ein Wissen, und zwar ein gelehrtes oder wissenschaftliches, erzeugt werden. Man kann sie daher auch die
doktrinale oder szientifische nennen. Sie hat
zunächst ihren Zweck in sich selbst, ob sie gleich auch
noch auf anderweite Zwecke bezogen werden kann.
Sie ist also von der moralischen oder praktischen Selbsterkenntnifs, welche die Aszetik em-
pfiehlt, wesentlich verschieden. Denn diese bezieht
sich auf das eigne Verhalten des Menschen und die
dabey zum Grunde liegende Gesinnung, um beydes
zu verbessern und zu veredeln. Ihr Zweck liegt folglich aufserhalb der Erkenntnifs auf dem Gebiete der

---

könne und wie oft sie bereits so ausgeartet sey, lehrt
die ältere und neuere Geschichte der Philosophie ebenfalls nur allzudeutlich. Der Grund davon liegt in der
eigenthümlichen Stimmung und Richtung des Gemüths
beym Philosophiren, indem dadurch die Denkkraft ganz
in sich selbst gekehrt wird. Der Philosophie selbst
kann diefs in Ansehung ihres Werthes keinen Abbruch
thun; aber den Philosophen mufs es bey seinen Spekulazionen vorsichtig und bedachtsam machen, damit er
nicht der Phantasie die Herrschaft über die Vernunft
gestatte und leere Träumereyen oder bilderreiche Phra-
sen für hohe Weisheit verkaufe. Denn wenn auch dieser Schleichhandel eine Zeit lang geduldet oder gar begünstigt wird, so müssen die Urheber und Beförderer
desselben am Ende doch zu Schanden werden.

Sittlichkeit. So wie nun diese Selbsterkenntnifs für den unentbehrlich ist, welcher in der Tugend fort schreiten will, eben so nothwendig ist jene für den, welcher in der Gelehrsamkeit oder den Wissenschaften überhaupt, von welcher Art sie auch seyn mögen, glückliche Fortschritte machen will. Denn hier wie dort hat man gewisse Gesetze bey seiner Thätigkeit zu beobachten, sich innerhalb gewisser Schranken zu halten, gewisse Gefahren auf dem Wege zu seinem Ziele zu bestehen. In beyden Fällen aber sind jene Gesetze und Schranken durch unsre eigne Natur bestimmt und die Gefahren, die dem Menschen in beyderley Hinsicht drohen, kommen eigentlich nur aus und von ihm selbst. Daher wird durch eine gründliche philosophische Selbsterkenntnifs sowohl die moralische Selbsterkenntnifs, als auch die Erkenntnifs überhaupt, ihr Gegenstand und Zweck sey, welcher er wolle, auf mannichfaltige Art unterstützt und befördert werden. Denn nur der kann sicher mit seiner Reflexion aus sich heraus und auf andre Gegenstände über gehen, welcher vorher auf sich selbst reflektirt und dadurch sein Erkenntnifsvermögen selbst kennen gelernt hat. Die philosophische Selbsterkenntnifs kann mithin jedem gelehrten Forscher, der auf dem Gebiete der Wissenschaften auf neue Eroberungen ausgeht, als Kompafs dienen, mit welchem versehen er den unermefslichen Ozean der ihn rings umgebenden Gegenstände muthig beschiffen darf.

4) Der Philosoph — oder das philosophirende Subjekt als solches — kann sich selbst freylich nur durch sich

sich selbst kennen lernen. Das erkennende Subjekt macht sich selbst sammt allem, was in und
an ihm ist, beym Philosophiren zum Objekte.
Indem nun der Philosoph seine natürliche und nothwendige Handlungsweise oder die Gesetze seiner Thätigkeit aufsucht und darstellt, kann er selbst nicht anders als nach eben diesen Gesetzen verfahren. Aber
indem er sich durch eine freye Reflexion auf sich
selbst über den Standpunkt des gemeinen
Bewustseyns erhebt, wo man nach Gesetzen
handelt, ohne sich derselben bewust zu seyn, so
sieht er auf seinem höhern Standpunkte seinem eignen
Handeln gleichsam zu und produzirt dadurch eine
ihm eigenthümliche Erkenntnifs, die sich
eben auf jene Gesetze seines Handelns oder seiner gesammten Thätigkeit bezieht und daher die philosophische Selbsterkenntnifs heifst. Was bey
diesem Produziren am Ende für ein Erkenntnifs-Sy-
stem herauskommen wird — der glückliche oder un-
glückliche Erfolg des Philosophirens — hangt theils
von der Beschaffenheit des Produzenten selbst, theils
von manchen zufälligen Nebenumständen ab, wodurch
Kraft und Wille des Produzenten geweckt und geleitet werden und die er nicht immer in seiner Gewalt
hat. Das Philosophiren ist daher gewissermafsen ein
Wagstück, das auf gut Glück unternommen wird,
ein Experiment des Philosophirenden mit sich selbst,
dessen Gelingen oder Nichtgelingen problematisch ist.
Gelingt's, so ist's gut; gelingt's nicht — nun so mag es
ein Anderer von neuem versuchen und besser machen

Endlich wird doch vielleicht jemand, belehrt durch die Fehltritte seiner Vorgänger, den rechten Weg treffen und das Ziel glücklich erreichen *).

---

*) Jedes philosophische System ist ein auf eine eigenthümliche Weise angestellter Versuch des menschlichen Geistes, sich selbst zu ergründen, sich selbst gleichsam in seine ursprünglichen Elemente zu zerlegen; und jedes neue System ist ein wiederholter Versuch der Art, wodurch die früheren Versuche und die daraus gezogenen Resultate theils bestätigt theils berichtigt werden sollen. Warum ist man denn nun gegen die philosophischen Systeme, insonderheit gegen die, welche sich als neu ankündigen, so ergrimmt und so misstrauisch? Warum will man der philosophirenden Vernunft in den einzelnen philosophirenden Subjekten nicht gestatten, sich nach allen möglichen Richtungen hin auszubreiten und anzubauen? Wer darf es wagen, die philosophirende Vernunft überhaupt in die Schranken eines Systems, das seine philosophirende Vernunft erzeugt hat, einschliefsen zu wollen? Wer darf sich erkühnen zu behaupten, sein System (sey es auch selbstgeschaffen oder nur adoptirt) sey so in sich selbst vollendet, dafs Niemand etwas dazu oder davon thun dürfe? Wer hat also das Recht, auf Andre zu schelten oder sie verdächtig zu machen, wenn sie eben das thun, was er selbst und viele Philosophen vor ihm auch gethan haben? — Wann wird man einsehen lernen, dafs der menschliche Geist zur Freyheit berufen sey, dafs jede freye Äufserung desselben, die von Vernunft geleitet wird, der Menschheit nütze, und dafs nur diejenige Belehrung, welche die Freyheit jeder fremden Denkkraft respektirt, dem menschlichen Geiste angemessen sey!

5) Es ist allerdings wahr und wird durch die tägliche Erfahrung hinlänglich bestätigt, daſs die Vernunft überhaupt sich in jedem Menschen auf einem andern Wege, als dem der Selbsterkenntniſs, entwickelt; und auch die philosophirende Vernunft hat, wie die Geschichte der Philosophie lehrt, eine andere Richtung genommen, als sie zuerst ihre Schwingen zu erheben anfing. Jeder Mensch reflektirt eher auf das Aüſsere, als auf das Innere; und die frühesten Philosophen spekulirten und räsonnirten eher über Himmel und Erde und was drüber und drunter ist, als über sich selbst. Aber auch dieser Gang der Entwickelung der Vernunft in ihrem gemeinen sowohl als philosophischen Gebrauche ist der natürlichen und nothwendigen Handlungsweise des menschlichen Geistes, den ursprünglichen Gesetzen seiner Thätigkeit völlig angemessen und daraus sehr begreiflich.

Der Mensch findet sich von Natur auf dem Standpunkte des gemeinen Bewuſstseyns, wo er nach Gesetzen thätig ist, ohne sich diese Gesetze als solche vorzustellen. Er schaut an, empfindet, denkt, will, handelt u. s. w. ohne auch nur einmal daran zu denken, daſs alles, was er thut oder leidet, nach Gesetzen vor sich gehe, die in der Einrichtung seiner Natur ihren Grund haben. Hier sind es also die Auſsendinge, welche ihn von so mannichfaltigen Seiten her berühren und eben dadurch erst sein Bewuſstseyn überhaupt wecken. Ihnen muſs er daher froylich zuerst seine Aufmerksamkeit widmen; an ihnen muſs er zuerst seine' Kräfte versuchen und üben; ihre

Beschaffenheit, ihren Zusammenbang, ihr Verhältniſs zu ihm selbst muſs er zuerst in einem gewissen Maaſse kennen lernen, ehe sein Abstrakzions- und Reflexions- vermögen denjenigen Grad von Vollkommenbeit errei- chen kann, welcher erforderlich ist, um von allem, was nicht er selbst ist, zu abstrahiren und auf dieses Selbst allein zu reflektiren. Hiemit befaſst sich aber die Vernunft in ihrem gemeinen Gebrauche gar nicht. Sie ist zufrieden mit einer Erkenntniſs der Auſsen- dinge, welche hinreicht, dieselben den Zwecken des menschlichen Lebens in seinen mannichfaltigen Ge- schäften zu unterwerfen.

Hiebey kann sich aber die Vernunft nicht auf im- mer beruhigen. Sie forscht nach Prinzipien, um der Erkonntniſs Einheit und Vollständigkeit zu geben, und, um diese zu erreichen, muſs sie sich frey und selbstthätig auf einen höheren Standpunkt er- heben. Aber sie versetzt sich nicht mit einem Sprung aus dem einen Standpunkt unmittelbar in den andern. Sie geht nur allmälig von dem Standpunkte des ge- meinen Bewuſstseyns zu dem höchsten für sie erreich- baren Standpunkte über, und findet denselben nicht eher, als bis sie eine Menge vergeblicher Versuche gemacht hat, sich auf jenem zurecht zu finden. Sie schweift also mit ihren Spekulazionen zuerst noch um- her auf den von auſsen gegebenen mannichfaltigen Ge- genständen, und schwebt so gleichsam in der Mitte zwischen heyden Standpunkten. Was hat denn nun die philosophirende Vernunft in dieser Periode des Schwebens und Schwankens herausgebracht? War

nicht ihr Spekuliren gröſstentheils ein regelloses Ha-
schen nach Meynungen und Muthmaſsungen, wovon
eine immer abentheuerlicher war, als die andre? War
nicht selbst das bestimmtere Forschen nach Prinzipien nur ein beständiges Streben nach einem höhern
Punkte, wo man nach Auflösung des täuschenden
Scheins, der in den niedern Regionen die Sonne der
Wahrheit, wie ein dichter Nebel, verhüllt, diese im
reineren Glanze zu sehen hoffen durfte? — Wodurch
soll sich denn aber die Vernunft·auf diesen Punkt erheben, um in ihren Untersuchungen über Gegenstände
aller Art, besonders über die, welche die ganze Menschheit interessiren — Pflicht und Recht, Moralität und
Religion — glücklicher als bisher zu seyn? — Sie
muſs vor allen Dingen sich selbst zum Gegenstande
ihrer Untersuchungen machen. Das erkennende Subjekt muſs in sich selbst einkehren und auf sich selbst
reflektiren, um sich selbst erkennen und verstehen zu
lernen — mit einem Worte: Man muſs philosophiren, philosophiren in der ächten und eigentlichen Bedeutung des Worts *).

---

*) Man nennt zwar zuweilen auch in einem weitern
·Sinne jedes Forschen nach Gründen und Ursachen,
jedes Suchen nach Prinzipien und Gesetzen ein Philosophiren. Aber eben dieses Forschen und Suchen, was ist es denn im Grunde anders, als ein Reflektiren auf uns selbst, wo nicht unmittelbar, so
doch mittelbar, wieferne nämlich das Aüfsere ein
Abdruck des Innern, die wahrgenommenen Gegen-

Nun kann man nicht laügnen, daſs unter den Män-
nern, welche in der gelehrten Welt unter dem Namen
der Philosophen bekannt sind, es schon in den älteren
Zeiten, wo das Streben nach höherer Weisheit ¡bey
den Griechen gleichsam einheimisch war, denkende
Köpfe gab, welche ihren Spekulazionen diese Richtung gaben, und SOKRATES kann gewissermaſsen der
erste Philosoph in jener, ächten und eigentlichen Be
deutung genannt werden.　Denn so wenig er auch
eigentlich spekulativer Kopf war, so sehr er auch alles
Spekuliren verabscheute — vielleicht weil er die Spekulazion nur von einer bösen Seite (unter den Sophi-
sten) kennen gelernt hatte — so groſs sind seine Verdienste um die Philosophie dadurch, daſs er die philosophirende Vernunft zuerst auf das P r a k t i s c h e hin-
leitete.　Das Praktische ist es, was dem Menschen

---

stände um uns herum ein Widerschein unseres Selbst,
die Welt im Groſsen ($\mu\alpha\varkappa\rho\sigma\varkappa\sigma\sigma\mu\sigma\varsigma$) ein Abbild der
Welt im Kleinen ($\mu\iota\varkappa\rho\sigma\varkappa\sigma\sigma\mu\sigma\varsigma$) ist.　Nimmer wûrdet
ihr in der äuſsern Natur Gesetze d u r c h E r f a h-
r u n g entdecken, wenn nicht v o r a l l e r E r f a h-
r u n g in eurer i n n e r n Natur Gesetze der Erkenntniſs überhaupt bestimmt, wenn nicht eben diese Gesetze diejenigen Prinzipien wären, die ihr bey allem
euren Suchen und Forschen im Prospekte habt.　Immer
ist und bleibt es also die ursprüngliche Einrichtung
eures Gemüths, immer seyd und bleibt es ihr selbst,
was den — unmittelbaren oder mittelbaren — Gegenstand eures Philosophirens ausmacht.

eine eigne Welt in ihm selbst ankündigt, was ihn zuerst auf einen Unterschied des Aüfsern und Innern
hinweist, was ihn eine Thätigkeit kennen lehrt, deren
Quelle einzig in ihm selbst ist, was ihn nöthigt, in
sich selbst einzukehren u. 1 auf sich selbst zu reflektiren, indem er sich nicht blofs als einen Theil der
Sinnenwelt, die ihn umgiebt, sondern als ein Glied
einer andern Welt, einer höhern Ordnung der Dinge,
betrachtet, deren Gesetze in ihm selbst verborgen liegen und ihm nur durch sich selbst bekannt werden.
Bey dem Allen war die dem SOKRATES eigne Art zu
philosophiren viel zu einseitig und beschränkt, als dafs
durch sie die Philosophie im vollen Sinne des Worts
sehr gefördert werden konnte. Eben darum, weil er
einzig und allein das Praktische, das auf das Leben
unmittelbar Anwendbare berücksichtigte, und dagegen
alles, was über diese Anwendung hinaus lag, als un-
nütze Spekulation verwarf, beschränkte er sein Γνωθι
σεαυτον so, dafs es ihm mehr um die moralische,
als um die szientifische oder eigentlich philosophische Selbsterkenntnifs zu thun war, indem er
das Bedürfnifs einer solchen höhern und umfassendern
Selbsterkenntnifs gar nicht zu ahnen schien, vielwe-
niger beherzigte.

Ob nun gleich PLATO, ARISTOTELES und einige
andre Griechen von entschiedenem philosophischen
Geiste dieses Bedürfnifs lebhafter fühlten, und, indem sie ihm abzuhelfen suchten, dem Ziele der philosophirenden Vernunft sich näherten: so verliefs man
doch unglücklicher Weise den von ihnen betretenen

Weg nur allzu bald, und entfernte sich dadurch eben
so schnell wieder von jenem Punkte. Ein dogmati-
scher Dünkel in transzendenten Spekulazionen auf der
einen Seite und eine an der Vernunft selbst verzwei-
felnde Skepsis auf der andern bemächtigten sich der
spätern griechischen Philosophen. So wurde die philosophirende Vernunft vermittelst ihrer Repräsentan-
ten gleichsam durch sich selbst aufgerieben. Das Philosophiren hörte nach und nach ganz auf, und was
man etwa noch Philosophie nannte, war ein seltsames
Gemisch von dialektischen Spitzfindigkeiten und religiösen Schwärmereyen, ein verworrenes Chaos von
unverständlichen Vernunftgrübeleyen und vernunft-
widrigen Kirchensatzungen.

Seitdem erwachte das Studium ächter Philosophie
nicht eher wieder, als bis die philosophirende Vernunft, gereizt durch die Überreste der alten griechischen Weisheit, wieder anfing, nach Selbsterkenntnifs zu streben, bis die Philosophen von neuem in sich
selbst zurückgingen und sich selbst zum Gegenstande
ihrer Untersuchungen machten, um die reine Form
des menschlichen Geistes d. h. seine ursprüngliche
Handlungsweise, die Bedingungen, Gesetze und
Schranken seiner gesammten Thätigkeit kennen zu lernen. Dieses Studium aber, welches in neuem Zeiten
LEIBNITZ, LOCKE und HUME durch ihre Versuche über
den menschlichen Verstand sehr glücklich einleiteten*),

---

*) LOCKE sagt ausdrücklich gleich im Anfange seines
Werks (Thl. I. S. 2. nach der *Tennemannschen* Über-

wurde erst von KANT durch eine umfassendere und
eindringendere Kritik der sämmtlichen Gemüthsvermögen auf richtigere Prinzipien zurückgeführt und dadurch vester begründet, obwohl bey weitem nicht vollendet, daher seitdem noch eine Menge anderweiter
Versuche, den menschlichen Geist zur völligen Erkenntniß seiner selbst zu bringen, von REINHOLD,
FICHTE, SCHELLING, ABICHT, BOUTERWECK, BAR-
DILI u. A. mit mehr oder weniger Erfolg gemacht
worden sind.

Sich selbst zu erkennen und zu verstehen ist also
wenigstens der nächste Zweck des Philosophirens.
Aber hat es nicht noch einen entferntern, höhern Zweck? Warum will ich mich denn kennen
und verstehen lernen? Warum strebt denn der
menschliche Geist, wenn einmal der Trieb zum Erkennen und Verstehen in ihm erwacht ist, wenn er
einmal die bestimmte Richtung zum Nachforschen über
sich selbst und alles, was mit ihm in Beziehung steht,

---

setzung): „Eine Untersuchung über den Ursprung,
„die Gewißheit und den Umfang der menschlichen
„Erkenntniß, über die Gründe und Grade des Glau-
„bens, der Meynung und des Beyfalls ist der Gegen-
„stand und Zweck dieses Werkes.'' Dieselbe Tendenz
hatten die Werke der andern beyden Männer, und
schon um dieser ächt philosophischen Tendenz willen
sind ihre Versuche äußerst schätzbar, wenn sie auch
nicht gelungen sind.

angenommen hat, so unaufhaltsam nach Einheit und Vollendung? Warum ruht er nicht eher, als bis er ein Höchstes und Letztes gefunden hat oder wenigstens gefunden zu haben glaubt, woran er alles Übrige anknüpfen kann? — Friede in und mit sich selbst, Harmonie im Denken wie im Wollen, im Erkennen wie im Handeln, oder mit andern Worten: Bewußtseyn des Zusammenstimmens unsrer gesammten Thätigkeit zur Erreichung unsrer Bestimmung ist das letzte Ziel der Vernunft überhaupt, mithin auch der philosophirenden.

Friede in und mit sich selbst ist für den Menschen nur auf eine doppelte Weise erreichbar. Einmal überläßt er sich ganz der Leitung der Natur. Indem er ruhig auf dem Standpunkte stehen bleibt, den ihm diese angewiesen hat, spekulirt er nicht über sich selbst und was um ihn her ist. Die ihm vermöge der ursprünglichen Einrichtung seines Gemüths nothwendige Ansicht der Dinge befriedigt ihn ganz in Ansehung des Theoretischen (des Erkennens und Wissens) und in Ansehung des Praktischen (des Thuns und Lassens) hört er in seinem Innersten eine Stimme (das Urtheil des Gewissens), die ihm in jedem gegebenen Falle unmittelbar (ohne vorausgegangenes Räsonnement) ankündigt, was recht und gut ist. Sein Führer im Denken und Thun ist bloß der sogenannte gemeine oder natürliche Verstand, der, sobald er nur gesund d. h. würklich natürlich, nicht verkünstelt ist, den Menschen gewiß zum Frieden in und mit sich selbst leitet, so lange der Mensch nur seiner Leitung folgt.

Aber es ist in dem Menschen ein Prinzip der Selbstthätigkeit verborgen, wodurch er auch sein eigner Führer mit Bewußtseyn werden kann; es ist in ihm ein Trieb verborgen, wodurch er für unendliche Entwickelung seiner natürlichen Anlagen empfänglich wird. Sobald dieser Unendlichkeitstrieb in ihm erwacht, wird auch jenes Selbstthätigkeitsprinzip rege; denn beyde sind im Grunde identisch. Der Mensch entzieht sich nun, zwar nicht ganz der Aufsicht der Natur — denn sie hat als Beherrscherin aller ihrer Werke noch immer Gewalt über ihn und behält aus mütterlicher Sorgfalt stets ein aufmerksames Auge auf ihn, damit er sich nicht zu weit von seiner Bestimmung entferne — aber doch ihrer Vormundschaft, und fängt an, selbst etwas aus sich zu machen, sein eigner Bildner zu werden. Unbekannt aber mit dem, was er aus sich machen, und mit der Art und Weise, wie er es machen soll, thut er einen Fehlgriff nach dem andern. Ein unruhiges Sehnen und Streben nach etwas Absolutem treibt ihn, wie der Wind ein wankendes Rohr, bald hier hin, bald dort hin. Seine Kräfte verlieren ihr Gleichgewicht und gerathen in Widerstreit. Er wird sich selbst unbegreiflich und zweifelt endlich gar, daß er je, wonach er ringt, erringen werde. Aus dieser peinlichen und gefahrvollen Lage giebt es kein andres Rettungsmittel, als daß er — nicht Kenntnisse

auf Kenntnisse häufe; denn je mehr er auf das blofse
Sammeln denkt, desto weniger wird er, wie der Geit-
zige, des Gesammelten froh werden; sondern — in
sich selbst einkehre und auf sich selbst aufmerke, um
sich selbst erkennen und verstehen zu lernen. Er mufs
alle seine ursprünglichen Anlagen, seine natürlichen
Fähigkeiten und Kräfte, er mufs die Gesetze, nach
welchen sie entwickelt, geübt und gebildet seyn wollen, er mufs die Bedingungen und Schranken seiner
gesammten Thätigkeit, er mufs seine ganze (physische
und moralische) Bestimmung kennen lernen, damit er
Harmonie in seine Thätigkeit bringen und so den Frieden in und mit sich selbst herstellen könne — mit einem Worte: Er mufs philosophiren *).

---

*) Man wird, wenn man die Geschichte der Philosophie
mit Aufmerksamkeit studirt, sehr häufige Spuren antreffen, dafs die Philosophirenden jene höhere Tendenz
der Philosophie bey ihnen Nachforschungen immer vor
Augen hatten. Was war wohl z. B. die *Stoische* Apa-
thie und die *Epikurische* Euthymie anders, als der
in der Brust des Weisen herrschende Friede, nur von
zwey verschiednen Seiten angesehen und auf zwey verschiednen Wegen gesucht? In der Stoa wollte man die
Harmonie der Erkenntnifs- und Begehrungskräfte durch
eine künstliche Unterdrückung, in den Epikuri-
schen Gärten aber durch eine künstliche Befriedigung der Neigungen erzielen. Ferner, was hatten
wohl in älteren Zeiten die *Kyniker* der bessern Art, indem sie der Natur unbedingt folgen wollten,

Fassen wir alles bisher Gesagte kurz zusammen,
so ergiebt sich, daſs in der Philosophie das e r k e n -
n e n d e   S u b j e k t und das z u e r k e n n e n d e Ob-
j e k t e i n e s und d a s s e l b e sey — denn der Philosophirende strebt eigentlich nur nach Selbsterkenntniſs
und betrachtet diese als Prinzip aller übrigen Erkenntniſs — daſs diese Wissenschaft jeden, der sich ihrer
bemächtigt hat, in Stand setze, sich selbst und andern von seinen U e b e r z e u g u n g e n und H a n d -
l u n g e n eine g r ü n d l i c h e R e c h e n s c h a f t zu
geben — denn wer sich selbst erkennen und verste-
hen gelernt hat, muſs auch im Stande seyn, von allem, was er denkt und thut, befriedigende Gründe an-
zugeben — daſs also die *Philosophie* als eine W i s -

---

und in den neueren der *Philosoph von Genf,* indem auch
er den N a t u r s t a n d als die wahre Bestimmung des
Menschen anpries, sonst vor Augen, als eben jenen Zustand des Friedens in und mit sich selbst? Beyde suchten dasselbe Ziel, und meynten, der Mensch könne es
nur durch Z u r ü c k g e h n, nicht durch Fortschreiten
erreichen, weil sie es für unmöglich hielten, daſs das,
was der Mensch selbst aus sich macht, je mit dem, wozu er von Natur bestimmt ist, zusammentreffen könne.
Darum empfohlen sie das Leben nach der Natur als das
einzig wahre Leben des Menschen, und der gute
Rousseau insonderheit empfand stets, selbst mitten im
glänzenden Gewühle der grofsen Welt, die glühendste
Sehnsucht danach, ohne sie je dauerhaft befriedigen zu
können.

senschaft von der ursprünglichen Anlage
und Bestimmung des Menschen zu betrachten und zu bearbeiten sey — denn nur hier, nicht
aufser uns und nicht in dem, was dem Menschen erst
in der Zeitreihe seiner individuellen Existenz zufälliger Weise gegeben wird, mithin gar nicht zum wesentlichen, allgemeinen und nothwendigen Charakter
der Menschheit gehört, dürfen diejenigen Gründe unsers Denkens und Thuns gesucht werden, welche die
Vernunft durchaus befriedigen sollen *).

Hieraus erhellet zugleich der hohe Werth der
Philosophie, durch welchen diese Wissenschaft einen
weit über alle andre Wissenschaften erhabnen Rang

---

*) KANT erklärt in der Kritik der reinen Vernunft
(S. 867. Ausg. 3.) die Philosophie für „die Wissen-
„schaft von der Beziehung aller Erkenntnifs auf die
„wesentlichen Zwecke der Vernunft" — und in der
Kritik der praktischen Vernunft (S. 194. Ausgabe 2.) für „die Lehre vom höchsten Gute, soferne
„die Vernunft bestrebt ist, es darin zur Wissenschaft
„zu bringen." Diese Erklärungen sagen ungefähr dasselbe, was die obige Erklärung sagt, die indessen tiefer unten mit einer bestimmteren vertauscht werden
wird. Hier sollte nur vorläufig der Charakter der
Philosophie und ihre durchaus praktische Tendenz angedeutet werden, welche die alten Philosophen nur selten, die neueren fast stets aus den Augen verloren, indem sie die Philosophie gröfstentheils als blofse Spekulazion betrachteten und behandelten.

behauptet, ob man ihr gleich in der Zunft-Klassifika-
zion der Wissenschaften, wo nur der politische oder
lukrative Werth derselben (ihr Marktpreis) in An-
schlag gebracht wurde, den untersten Rang angewiesen hat. Sie muſs nämlich vermöge ihres eigenthümlichen Charakters unter allen Wissenschaften das vor-
nehmste Beförderungsmittel der intellektuellen und moralischen Kultur des Menschen seyn. Der intellektuellen — indem sie
theils durch die angestrengteste und vorurtheilfreyeste
Nachforschung, welche ihr Studium als unerlaſsliche
Bedingung eines glücklichen Erfolgs fodert, den Prü-
fungsgeist überhaupt weckt, nährt und stärkt, theils
allen übrigen Wissenschaften Grundsätze darbietet,
worauf sie erbaut oder nach welchen sie gebildet werden können. Der moralischen — indem sie zeigt,
theils, was der Mensch seyn und werden soll, theils,
wie und wodurch er es seyn und werden kann, mithin ihm die sichersten Mittel zur Entwickelung
und Ausbildung seiner Anlagen und zur Erreichung
seiner Bestimmung darbietet. Indem sie dieſs leistet, würkt sie gleich wohltbätig für Kopf und
Herz und leitet diese heyden Urquellen der menschlichen Thätigkeit, die oft in sehr divergirenden
Krümmungen sich durch das Leben hinwinden, in
Einen gemeinschaftlichen Strom zusammen. So ist
denn die Philosophie — diese erstgeborne Tochter
der Pallas Athene — weder eine feile Dirne, um
deren Gunst man nur buhlt, um zu tändeln und zu

geniefsen; noch eine niedrige Sklavin, bestimmt einer
stolzen Gebieterin die Fackel oder die Schleppe zu
tragen; sondern eine edle Jungfrau, die nur geliebt
und geachtet seyn will, um den ewigen Bund der
Wahrheit und Tugend mit ihr zu knüpfen, und nur
einem solchen Verehrer sich hingiebt. Aber wem sie
sich so hingegeben hat, dem giebt sie auch süfsen Ge-
nufs in den Stunden der Ruhe und süfse Erleichte-
rung in den Stunden der Arbeit.

Die Philosophie als ein wissenschaftliches
Ganze besteht aus mehren Theilen, welche zwar
wie die Theile eines organischen Körpers genau zu-
sammenbangen, aber doch abgesondert von einander
dargestellt und so als einzelne philosophische
Wissenschaften betrachtet werden können. Diese
Zergliederung der Philosophie in ihre Theile beruht
auf Gründen, die in der Natur der Wissenschaft
selbst und ihres Objektes liegen, mithin hier noch
nicht angezeigt werden können. Vorläufig also nur
so viel.

Bekanntlich theilt man die Philosophie in zwey
Haupttheile, die theoretische und praktische
Philosophie, wovon sich jene mit dem Vorstellen
und Erkennen, diese mit dem Bestreben und Handeln (als Thätigkeiten des menschlichen Geistes,
die ursprünglich an gewisse Gesetze gebunden seyn
müssen) beschäftigen soll. Könnte man nicht diesen

beyden

beyden Haupttheilen der Philosophie noch eine anderweite Wissenschaft vorausschicken, welche über die philosophische Erkenntniſs überhaupt Untersuchungen anstellte und dadurch die ersten Bedingungen und Bestandtheile der Philosophie als Wissenschaft auszumitteln suchte? Diese Wissenschaft könnte mit Recht philosophische Grundlehre (*archologia philosophica s. philosophia fundamentalis*) heiſsen, und müſste die gemeinschaftliche Basis der theoretischen und praktischen Philosophie, mithin an und für sich selbst weder bloſs theoretisch, noch bloſs praktisch, sondern theoretisch und praktisch zugleich seyn, ob sie gleich, wenn jemand einmal die Eintheilung der Philosophie in die theoretische und praktische als Haupteintheilung beybehalten wollte, auch zur theoretischen Philosophie gerechnet werden könnte. Ausserdem stünde ihr die theoretische und praktische Philosophie als abgeleitete Philosophie (*philosophia derivativa*) entgegen, weil die Lehrsätze dieser als Folgesätze jener anzusehen wären. In dieser Rücksicht wäre die Fundamentalphilosophie (nicht die Logik, die nur ein Theil der theoretischen Philosophie ist) das eigentliche wahre *Organon* der Philosophie, weil durch sie erst die Philosophie als ein in sich selbst geschlossenes systematisches Ganze möglich würde. Übrigens müſsten in derselben unstreitig zuerst die Prinzipien und Elemente der philosophischen Erkenntniſs selbst aufge-

sucht und dargelegt werden, um sodann die Art
und Weise oder die Methode auszumitteln, wie jenen zufolge eine solche Wissenschaft, als die Philosophie seyn soll, zu Stande gebracht werden könne.
Daher zerfiele die Fundamentalphilosophie nothwendig in zwey Haupttheile, welche man am schicklichsten die philosophische Elementarlehre
und die philosophische Methodenlehre nennen könnte.

Der

Fundamentalphilosophie

erster Theil.

Elementarlehre.

———

Einleitung.

§. 1.

Ich versetze mich, indem ich zu philosophiren anfange, in den Zustand des Nichtwissens, weil ich erst ein Wissen in mir erzeugen will.

Anmerkung.

Da die Philosophie als Wissenschaft ein Wissen enthalten, sich aber zugleich über alle andre Wissenschaften erheben und nach den Gründen des in ihnen enthaltenen Wissens fragen soll; so ist es der Natur des Philosophirens angemessen, daß derjenige, der erst zu philosophiren anfängt, sich freywillig in den Zustand des absoluten Nichtwissens versetzt. Wir (d. h. Verfasser und Leser, welche beyderseits unter dem obigen Ich zu verstehen sind) thun, als wenn wir eben jetzt erst zu philosophiren anfingen. Wir versetzen uns also auch in Gedanken in jenen Zustand hinein. Die Philosophie hebt folglich mit der Agnosie, nicht mit der Skepsis an. Denn um etwas zu bezweifeln, muß jemand schon etwas zu wissen wenigstens vorgeben. Da wir aber noch nichts zu wissen eingestehen, so kann auch vernünftiger Weise noch kein Zweifel stattfinden.

§. 2.

Ungeachtet ich mich in den Zustand des
Nichtwissens versetzt habe, so finde ich doch,
indem ich zu philosophiren anfange, schon ein
Wissen in mir vor und ich würde ohne dieses
schon vorhandne Wissen gar nicht darauf
fallen können, noch ein anderweites Wissen in mir zu erzeugen.

Anmerkung.

Man würde gar nicht sagen können, daß man sich
in den Zustand des Nichtwissens versetzen und ein
Wissen in sich erzeugen wolle, wenn man nicht
schon irgend ein Wissen in sich fände. Denn um jenes auch nur denken und nach diesem streben zu können, muß man ein (würkliches oder angebliches)
Wissen schon in sich angetroffen haben. Was bedeutet es also eigentlich, wenn man sagt, man versetze
sich in den Zustand des Nichtwissens und wolle ein
Wissen in sich erzeugen? Die Antwort auf diese
Frage enthält der folgende Satz, der nun weiter keiner Erläuterung bedarf.

§. 3.

Indem ich mich in jenen Zustand versetze,
suspendire ich bloß mein schon vorhandnes
Wissen d. h. ich nehme es einstweilen nur als
etwas an, dessen Gewißheit erst erprobt

oder ergründet werden soll. Ich betrachte
demnach alles mein Wissen als ungewiſs
und strebe nach einem höheren Wissen, das
gewiſs ist.

§. 4.

Das ungewisse Wissen soll ein problematisches, das gewisse ein apodiktisches
heiſsen. Daher muſs die philosophische Elementarlehre wieder in zwey Abschnitte zerfal-
len, einen problematischen und einen
apodiktischen.

Anmerkung 1.

Wenn man nämlich von der einen Art des Wissens
(dem ungewissen) zur andern (dem gewissen) über-
gehen will, so muſs man sich zuvörderst sein problematisches Wissen selbst vorlegen, um die Aufgaben
kennen zu lernen, die man in und durch die Wissenschaft zu lösen hat, sodann aber diejenigen Bedingungen aufsuchen, von welchen die Auflösung jener
Aufgaben abhangen und wodurch man zu einem apodiktischen Wissen zu gelangen im Stande seyn möchte.
Denjenigen Abschnitt der Elementarlehre, worin das
Erste geschieht, kann man also die problematische Elementarlehre, denjenigen aber, worin
das Zweyte geschieht, die apodiktische Elementarlehre nennen.

Anmerkung 2.

Es ist ein grofser, fast von allen bisherigen Philosophen begangener Fehler, wenn man gleich beym
Anfange des Philosophirens mit apodiktischen Behauptungen hervortritt *). Man macht dadurch einen
Sprung, bey dem das Fehltreten schwer zu vermeiden
seyn möchte und der für das ganze System ein wahrer
salto mortale werden kann. Denn es entstehen daraus
eine Menge von *petitionibus principii*, durch welche,
sobald sie entdeckt werden, das System in seiner
Grundveste erschüttert wird. Weit natürlicher und
dem Gange der vorsichtig philosophirenden Vernunft
angemessener ist es, bevor man vom Nichtwissen zum
apodiktischen Wissen übergeht, das problematische
Wissen sich selbst vorzulegen, um vorerst nur einzu-
sehen, worüber denn eigentlich philosophirt und was
für Aufgaben in der Philosophie gelöst werden sollen.
Besonders ist dieses Verfahren beym Vortrage der Philosophie für die studirende Jugend zu beobachten.
Denn dadurch wird das jugendliche Gemüth zum apodiktischen Wissen gleichsam vorbereitet und für das

---

*) Auch KANT begeht diesen Fehler, indem er seine Kri-
tik mit den Worten beginnt: „Dafs alle unsre Er-
„kenntnifs mit der Erfahrung anfange, daran ist gar
„kein Zweifel.“ — Er will zwar nachher diesen zwei-
fellosen Satz zum Überflusse noch beweisen; aber dieser Beweis enthält eine Menge apodiktischer Behauptungen, die eines weitern Beweises auch wohl bedurft
hatten.

Philosophiren empfänglich gemacht, weil es das Be-
dürfniss desselben fühlen lernt. Fängt man aber
gleich mit apodiktischen Behauptungen an, so sind
die Zuhörer wie aus den Wolken gefallen und verstehen entweder gar nichts oder glauben dem Lehrer mit
blindem Vertrauen auf sein Wort alles, was er ihnen
vorsagt.

Der philosophischen Elementarlehre

erster Abschnitt.

Problematische Elementarlehre.

§. 5.

Ich weiß von mir selbst und von etwas außer mir und unterscheide Beydes von einander. Mich selbst nenne ich Mensch, alles Etwas außer mir Welt.

§. 6.

Indem ich beydes unterscheide, stell' ich mir beydes vor. Ich halte mich daher selbst für ein Vorstellendes, und das Etwas außer mir für ein Vorgestelltes.

§. 7.

Ich unterscheide auch an mir selbst (dem Menschen) etwas Inneres und nenne es Geist oder Seele, und etwas Aüßeres und nenne es meinen Körper oder Leib, indem ich diesen als ein Aüßeres betrachte, das unmittelbar zu mir selbst gehört, wodurch·

ich zugleich mit dem Aüfsern, das nicht unmittelbar zu mir selbst gehört, in Verbindung stehe.

§. 8.

Ich unterscheide ferner an mir selbst gewisse Thätigkeiten und beziehe einige derselben auf mein Inneres und andre auf mein Aüfseres. Darum lege ich mir gewisse Vermögen, Fähigkeiten oder Kräfte bey und betrachte diese als die Quellen von jenen Thätigkeiten.

§. 9.

Ich unterscheide weiter in der Welt mancherley Dinge und finde unter ihnen theils solche, die ich in Ansehung ihrer organischen Struktur, ihrer lebendigen Bewegung und ihrer vernünftigen Thätigkeit als Wesen von gleicher Art mit mir selbst betrachten mufs, theils solche, die von mir selbst wesentlich verschieden sind. Den Inbegriff aller dieser Dinge nenne ich auch die Natur und betrachte mich selbst, wiefern ich zu diesen Dingen mit gehöre, als einen Theil der Natur.

§. 10.

Ich unterscheide Seyn vom Nichtseyn
und lege mir selbst und den Dingen aufser mir
ein Seyn oder Daseyn bey. Indem ich
aber das, was ist, wahrnehme, betrachte ich
es entweder als ausgedehnt oder als auf-
einanderfolgend. Ich beziehe daher alles,
was ich wahrnehme, theils auf den Raum,
wiefern es neben einander ist, theils auf die
Zeit, wiefern es nach einander ist.

§. 11.

Ich unterscheide bey den mannigfaltigen
Gegenständen, welche ich in Raum und Zeit
wahrnehme, das Bestehende und Dauern-
de von dem Veränderlichen und Ver-
gänglichen, und suche den Grund von
dem, was ist und geschieht, immer in etwas
Anderem, was ich als Ursache desselben
ansehe.

§. 12.

Ich unterscheide das, was ist und geschieht, als würklich, von dem, was seyn
und geschehen könnte, und daher blofs möglich heifst, und betrachte einiges Würk-

liche als zufällig, andres hingegen als nothwendig.

§. 13.

Ich unterscheide ferner das, was ich leide,
von dem, was ich thue; das, was ich thun
muſs, von dem, was ich thun soll; das,
wozu ich von Natur geneigt bin und angetrieben werde, von dem, wozu ich durch
mein Gewissen verpflichtet bin und mich
selbst entschlieſse; das, was ich irgend
wo und wann gethan habe, von dem, was
ich hätte thun können, wenn ich gewollt
hätte.

§. 14.

Ich lege mir also von der einen Seite gewisse Verbindlichkeiten oder Pflichten
auf und von der andern eine gewisse Willkür oder Freyheit bey und unterscheide
davon den Zwang oder die Nothwendigkeit der Natur.

§. 15.

Ich unterscheide demnach eine doppelte
Ordnung und Regelmäſsigkeit.   Die

Eine beziehe ich auf das, was in der Natur ist und geschieht und was von Gesetzen abhangt, nach denen es seyn und geschehen muſs. Die Andre beziehe ich auf das, was ich selbst und andre Menschen thun und lassen und was von Gesetzen abhangt, nach denen es gethan oder gelassen werden soll.

§. 16.

Ich unterscheide weiter das, was ich mit diesen meinen Sinnen (anschauend und empfindend) wahrnehme, von dem, was ich bloſs denke; ich schlieſse aber auch oft von dem, was ich wahrnehme, auf etwas Andres, was ich nicht wahrnehme, aber doch, als zu dem Wahrgenommenen nothwendig gehörig, voraussetze.

§. 17.

Ich unterscheide sogar überhaupt das, was wahrgenommen werden kann, von demjenigen, was gar nicht in die Sinne fallen kann, was ich aber doch als etwas Höheres — über die Sinne weit Erhabnes, jenseits der Schranken der Endlichkeit und

Hinfälligkeit Liegendes — gleichsam nur von fern zu ahnen scheine.

§. 18.

Ich mache endlich überhaupt mannichfaltige Unterschiede in Ansehung dessen, was ich als wahr oder falsch, angenehm oder unangenehm, nützlich oder schädlich, schön oder häfslich, recht oder unrecht, gut oder böse, vollkommen oder unvollkommen u. s. w. beurtheile, und finde an dem Einen ein natürliches Wohlgefallen, an dem Andern hingegen ein natürliches Mifsfallen.

§. 19.

Worauf gründen sich nun alle diese Unterschiede?   Ist auch alles so, wie ich mir s vorstelle, oder nicht?   Bin ich selbst und ist etwas aufser mir würklich, oder ist alles nur leere· Vorstellung, Einbildung, Schein? — Wozu bin ich aber, wenn ich bin, und wozu ist alles, was ich um mich her wahrnehme, wenn es ist? — Ist all mein Seyn und Wissen und Thun etwas durchaus Zweckloses, oder hat es einen bestimmten Zweck, den

ich mir selbst setzen soll, und welches mag
dieser Zweck seyn?

Anmerkung.

So fragt der Philosophirende sich selbst, und auf
diese Fragen sucht er durch sein Philosophiren die für
ihn und für alle, die mit ihm philosophiren wollen,
gültigen Antworten zu finden.   Wohlan also — sagt
er gleichsam zu sich selbst — ich will tiefer in mich
selbst hinein; ich will alles, was mich betrifft, so
weit ich nur immer kann, zu erforschen und zu ergründen suchen!   Denn ich fühle in mir ein dringen-
des Bedürfniß nach Gewißheit in meinem Wissen,
ein unaufhaltsames Streben nach Vollständigkeit in
der Kenntniß meiner Selbst, ein unnennbares Sehnen
nach befriedigender Beantwortung jener Fragen, um
mir von meinen Überzeugungen und Handlungen
gründliche Rechenschaft zu geben.   Sollte mir auch
manches noch räthselhaft bleiben, sollte ich auch
auf gewisse unübersteigliche Schranken meiner Erkenntniß stoßen, sollte ich gar in mancherley Irr-
thümer fallen und statt des gehofften Lichtes neue
Dunkelheiten, statt der gesuchten Gewißheit neue
Zweifel finden — was thut es? was kann ich dabey verlieren? — Schon das wird mir hoher Gewinn seyn, wenn ich weiß, wie weit mein Wissen überhaupt gehen kann; schon das wird mich
beruhigen, wenn ich einsehe, wo und warum ich
auf weitere Einsicht verzichten muß.   Auch beym
unglück-

unglücklichsten Erfolge meines Spekulirens bleibt mir
doch Eins, wonach ich mich im Leben richten kann
und will — die innere Stimme des Gewissens —
mag es übrigens damit eine Bewandniſs haben,
welche es wolle!   Die Fehltritte der Spekulazion
können ja einen redlichen Forscher nicht zum Ver-
brecher machen und eine falsche Spekulazion ist darum noch keine schlechte oder böse Spekulazion.

———————

Der philosophischen Elementarlehre

zweyter Abschnitt.

Apodiktische Elementarlehre.

§. 20.

Um in Ansehung der wichtigen Probleme, die ich mir selbst vorgelegt habe, zu einer vesten und gewissen Überzeugung zu gelangen, muſs ich zuvörderst wohl jene Probleme vereinfachen d. h. auf einige Hauptfragen zuzückführen, von deren Entscheidung die Entscheidung aller übrigen abhangen dürfte.

§. 21.

Diese Fragen sind folgende:

1.) Wovon soll ich bey meinen Nachforschungen ausgehn oder worauf mag sich die Erkenntniſs, nach der ich strebe, stützen?

2.) Wie weit kann ich in meinen Nachforschungen fortgehn oder wo muſs ich meinen Nachforschungen ein Ziel setzen?

3.) Wie vielfach ist meine Thätigkeit oder auf wie mancherley Art kann ich überhaupt würksam seyn?

4.) Worauf bezieht sich meine gesammte Thätigkeit oder wohin soll sie zuletzt gerichtet seyn?

§. 22.

Ich werde also zuerst die obersten Prinzipien der philosophischen Erkenntnifs aufsuchen, sodann den absoluten Gränzpunkt des Philosophirens bestimmen, hernach die ursprüngliche Form meiner gesammten Thätigkeit nach ihren Grundzügen darstellen, und endlich den höchsten und letzten Zweck derselben erforschen müssen.

Anmerkung.

Die Fundamentalphilosophie, wieferne sie Elementarlehre ist, hat es nur mit Auflösung dieser vier Hauptprobleme zu thun; denn hievon bangt die Auflösung aller andern philosophischen Probleme ab. Die apodiktische Elementarlehre zerfällt also sehr natürlich wieder in vier Hauptstücke, und was nicht in diesen vier Hauptstücken verhandelt

werden kann, gehört entweder in die Methodenlehre der Fundamentalphilosophie oder in andre philosophische Disziplinen, welche die Derivativphilosophie (theoretische und praktische) ausmachen, wie
sich tiefer unten in der Methodenlehre von selbst
ergeben wird.

Der apodiktischen Elementarlehre

erstes Hauptstück.

Von den obersten Prinzipien der philosophischen Erkenntniſs.

§. 23.

Unter den obersten Prinzipien der philosophischen Erkenntniſs verstehe ich solche Gründe und Grundsätze, welche unmittelbar oder durch sich selbst gewiſs, mithin die höchsten und letzten Bedingungen der Gültigkeit alles dessen sind, was man in philosophischer Hinsicht behauptet oder für wahr hält.

Anmerkung.

Das Wort Prinzip ist offenbar zweydeutig. Es kann sowohl einen Grund als einen Grundsatz bedeuten. Wir lassen es einstweilen beydes zugleich anzeigen. In dem Verlaufe der Untersuchung wird sich die eine Bedeutung von der andern von selbst scheiden. Hier sollte jene Zweydeutigkeit, die in die Untersuchung über die Prinzipien der Philosophie so viel Verwirrung gebracht hat, nur vorläufig bemerkt werden.

§. 24.

So lange ich dergleichen Prinzipien (§. 23.) nicht aufweisen kann, so lange mag ich immer mich von dem Einen auf das Andre berufen, immer von einer Erkenntnifs (*C*) zur andern (*B*) verweisen; ich hätte doch nimmer ein Erstes in meiner Erkenntnifs (*A*), worauf ich mit völliger Sicherheit fufsen könnte, um von dannen weiter fortzuschreiten. Jedes *A*, von dem ich etwan ausginge, um doch nur einen Anfang zu haben, wäre blofs ein relatives, aber kein absolutes *A*, weil es immer wieder ein anderweites *A* voraussetzte und von diesem stillschweigend seine Gültigkeit erborgte.

§. 25.

Aber giebt es denn auch solche Prinzipien? Ruht die Erkenntnifs würklich auf einem oder mehren *A*, über welche hinaus kein weiterer Rückgang in der Begründung der Erkenntnisse möglich ist? Wie wenn eben die Natur meiner Erkenntnifs, die wesentliche Konstituzion des erkennenden Subjektes einen solchen Rückgang in's Unendliche foderte? wenn eben darin das Fortschreiten in der

Erkenntnifs bestände, dafs ich unaufhörlich
rückwärts gehen, dafs ich immerfort hinaufsteigen müfste zu höheren Bedingungen oder
immerfort hinabsteigen zu tieferen Gründen,
ohne je ein Höchstes oder Tiefstes finden zu
können?

§. 26.

Ich weifs nicht, was ich hierauf antworten soll. Denn ich sehe wohl ein, dafs ich
demjenigen, welcher läugnete, es gebe oberste
Prinzipien der philosophischen Erkenntnifs,
nicht beweisen könnte, es gebe allerdings
dergleichen, weil ich, um nur überhaupt einen
Beweis vollständig und durchaus befriedigend
führen zu können, schon dergleichen Prinzipien gefunden haben müfste. Dann wäre aber
jener Beweis gar nicht nöthig, sondern ich
dürfte nur die Prinzipien schlechtweg aufzeigen.

§. 27.

Allein auf der andern Seite seh' ich auch
ein, dafs eben darum niemand das Gegentheil beweisen kann. Denn er müfste mich
ja dann selbst auf solche Prinzipien verweisen,

mithin das, was er mit Worten behauptete,
durch die That selbst widerlegen. Daraus aber,
daſs er und ich noch keine solche Prinzipien
kennen, dürften wir doch wohl nicht ohne
Übereilung und Anmaſsung folgern, daſs es
überhaupt keine gebe.

§. 28.

Was soll ich denn also thun?   Soll ich die
Frage, ob es absolute Prinzipien (§. 24.)
gebe, als unentschieden und unentscheidbar
dahin gestellt seyn lassen? — Das kann ich
nicht, wenn ich anders nach einer gründlichen
Erkenntniſs strebe, die meine Vernunft völlig
befriedigen soll.   Ich fühle ein Bedürfniſs
in mir, absolute Prinzipien zu suchen,
und um sie suchen zu können, muſs ich wenigstens voraussetzen, daſs es dergleichen
gebe.   Da ich also dieſs nicht demonstriren
kann, so postulire ich Prinzipien d. h. ich
nehme an, es gebe dergleichen, weil ich den
Versuch machen will, sie zu finden.   Wär ich
so glücklich, sie zu finden, so dürft' ich sie
nur monstriren, um faktisch darzuthun,
daſs die philosophische Erkenntniſs würklich
auf sichern Prinzipien ruhe.

Anmerkung.

Der Satz: **Es giebt Prinzipien der philosophischen Erkenntnis**, ist offenbar nichts anders als ein **Postulat der philosophirenden
Vernunft.** Man kann gar nicht philosophiren wollen,
ohne wenigstens für möglich zu halten, daſs man
durch das Philosophiren auf etwas Schlechthin-Gülti-
ges in der Erkenntnis geführt werde. Selbst der Skeptiker muſs, wenn er zu philosophiren anfängt, und
bevor er durch sein Philosophiren das Resultat gefunden zu haben meynt, es gebe nichts Absolut-Gewisses
in der philosophischen Erkenntnis, jenes Postulat als
solches zugestehen. Sind aber die Prinzipien gefunden
und werden sie nun als solche aufgestellt, so verwandelt sich das Postulat in ein **Faktum.** Wird dann
gegen die Prinzipien noch gestritten, so ist der Streit
nicht gegen das Postulat, sondern gegen das Faktum
gerichtet. Der Gegner sagt alsdann: „Das, was du
„als Prinzip aufstellst, ist es nicht." Wird dieses
dargethan, so ist zwar das aufgestellte Prinzip als solches ungültig, aber das Postulat der Prinzipien bleibt
immer gültig d. h. ich kann mich nach andern Prinzipien umsehen. Daher kann kein Skeptiker in der
Welt die **Unmöglichkeit** eines Absolut-Gewissen
in der Erkenntnis darthun; denn könnte er dieſs, so
müſste er selbst sich auf etwas Absolut-Gewisses stützen
d. h. er müſste mit sich selbst in einem absoluten Widerspruche stehen. Er opponirt also immer nur gegen
das, was ihm Andre als gewiſs vorhalten, indem er
ihnen Fehler in ihrem Räsonnement (falsche Erklä-

rungen, Erschleichung der Prämissen, Sprünge in den
Folgerungen, Inkonsequenzen u. s. w.) aufzuzeigen
und dadurch die Ungültigkeit des Räsonnements darzuthun sucht, ohne selbst etwas als gewiß zu behaupten. Er hält es daher nur für unwahrscheinlich,
daß die philosophirende Vernunft ein Absolut-Gewisses in der Erkenntniß ergründen werde, weil die bisherigen Versuche dieser Art nach seinem Dafürhalten miß-
lungen sind. Ob und wieferne nun eine solche Methode
des Philosophirens (denn offenbar ist der Skeptizism
nur Methode, nicht System) stattfinden könne, wird
die Methodenlehre der Fundamentalphilosophie weiter
untersuchen. Hier sollte nur unser vom Skeptizisme
völlig unantastbares Postulat der philosophirenden
Vernunft, das, wie man leicht einsieht, von den
Kantischen Postulaten der Vernunft überhaupt wesentlich verschieden ist, gehörig in's Licht gestellt
werden.

§. 30.

Wenn es, wie ich jetzt, ohne Widerspruch
zu befürchten, voraussetzen darf, Prinzipien
der philosophischen Erkenntniß giebt, wo mögen sie zu suchen und zu finden seyn? Doch
wohl in mir selbst? — Sie sollen Prinzipien
einer Erkenntniß seyn; die Erkenntniß
aber kann ich, wenn ich sie auch etwan auf
ein sogenanntes Aüßere beziehe, doch nur als
etwas in mir selbst betrachten. Zugleich sollen

sie Prinzipien einer philosophischen Erkenntniſs seyn (denn um diese ist es mir eben
jetzt eigentlich zu thun) d. h. einer solchen,
die durch Philosophiren entsteht; das Philosophiren aber muſs ich ebenfalls, wenn es auch
durch irgend etwas Aüſseres veranlaſst werden
möchte, als etwas in mir selbst betrachten.
Mithin kann ich das, was in irgend einer Hinsicht Prinzip der philosophischen Erkenntniſs
seyn soll, nicht im Aüſsern, sondern bloſs im
Innern suchen.

§. 31.

Ich will also das sogenannte Aüſsere vor
der Hand dahin gestellt seyn lassen; ich will
davon abstrahiren und bloſs auf das Innere
reflektiren, um mich selbst vor allen
Dingen zu erkennen. So hoff' ich wenigstens,
auf dem kürzesten Wege zum Ziele zu gelangen, und darf nicht fürchten, bey meiner For-
schung nach Prinzipien in der unendlichen
Mannichfaltigkeit der mir vorschwebenden,
bis jetzt noch sehr räthselhaften, äüſsern Gegenstände mein eignes Selbst zu verlieren.
Vielmehr fixire ich eben dieses Selbst als Haupt-
gegenstand der zu bewürkenden Erkenntniſs,

weil, wenn es aufser demselben noch andre Gegenstände der Erkenntnifs geben sollte, hierüber doch nur ich selbst mir werde Rechenschaft geben können.

§. 32.

Da ich Prinzipien der philosophischen Erkenntnifs über haupt finden will, so mufs
ich wohl zuvörderst zu bestimmen suchen,
welches dasjenige Prinzip sey, wodurch
die ganze philosophische Erkenntnifs erst möglich wird d. h. die Grundbedingung der
philosophischen Erkenntnifs selbst.

§. 33.

Ich will dieses Prinzip das Realprinzip
(*principium essendi*) der philosophischen Erkenntnifs nennen, um es von denjenigen
Prinzipien zu unterscheiden, welche die Ableitung eines bestimmten philosophischen Er-
kenntnisses aus einem andern möglich machen d. h. die Bedingungen der Gültigkeit der unter und mit einander zusammenhangenden philosophischen
Erkenntnisse sind.

§. 34.

Diese Prinzipien will ich **Idealprinzipien** (*principia cognoscendi*) nennen, weil es Vorstellungen oder Gedanken sind, die ich in Worte fassen und als Sätze aufstellen kann, um sie zur Begründung andrer Sätze zu brauchen.

§. 35.

Die Idealprinzipien sind also eigentliche **Grund-Sätze**; das Realprinzip hingegen ist gar kein Satz (ob es gleich in einem Satze angedeutet und charakterisirt werden kann) sondern ein **Grund** der Erkenntniß und mithin auch der Grundsätze, welche zur Erkenntniß gehören.   Die Idealprinzipien sind folglich selbst als ein **Produkt** des Realprinzips zu betrachten und von diesem als **Produzenten** wesentlich verschieden (§. 23. Anm.).

Anmerkung.

Schon hieraus ergiebt sich die wichtige Folgerung, daß ein und dasselbe Prinzip nicht **beydes,** real und ideal, **zugleich** seyn könne, daß also wenigstens in dieser Hinsicht von **mehr als Einem** Prinzipe in der Philosophie die Rede seyn müsse. Ob vielleicht auch in andern Hinsichten, wird sich tiefer unten ergeben.

§. 36.

Das Realprinzip der philosophischen Erkenntnifs bin ich selbst, der ich philosophire, oder — allgemeiner ausgedrückt — das philosophirende Subjekt. Ich konstituire mich also selbst zu diesem Prinzipe dadurch, dafs ich philosophire, und bedarf dazu keiner besondern Rechtfertigung. Ich als der Erkennende überhaupt betrachte mich aus eigner Machtvollkommenheit als das Realprinzip der Erkenntnifs überhaupt. Eben so betrachte ich als der durch Philosophiren Erkennende mich selbst als Realprinzip der philosophischen Erkenntnifs. Da ich nun beym Philosophiren von dem Aüfsern abstrahire und auf das Innero reflektire, um mich selbst zu erkennen (§. 31.), mithin das philosophirende Subjekt zugleich als das, was erkannt werden soll, oder als Gegenstand des Erkennens betrachte, so kann ich mit Recht sagen:

Das Ich, wiefern es sich selbst zum Objekte der Erkenntnifs macht, ist das Realprinzip der philosophischen Erkenntnifs.

Anmerkung 1.

Hieraus ergeben sich drey wichtige Folgerungen:

1.) Das Ich denkt sich in, mit und durch das Philosophiren zwar als Subjekt-Objekt, weil es sich selbst zum Gegenstande der Erkenntniſs macht; aber man kann daraus nicht ohne Übereilung schlieſsen, daſs es überhaupt oder an und für sich betrachtet auch Subjekt-Objekt sey d. h. daſs auſser dem Ich gar nichts Objektives vorhanden, mithin alles Objektive, was ich mir dennoch vorstelle, nur Produkt des Ich's sey.

2.) Das Ich denkt sich in, mit und durch das Philosophiren zwar als ein Unbedingtes oder Absolutes, weil es sich als Realprinzip der philosophischen Erkenntniſs nicht von einem anderweiten Prinzipe als seiner Bedingung ableiten kann, ohne jene Dignität zu verlieren; aber man würde daraus sehr übereilt schlieſsen, daſs es auch überhaupt oder an und für sich betrachtet ein Absolutes oder Unbedingtes sey d. h. daſs es sich schlechthin selbst setze und alles Andre nur durch und für das Ich gesetzt werde, mithin das Ich weder irgend etwas über noch irgend etwas neben sich habe, von dem es in Ansehung seines Seyns und Würkens abhängig sey.

3.) Das Ich denkt sich in, mit und durch das Philosophiren als ein einiges Realprinzip der Erkenntniſs, weil es selbst erkennendes Subjekt ist und weil es sich selbst nicht als mehre Sub-

jekte denken kann; allein man würde mit Übereilung
hieraus schließen

a.) daß es auch das einige Realprinzip **aller
Dinge, welche erkannt werden,** sey d. h.
daß es, um Erkenntnisse in sich zu produziren, gar
keiner **gegebnen Objekte** und keiner durch dieselben bestimmten **Materialien** der Erkenntnisse
bedürfe, sondern alles in und durch sich selbst erzeuge;

b.) daß es auch das einige **Idealprinzip** der
Erkenntniß sey d. h. daß **Real- und Idealprinzip
identisch** sey, mithin alle Erkenntnisse (und folglich auch die ganze Philosophie) sich aus einem **einzigen Prinzipe deduziren** lassen müssen, wenn
sie ein Ganzes ausmachen sollen (§. 35. Anm.).

Anmerkung 2.

Die **Wissenschaftslehre** behauptet bekanntlich, das **Ich** an und für sich selbst sey **Subjekt-Objekt,** es sey das **Absolute,** es sey das **alleinige
Prinzip** der philosophischen und vermittelst dieser
auch aller übrigen Erkenntniß. Diese drey Sätze sind
in jenem Systeme charakteristisch und fundamental;
denn wer diese Behauptungen zugiebt, unterschreibt
eben dadurch, wenn er konsequent denkt, alle übrigen Lehrsätze der Wissenschaftslehre. Es zeigt sich
aber hier, daß die Wissenschaftslehre jene drey Sätze
bloß durch eine **Fallazie,** deren sich der Urheber
freylich nicht bewußt gewesen seyn mag, **erschli-
chen** hat. Denn jene Sätze sind zwar in **gewisser**

Hin-

Hinsicht (*secundum quid*) wahr und gültig, nämlich wieferne das Ich als philosophirendes Subjekt gedacht wird, aber nicht in Beziehung auf das Ich überhaupt oder an und für sich (*simpliciter*). Die ganze Wissenschaftslehre ruht also auf einem *Sophisma amphiboliae*, indem sie, wie die Dialektiker sagen, *a dicto secundum quid ad dictum simpliciter* geschlossen hat.

§. 37.

Ich gehe weiter, um auch die **Idealprinzipien** der philosophischen Erkenntniß aufzusuchen (§. 34.). Denn daß diese Prinzipien vom Realprinzipe wesentlich verschieden seyn müssen, weiß ich nun schon aus meinen bisherigen Untersuchungen (§. 33 und 35.).

§. 38.

Ich sehe aber voraus, daß ich hier einen neuen Unterschied werde machen müssen. Denn da durch mein Philosophiren eine **Erkenntniß**, welche **philosophisch** heißt, und eben dadurch eine **Wissenschaft**, welche **Philosophie** heißt, entstehen soll, so gehört dazu theils ein **Wissen** von dem, was erkannt werden soll, theils eine **Art und Weise** des Wissens, wodurch es ein systematisches oder wissenschaftliches wird.

§. 39.

Ich folgere hieraus, daſs die Idealprinzipien der philosophischen Erkenntniſs von doppelter Art seyen :

1.) Prinzipien der philosophischen Erkenntniſs als eines Wissens überhaupt d. h. Grundsätze, welche den Gehalt (*materia*) jener Erkenntniſs bestimmen und daher material sind;

2.) Prinzipien der philosophischen Erkenntniſs als eines wissenschaftlichen Wissens d. h. Grundsätze, welche die Gestalt (*forma*) jener Erkenntniſs bestimmen und daher formal sind.

Anmerkung.

Mit wenigen Worten kann man den Unterschied der materialen und formalen Prinzipien so andeuten: Jene konstituiren, diese reguliren die philosophische Erkenntniſs. Jene sind Prinzipien des Philosophirens selbst, diese — Prinzipien der dadurch zu erzeugenden Wissenschaft als solcher, der Philosophie. Man darf also bey jenen Ausdrücken, wenn von der Philosophie überhaupt die Rede ist, nicht an das denken, was man in der praktischen Philosophie nach der kantischen Theorie materiale und formale Prinzipien nennt. Denn

hier ist nicht die Rede von Grundsätzen des
Handelns, wieferne dabey entweder die Materie
oder die Form des Willens in Betrachtung kommt,
sondern von den obersten Erkenntnifsprinzi-
pien unsrer ganzen Wissenschaft. Da nun diese sich
entweder auf die Materie oder auf die Form der philosophischen Erkenntnifs beziehen können, so giebt es
für sie keine passendere Bezeichnung als die der materialen und formalen Prinzipien.

§. 40.

Die Materialprinzipien der philosophischen Erkenntnifs müssen im eigentlichen
Sinne erste Grundsätze seyn; denn es ist
mir bis jetzt aufser dem einigen Realprinzipe,
welches aber kein Grund-Satz, sondern das
Ich selbst ist (§. 35. und 36.), kein Idealprinzip gegeben, aus welchem ich sie herleiten
könnte. Sollen sie aber erste Grundsätze
seyn, so müssen sie etwas aussagen, was unmittelbar gewifs, mithin eines Beweises
weder fähig noch bedürftig ist, folglich auch
von mir gar nicht bezweifelt oder geläugnet
werden kann, ohne mich selbst absichtlich zu
täuschen. Nun ist für mich nichts unmittelbar
gewifs, als das, wessen ich mir in jedem
Momente selbst bewufst bin. In meinem

eignen Bewufstseyn werd' ich also jene Prinzipien aufsuchen müssen.

§. 41.

Was ist denn nun aber eben dieses Be- wufst-Seyn? Was will ich damit über- haupt andeuten, wenn ich sage, ich sey mir bewufst, dafs irgend etwas sey, mag übrigens dieses etwas seyn, was es wolle? — Offenbar wird damit nichts anders angedeutet, als ein Seyn und ein Wissen von diesem Seyn, mithin eine innige Ver- bindung und Aufeinanderbeziehung des Seyns und des Wissens in mir (συνθεσις του ειναι και του ειδεναι εν εμαυτω). Der Ausdruck: Bewufstseyn, zeigt also an eine Syn- these des Seyns und des Wissens im Ich.

Anmerkung.

Dafs diese Erklärung vom Bewufstseyn eine blofse Nominalerklärung seyn solle, versteht sich von selbst. Was es übrigens mit jener Synthese für eine Bewandnifs habe, ob sie selbst erklärt und be- griffen und dadurch vom Bewufstseyn eine Real- erklärung gegeben werden könne, davon weiter unten.

§. 42.

Was in dem Bewußtseyn und durch dasselbe sich als etwas unmittelbar Wahrzunehmendes und Anzuerkennendes, mithin als etwas Faktisches ankündigt, nenne ich eine Thatsache des Bewußtseyns. Da ich nun die Materialprinzipien der philosophischen Erkenntniß im Bewußtseyn als ihrer gemeinschaftlichen Quelle aufzusuchen habe (§. 40.): so muß ich beym Philosophiren zuvörderst auf jene Thatsachen selbst reflektiren, um sie möglichst rein aufzufassen und darzustellen. Dieß soll daher die erste Reflexion oder die erste Funkzion des philosophirenden Subjektes heißen.

§. 43.

Diese Funkzion besteht nun darin, daß ich von dem Besondern, welches in jeder einzelnen Thatsache vorkommt, abstrahire und bloß auf das Gemeinschaftliche in ihnen reflektire, um dieses in Worte gefaßt als einen allgemeinen Satz aufzustellen, der wieder andern Sätzen zur Grundlage dienen und so als Grundsatz gebraucht werden kann.

Anmerkung.

Die einzelnen Thatsachen des Bewufstseyns sind
natürlich unendlich mannichfaltig und verschieden
(z. B. ich schaue dieses Gemälde an, ich empfinde diesen Schmerz, ich denke diesen Begriff, ich will diesen
Zweck, ich vollziehe diese Handlung u. s. w.). Bey
dem Besondern, was in diesen einzelnen Thatsachen
enthalten ist und wodurch sich eine von der andern
unterscheidet, kann also die erste Funkzion des philosophirenden Subjektes nicht stehen bleiben. Denn
so würden unendlich viele Einzelsätze entstehen, von
denen keiner als Grundsatz gebraucht werden könnte,
weil er gar nichts Allgemeines aussagte. Ich mufs
also von dem Besondern einzelner Thatsachen abstrahiren und auf das Gemeinschaftliche in ihnen allein
reflektiren. Dieses Gemeihschaftliche ist diejenige Art
der Thätigkeit überhaupt, welche sich durch mehre
einzelne mit einander verwandte Thatsachen im Bewufstseyn ankündigt und dadurch den Charakter einer
allgemeinen Thatsache annimmt (z. B. ich schaue an,
ich empfinde, ich denke, ich will, ich handle u. s. w.).
Eine solche Thatsache durch Worte ausgedrückt qua-
lifizirt sich erst zu einem würklichen Grundsatze.

§. 44.

Durch die erste Reflexion werden mir also
gewisse Sätze entstehen, welche, indem sie
nichts anders als jene Thatsachen in ihrer
Allgemeinheit ausdrücken, unmittelbar

gewifs sind, mithin einen Beweis weder zulassen noch nöthig haben, eben dadurch aber
zu einer sichern Grundlage für andre Sätze
tauglich, folglich Grundsätze oder Idealprinzipien sind (§. 34.). Da sie aber zunächst nur den Stoff darbieten, der durch
fortgesetztes Nachdenken weiter bearbeitet
werden soll, so bestimmen sie nur den Gehalt der philosophischen Erkenntnifs und
sind folglich Materialprinzipien (§. 39. Nr. 1.).
Und weil sie durch die erste Reflexion gefunden werden, so können sie auch Grundsätze
des ersten Grades (*principia primi ordinis*),
wieferne sie aber zur Auffindung der formalen
Grundsätze dienen, Urgrundsätze (*principia
originaria*) heifsen. Ich kann demnach mit
Recht sagen:

> Die Thatsachen des Bewufstseyns,
> wieferne sie in Begriffe aufgefafst und
> durch Worte dargestellt werden, sind die
> materialen Idealprinzipien der phi-
> losophischen Erkenntnifs.

Anmerkung.

Die Schwierigkeit, wie unter den verschiedenen
philosophirenden Subjekten Einverständnifs über die
Thatsachen des Bewufstseyns zu bewürken sey, drückt

jede philosophische Theorie in Ansehung dessen, was
sie als Prinzip aufstellt. Man muss es freylich darauf
ankommen lassen, ob Andre eben das in ihrem Bewufstseyn finden werden und wollen, was man
in dem seinigen findet. Rein aufgefafste und deutlich dargestellte würkliche Thatsachen des Bewufstseyns dürfte jedoch wohl niemand im Ernste bezweifeln oder läugnen. Auch haben alle Philosophen von
jeher sie wenigstens stillschweigend angenommen
oder als Grundlage ihres Räsonnements vorausgesetzt
und nur über die Folgerungen daraus gestritten. Wenn
Des Cartes sagte: *Cogito, ergo sum,* so wollte er
mit dem *Cogito* nichts anders ausdrücken, als etwas
unmittelbar Gewisses, eine allgemeine Thatsache des
menschlichen Bewufstseyns, die kein vernünftiger
Mensch in Zweifel ziehen könnte.   Denn woher
wissen wir, dafs wir denken oder wollen, empfinden oder begehren u. s. w., als dadurch, dafs wir uns
dieser Thätigkeiten bewufst werden, sobald wir auf
diese Art thätig und auf uns selbst aufmerksam sind?
— Eben so wenn Kant gleich im Anfange seiner
Kritik von Vorstellungen und einer gewissen Beziehung derselben auf Gegenstände redet, was könnte
er anders antworten, wenn ihn jemand fragte: Woher weifst du, dafs du dir etwas vorstellst? — als:
„Durch mein Bewufstseyn." Und woher wissen wir
Andern, dafs wir uns etwas vorstellen?   „Durch un-
„ser Bewufstseyn." — Selbst Fichte, der das Bewufstseyn durch seine Wissenschaftslehre demonstriren will, beruft sich doch zuvörderst auf That-

sachen des Bewußtseyns und vermittelt dadurch
seine Demonstrazion. Er sagt *): „Zufolge dieser
„Voraussetzung" — nämlich daß in dem Mannichfaltigen der Grundbestimmungen des Bewußtseyns
ein systematischer Zusammenhang stattfinde — „geht
„nun der Wissenschaftslehrer an den Versuch, aus
„irgend einer ihm bekannten Grundbe-
„stimmung des Bewußtseyns alle übrigen,
„als mit der ersten nothwendig verknüpft und durch
„sie bestimmt, abzuleiten." Was kann aber die dem
Wissenschaftslehrer bekannte Grundbestimmung des
Bewußtseyns, aus welcher er alle übrigen ableiten
will, anders seyn, als eine Thatsache, die er in
seinem Bewußtseyn findet, wenn er auf sich
selbst reflektirt, und von der er voraussetzt, daß sie
alle andre Menschen, welche seine Dedukzion lesen,
auch in dem ihrigen finden werden, wenn sie gehörig auf sich selbst reflektiren? Denn da er, indem
er seine Dedukzion erst anhebt, noch gar nichts bewiesen hat, so muß er sie von etwas anheben, was
ihm und jedem Andern unmittelbar gewiß ist
d. h. wessen er und jeder Andre sich in jedem Augenblicke bewußt werden kann, sobald er nur durch Aufmerksamkeit auf sich selbst sich dessen bewußt werden will, mithin von einer Thatsache des Be-

---

*) Im sonnenklaren Bericht über das eigent-
liche Wesen der neuesten Philosophie,
S. 64.

wufstseyns *). Wenn er aber aus dieser Thatsache, in Begriffe gefaſst, durch Worte bezeichnet
und als Satz aufgestellt, alles Übrige ableitet und
so ein System der Philosophie zu Stande bringt:
braucht er denn nicht eben vermöge dieser Ableitung
den jene Thatsache ausdrückenden Satz als Grundsatz oder Prinzip, und fodert er nicht, daſs wir
ihn dafür anerkennen und eben so brauchen sollen? —
Es ist nicht anders. Das Bewuſstseyn ist das einzige
Medium alles Philosophirens, die einzige Quelle,
woraus der Philosoph die Materialien seiner Erkenntniſs schöpft. Sucht er eine andre, so mag er zu-
sehen, was er für eine Philosophie zu Stande bringe,
und wie er dieselbe für Andre zugänglich machen
will. Hält er sich aber überall an sein Bewuſstseyn,

---

*) Hiemit stimmt genau überein, was Fichte in seiner
   Grundlage der gesammten Wissenschaftslehre, S. 5. (nach der 1. Ausg.) sagt: „Wir müssen
   „auf dem Wege der anzustellenden Reflexion von
   „einem Satze ausgehen, den uns jeder ohne
   „Widerrede zugiebt. Dergleichen Sätze dürfte es
   „wohl mehre geben. Die Reflexion ist frey, und
   „es kommt nicht darauf an, von welchem Punkte sie
   „ausgeht. Wir wählen denjenigen, von welchem aus
   „der Weg zu unserm Ziele am kürzesten ist. — Ir-
   „gend eine Thatsache des empirischen Bewuſst-
   „seyns wird aufgestellt, und es wird eine empiri-
   „sche Bestimmung nach der andern von ihr abgeson-
   „dert, so lange, bis dasjenige, was sich schlechthin
   „selbst nicht wegdenken und wovon sich weiter nichts
   „absondern läſst, rein zurückbleibt."

so hat er etwas, woran er selbst den vernünftigen
Zweifler d. h. denjenigen, der nicht zweifelt, um zu
zweifeln, sondern um Wahrheit zu suchen, vesthal-
ten kann.   Denn das, wessen sich jeder unmittelbar
bewufst ist, kann auch der vernünftige Zweifler nicht
abläugnen, wenn er gleich gegen die Folgerungen
protestirt, die jemand daraus herleiten möchte. Läugnete ein Zweifler schlechtweg alle Thatsachen des Bewufstseyns ab, behauptete er z. B., dafs, indem man
vor ihm steht und mit ihm redet, er nichts sehe, höre,
denke u. s. w., so würde er wenigstens nicht verlan-
gen können, dafs man sich weiter mit ihm abgeben
solle.   Man würde ihn als einen Menschen, *cui non
est sanum sinciput*, stehen und mit sich selbst nach
Belieben streiten lassen.   Denn — *contra principia ne-
gantem disputari non potest.*

§. 45.

Da die Thatsachen des Bewufstseyns sehr
mannichfaltig sind und da jede für
sich selbst gewifs ist, so mufs es auch
mehre Materialprinzipien der philosophischen
Erkenntnifs von gleicher Gültigkeit geben.
Sie sind daher einer Ableitung aus einem
höheren Prinzipe weder fähig noch bedürftig
und ein oberstes Materialprinzip der
philosophischen Erkenntnifs in dem Sinne, dafs
durch den Gehalt desselben schon der gesammte

Gehalt der Philosophie bestimmt wäre, ist ein Unding. Denn das Philosophiren soll nicht bloſs eine analytische Exposition bereits gegebner Erkenntnisse, sondern eine synthetische Produkzion noch nicht vorhandner seyn. Es bedarf daher die Konstrukzion der Philosophie einer fortwährenden Reflexion auf die mannichfaltigen Thatsachen des Bewuſstseyns, um sie dem philosophischen Räsonnement durch die ganze Wissenschaft hindurch zum Grunde zu legen.

§. 46.

Indessen lassen sich doch alle Materialprinzipien der philosophischen Erkenntniſs, welche gewisse allgemeine Thatsachen des Bewuſstseyns ausdrücken (§. 43. nebst der Anm.), auf einen Satz zurückführen, welcher die allgemeinste Thatsache des Bewuſstseyns d. h. diejenige, die in jeder andern enthalten ist, aber nicht jede andre in sich, sondern bloſs unter sich enthält, ausdrückt. In allen Thatsachen des Bewuſstseyns ist nämlich Thätigkeit überhaupt enthalten. Daher kann der Satz:

Ich bin thätig,

als das oberste Materialprinzip der philosophischen Erkenntniſs betrachtet werden.

Anmerkung 1.

Man sieht leicht ein, daſs dieser Satz nur insofern
oberstes Prinzip heiſst, als ihm alle übrigen untergeordnet werden können. Unter dem Satze: Ich bin
thätig, sind nämlich alle die Sätze: Ich schaue an,
empfinde, denke u. s. w. enthalten; denn diese Sätze
bedeuten eigentlich: Ich bin anschauend, empfindend,
denkend u. s. w. thätig. Aber jener Satz enthält nicht
diese Sätze in sich; denn in der Thätigkeit überhaupt
ist nicht diese oder jene bestimmte Thätigkeit enthalten. Wenn wir uns daher unsrer Thätigkeit bewuſst
sind, so sind wir uns jedesmal einer durchaus bestimmten Thätigkeit bewuſst, und nur dieses durchaus Bestimmte ist das eigentlich Faktische, dessen wir
uns bewuſst sind. Es liegt aber doch in jeder bestimmten Thätigkeit der Charakter der Thätigkeit
überhaupt. Indem ich mir also eines bestimmten Anschauens, Empfindens, Denkens u. s. w. bewuſst bin,
bin ich mir auch des Anschauens, Empfindens, Denkens u. s. w. überhaupt bewuſst; und indem ich mir
der Thätigkeit des Anschauens, Empfindens, Denkens u. s. w. bewuſst bin, bin ich mir auch der Thätigkeit überhaupt bewuſst. Jenes Bewuſstseyn schlieſst
folglich dieses ein, und so unmittelbar gewiſs das Eine
ist, so gewiſs ist auch das Andre. Es bedarf keines
Beweises für den Satz: Ich bin anschauend thätig,

oder für den Satz: Ich bin thätig; denn beyde liegen
schon in dem Bewufstseyn einer bestimmten anschauen-
den Thätigkeit.   Nur der Abstrakzion vou dem
Einzelnen oder Besondern und der Reflexion auf
das Allgemeine bedarf es, um jene Sätze, die in diesem Bewufstseyn schon (*implicite*) enthalten waren,
nun als solche deutlich (*explicite*) zu denken.

Anmerkung 2.

So mannichfaltig und verschieden auch die Thatsachen des Bewufstseyns seyn mögen, welche der philosophischen Erkenntnifs als unmittelbar gewisse Sätze
zum Grunde liegen, so findet doch unter denselben ein
realer Zusammenhang statt, indem sie alle von
einem und demselben Realprinzipe (dem Ich) abhangen und Thatsachen eines und desselben Grund-
bewufstseyns (des Ichs) ausdrücken.   Diesen
realen Zusammenhang deutet eben das oberste Materialprinzip: Ich bin thätig, an, indem es auf das einige Realprinsip der Thätigkeit hinweist.   Es kann
und darf also nicht behauptet werden, dafs durch die
Annahme mehrer gleich gültiger Materialprinzipien der philosophischen Erkenntnifs die Einheit
dieser Erkenntnifs aufgehoben werde.   Denn Einheit findet schon in Ansehung des Inhalts vermöge jenes realen Zusammenhangs statt.   In Ansehung
der Form aber hangt dieselbe von den Idealprinzipien der zweyten Art ab, wovon bald weiter die
Rede seyn wird.

Anmerkung 3.

Bekanntlich suchte REINHOLD's (ehemalige) Elementarphilosophie das Fundament der Philosophie ebenfalls im Bewußtseyn, und that ganz recht daran. Denn wie kann das Fundament einer Wissenschaft, in der das Subjekt der Erkenntniß zugleich Objekt derselben ist, außer dem Bewußtseyn des Subjektes liegen? Aber jene Elementarphilosophie fehlte unstreitig darin, daß sie

1.) überhaupt voraussetzte, die ganze Philosophie müsse auf einem einzigen Prinzipe ruhen, ohne zu bestimmen, ob es ein reales oder ideales, materiales oder formales seyn solle, und ohne zu bedenken, daß ein Prinzip der Philosophie, welches real und ideal, material und formal zugleich sey und aus welchem alle in Materie und Form noch so verschiednen Lehrsätze der Philosophie deduzirt werden können, schlechterdings unmöglich sey. Diese irrige Voraussetzung hat sich seit Erscheinung jener Elementarphilosophie, die eigentlich hierin den Ton angegeben hat, unter Deutschlands Philosophen so sehr verbreitet, daß, da man die Untauglichkeit des von jener Elementarphilosophie aufgestellten Prinzips zur Dedukzion aller philosophischen Lehrsätze wohl merkte, ein Versuch nach dem andern gemacht worden ist, jenes Eine Prinzip zu finden, was der Philosophie so noththun sollte. Diese Versuche mußten aber ohne Ausnahme verunglücken, weil sie etwas suchten, was nirgends zu finden war.

2.) Das Prinzip selbst, welches jene Elementar-

philosophie aufstellte — der sogenannte S a t z d e s
B e w u f s t s e y n s : „Im Bewufstseyn wird die Vor-
„ stellung durch das Subjekt vom Subjekt und Objekt
„ unterschieden und auf beyde bezogen" *) — ist, wie
man sieht, eigentlich ein I d e a l p r i n z i p und zwar
ein m a t e r i a l e s , ein G r u n d - S a t z , der den U r -
S t o f f der gesammten Philosophie in sich enthalten
soll. Erwägt man nun diesen Grundsatz genauer, so
ergiebt sich bald, dafs er gar keine würkliche Thatsache des Bewufstseyns ausdrückt, geschweige denn
eine solche, in der alle übrigen Thatsachen und alle
Lehrsätze der Philosophie schon enthalten wären.
Denn die Unterscheidung der Vorstellung als solcher
von Subjekt und Objekt und die Beziehung derselben
als solcher auf beydes ist kein Faktum des natürlichen
Bewufstseyns. In diesem verliert sich das Subjekt so
in der Vorstellung des Objektes, dafs jene Unterscheidung gar nicht stattfindet, und ist das Objekt blofs
eingebildet, so ist die Vorstellung gar nicht einmal
vom Objekte würklich zu unterscheiden. Mithin ist
jener

---

*) S. REINHOLD's T h e o r i e d e s V o r s t e l l u n g s v e r -
m ö g e n s , S. 200. *Dessen* n e u e D a r s t e l l u n g d e r
H a u p t m o m e n t e d e r E l e m e n t a r p h i l o s o p h i e
(in den Beyträgen zur Berichtigung bishe-
riger Mifsverständnisse, Bd. 1. S. 167.) nebst
der vorhergehenden Abhandlung: Ü b e r d e n e r s t e n
G r u n d s a t z d e r P h i l o s o p h i e (Ebendas. S. 93 ff.)
und die Schrift: Ü b e r d a s F u n d a m e n t d e s p h i -
l o s o p h i s c h e n W i s s e n s , S. 78.

jener Satz auf keinen Fall als erster Grundsatz
der Philosophie brauchbar, wie auch bereits Schulz
im *Änesidem* hinlänglich dargethan hat.   Gleichwohl
gab man die Reinholdsche Idee von einem solchen
Prinzipe nicht auf, sondern man suchte sie nur auf
andern Wegen zu realisiren.   So sagt Fichte *):
„Die Form der Wissenschaftslehre hat nothwendige
„Gültigkeit für den Gehalt derselben.   Denn wenn
„der absolut erste Grundsatz unmittelbar ge-
„wiſs war — durch ihn aber alle möglichen
„folgenden Sätze, unmittelbar oder mittelbar,
„dem Gehalte oder der Form nach, bestimmt werden
„— wenn sie gleichsam schon in ihm enthalten
„liegen: so muſs eben das von diesen gelten, was
„von jenem gilt u. s. w.“   Ferner: „Die Wissen-
„schaftslehre soll nicht nur sich selbst, sondern auch
„allen möglichen übrigen Wissenschaf-
„ten ihre Form geben und die Gültigkeit dieser Form
„für alle sicher stellen.   Dieses läſst sich nun nicht
„anders denken, als unter der Bedingung, daſs alles.
„was Satz irgend einer Wissenschaft seyn
„soll, schon in irgend einem Satze der Wis-
„senschaftslehre enthalten und also schon in
„ihr in seiner gehörigen Form aufgestellt sey.“ —
Also alle Sätze der übrigen Wissenschaften stecken

---

*) In seiner Schrift: Über den Begriff der Wis-
senschaftslehre, S. 22 und 23 nach der 2. Aufl.,
womit der Anfang der Wissenschaftslehre selbst
zu vergleichen ist.

schon in den Sätzen der Wissenschaftslehre, und diese
stecken wieder in dem absolut ersten Satze; so wie
nach einigen Physikern alle folgende Generazionen
von Naturprodukten in dem ersten Produkte jeder Art
schon eingeschachtelt gelegen haben sollen. Eben so
behauptet Schelling *): „Daſs es ein oberstes
„absolutes Prinzip gebe, durch welches mit
„dem Inhalte des obersten Grundsatzes, also mit
„dem Inhalte, der Bedingung alles andern In-
„halts ist, nothwendig auch seine Form, die
„die Bedingung aller Form ist, gegeben wird, so
„daſs sich beyde einander wechselseitig begründen
„und auf diese Art der oberste Grundsatz den ge-
„sammten Inhalt und die gesammte Form
„der Philosophie ausdrückt." — Also auch hier findet
sich die seltsame Idee, daſs die ganze Philosophie aus einem einzigen Satze (als einem Prinzipe, in welchem schon Materie und Form der gesammten philosophischen Erkenntniſs, ja der menschlichen Erkenntniſs überhaupt, gleichsam *in nuce* enthalten sey) deduzirt werden könne und müsse,
wenn sie ein System seyn solle. Bey Kant findet
sich meines Wissens keine bestimmte Äuſserung hierüber, so wie er auch in seinen Kritiken nicht faktisch
von Einem Prinzipe ausgegangen ist. Er hat sich

---

*) In seiner Schrift: Über die Möglichkeit einer
Form der Philosophie überhaupt, S. 18., womit der Anfang seines Systems des transzendentalen Idealismes zu vergleichen ist.

überhaupt auf die Untersuchung, welches die obersten Prinzipien der gesammten philosophischen Erkenntniß, wie viel oder wie vielerley dieselben seyen,
gar nicht eingelassen. Nur einmal redet er beyläufig (in
der Vorrede zu seiner Grundlegung zur Metaphysik der Sitten) von einem gemeinschaftlichen Prinzipe der Kritik der theoretischen und praktischen Vernunft. Er hat es aber nirgends näher bestimmt; man kann also nicht wissen,
ob er nicht ein bloß formales gemeynt habe. Hätte
er ein materiales gemeynt, so hätte er nicht anderswo (in der Kritik der reinen Vernunft,
S. 82 und 83. nach der 3. Aufl.) läugnen können, daß
es ein allgemeines Kriterium der Wahrheit der Erkenntniß in Ansehung ihrer Materie gebe. Zwar
sucht ein Ungenannter im Altonaer Genius des
neunzehnten Jahrhunderts (Stück und Seite
kann ich nicht nachweisen) jenes Prinzip im Begriffe
der *Synthesis a priori*, und meynt, darum habe Kant
seine Kritik mit der Frage begonnen: Wie sind
synthetische Urtheile *a priori* möglich?
Dieses Prinzip wäre freylich material. Allein da
die Kritik jene *Synthesis a priori* in Hinsicht ihrer
Möglichkeit anderweit deduzirt, so kann das Prinzip
der Philosophie überhaupt nicht ein Begriff seyn, der
selbst erst einer Dedukzion bedarf.

§. 47.

Die materialen Prinzipien der philosophischen Erkenntniß finden sich den bisherigen

Untersuchungen zufolge dadurch, daſs ich auf
die Thatsachen meines Bewuſstseyns reflektire,
um sie rein aufzufassen und darzustellen, und
eben dadurch erhalte ich den ersten Stoff
der philosophischen Erkenntniſs (§. 42 — 44.).
Durch die formalen Idealprinzipien soll
diese Erkenntniſs die Gestalt der Wissen-
schaftlichkeit oder die systematische
Form erhalten (§. 39. Nr. 2.).

§. 48.

Ich werde also auf jene materialen Prinzipien von neuem reflektiren müssen,
um durch Vergleichung derselben ihre gesetz-
mäſsige Beziehung auf einander kennen zu lernen und so in der Mannigfaltigkeit der philosophischen Erkenntnisse eine gewisse Einheit
zu entdecken, nach welcher sie zusammenge-
ordnet werden können. Dieſs will ich die
zweyte Reflexion oder die zweyte
Funkzion des philosophirenden Subjektes nennen, und die dadurch enstehen-
den Sätze sollen Grundsätze des zweyten Grades (*principia secundi ordinis*), wieferne sie aber aus den Urgrundsätzen erst hervorgehen und nur mit Hülfe derselben gefun-

den werden können, abgeleitete Grund-
ſätze (*principia derivativa*) heiſsen.

§. 49.

Da die Thatsachen meines Bewuſstseyns
aus meiner Thätigkeit entspringen, und
unter den mancherley Thatsachen des Bewuſstseyns eine gewisse Ähnlichkeit, Ver-
wandschaft und Zusammenhang stattfindet (§. 43 und 46.): so muſs wohl auch in
meiner Thätigkeit selbst ungeachtet ihrer Verschiedenheit eine solche Gleichförmigkeit
und Regelmäſsigkeit stattfinden, daſs alle
einzelne Thätigkeiten, deren ich mir nach und
nach bewuſst werde, unter gewissen Hauptarten der Thätigkeit begriffen sind und diese
wieder von gewissen Gesetzen abhangen,
welche durch die ursprüngliche Bestimmtheit
meiner Natur fixirt sind.

§. 50.

Könnte ich nun diese Gesetze oder obersten
Regeln finden, von welchen die verschiednen
Arten meiner Thätigkeit abhangen und wodurch alle Thatsachen meines Bewuſstseyns
unter einander zusammenhangen, so würden

die Sätze, welche jene Regeln ausdrückten, eben die von mir gesuchten **Formalprinzipien** seyn. Denn ich könnte dann die mannichfaltigen philosophischen Erkenntnisse, welche die mannichfaltigen Arten meiner Thätigkeit betreffen, auf jene Sätze als ihren gemeinschaftlichen **Vereinigungspunkt** beziehen und sie darunter zusammenordnen, um ein Ganzes der Erkenntnifs daraus zu bilden. Sonach darf ich mit Recht behaupten:

Die Gesetze meiner Thätigkeit, wieferne sie in Begriffe gefafst und durch Worte dargestellt werden, sind die formalen Idealprinzipien der philosophischen Erkenntnifs.

Anmerkung.

Dafs die Philosophen von jeher die in der Natur des menschlichen Geistes gegründeten allgemeinen und nothwendigen Regeln seiner Thätigkeit gesucht und dafs sie dieselben als Prinzipien gebraucht haben, um dadurch dem Mannichfaltigen ihrer Erkenntnifs systematische Einheit zu geben, ist eine durch die Geschichte der Philosophie hinlänglich bewährte Thatsache. Sie haben aber diese formalen Grundsätze bald so bald anders bestimmt, je nachdem sie von verschiednen Thatsachen des Bewufstseyns als materialen

Prinzipien ausgingen. Daher haben sie auch jene Regeln in mancherley Formeln eingekleidet, welche bald in der Sache selbst, bald blofs den Worten nach verschieden waren. Man denke z. B. an den sogenannten Satz des Widerspruchs als oberste Regel des Denkens, oder an das sogenannte Sittengesetz als oberste Regel des Wollens. Was sind sie anders als Prinzipien der Einheit des Mannichfaltigen der logischen und der moralischen Erkenntnisse? Und wie können sie anders gefunden werden, als durch Reflexion auf die Thatsachen des Bewufstseyns, die sich beym Denken und Wollen in uns ankündigen? Daher setzt die Möglichkeit des Einverständnisses über die formalen Prinzipien das Einverständnifs über die materialen als nothwendige Bedingung voraus. Vergl. §. 44. Anm.

§. 51.

Wenn ich gewisse Arten meiner Thätigkeit untersuche und die dadurch gefundenen Erkenntnisse vermittelst der obersten Regel jener Thätigkeiten mit einander verbinde, so bekomme ich besondre Theile der philosophischen Erkenntnifs d. h. mehre einzelne philosophische Wissenschaften, deren jede ihr eigenthümliches Formalprinzip hat (z. B. Logik, Metaphysik u. s. w.). Diese Wissenschaften aber sollen wieder ein Ganzes der philosophischen Erkenntnifs d. h. eine Totalwissenschaft, welche eben **Philosophie** heifst, ausmachen. Ich mufs also für alle jene einzelne Wissenschaften wieder **e**inen **gemeinschaftlichen Vereinigungspunkt** d. h. ein **oberstes Formalprinzip der gesammten** philosophischen Erkenntnifs haben, wenn diese Erkenntnifs würklich systematische Form erhalten soll.

§. 52.

Da nun die **Philosophie als Wissen**schaft durch mein **Philosophiren** als eine bestimmte Art meiner Thätigkeit entsteht, so mufs **die oberste Regel dieser Thätigkeit** auch das **oberste Formalprinzip jener Wissenschaft** seyn. Und da mein Philosophiren durch den **Zweck**, den ich mir dabey vorsetze, geleitet wird, so mufs die **oberste Regel** dieser Thätigkeit durch den **obersten Zweck** derselben bestimmt seyn. Das oberste Formalprinzip der Philosophie wird also ein Satz seyn, welcher der obersten Zweck des Philosophirens durch eine **bestimmte Formel charakterisirt.**

§. 53.

Worin besteht nun der oberste Zweck meines Philosophirens? — Da mein Philosophiren davon abhangt, dafs ich gerade auf diese Art thätig seyn will, mithin von meinem freyen Entschlusse, so hangt auch der Zweck meines Philosophirens von meinem Willen oder meiner freyen Wahl ab. Ich kann mir also irgend einen Zweck beliebig setzen. Indessen mufs ich doch wohl einen solchen setzen, der für mich von der gröfsten Wichtigkeit ist, um der Anstrengung, die dessen Erreichung fodern möchte, werth zu seyn, und um ihn auch bey andern vernünftiger Weise voraussetzen zu können, wenn etwa jemand aufser mir auch philosophiren sollte und ich ihm meine Philosopheme mittheilen wollte.

§. 54.

Ich will also — diefs ist wenigstens mein Zweck, wenn ihn auch Andre nicht zu dem ihrigen machen wollen — ich will meine gesammte Thätigkeit kennen lernen, und zwar nicht in ihrer blofsen Mannichfaltigkeit, sondern in ihrer höchst möglichen Einheit d. h. ich will wissen, ob und wiefern eine durch-

gängige Übereinstimmung meiner
gesammten Thätigkeit würklich oder
möglich sey.   Denn es beunruhigt mich,
wenn meine Thätigkeit mit sich selbst
in Widerstreit geräth und dadurch in sich
selbst gehemmt ist.   Daher fühle ich ein be-
sondres Interesse in mir, jene Übereinstimmung zu suchen, und setze voraus, dafs eben
hierin die wesentliche Tendenz jedes
philosophirenden Subjektes bestehe oder wenigstens bestehen sollte.   Ich erhebe also aus
freyem Entschlusse folgenden Satz zur Dignität des obersten Formalprinzips der
philosophischen Erkenntnifs:

Die absolute Harmonie des Ichs in
aller seiner Thätigkeit ist der oberste
Zweck des Philosophirens;

oder kürzer:

Ich suche absolute Harmonie in aller
meiner Thätigkeit.

Anmerkung 1.

Das oberste Formalprinzip ist offenbar kein gegebnes, sondern ein gemachtes Prinzip; denn es
kommt auf mich an, was ich mir für einen obersten
Zweck des Philosophirens setzen will.   Ein Recht.

mir hierüber etwas vorzuschreiben, darf sich niemand
anmafsen, da es lediglich von jedem Subjekte abhangt,
ob und warum man philosophiren will. Aber dieser
Wille darf doch keine blofse Willkür seyn, die zufällig das erste beste ergreift, sondern ein gewisses Interesse mufs das philosophirende Subjekt zu dieser
besondern Art der Thätigkeit bestimmen und es dabey
leiten. Dieses Interesse mufs ferner, wenn dem philosophirenden Subjekte darum zu thun ist, mit seiner
Philosophie Eingang bey andern Subjekten zu finden
und auch sie dafür zu interessiren, ein solches
seyn, welches man auch bey ihnen vernünftiger Weise
annehmen oder ihnen anmuthen kann. Es mufs also
ein höheres Interesse des Menschen als vernünftigen Wesens seyn, ein Interesse, welches alle Arten
seiner Würksamkeit umschliefst, mithin theoretisch und praktisch zugleich ist. Ein solches
Interesse mufs jeder gebildete Mensch an dem oben
angegebenen Zwecke nehmen. Harmonie im Denken
und Erkennen, wie im Wollen und Handeln, Übereinstimmung in seinen Vorstellungen wie in seinen
Bestrebungen mufs jedermann interessiren, der das
Wahre und das Gute liebt; denn Wahrheit und Güte
sind ohne jene Harmonie nichts als leere Namen. Daher hat eben das Philosophiren nicht blofs eine speku-
ative, sondern eine höchst praktische Tendenz, und
eben darum hangt der glückliche Erfolg des Philosophirens eben so sehr von der Gesinnung ab, mit
der spekulirt wird, als vom Talente zu spekuliren.
Und so bestätigt sich schon hier dasjenige, was in

der allgemeinen Einleitung nur vorläufig vom Charakter der Philosophie gesagt wurde.

Anmerkung 2.

Das oberste Formalprinzip soll nicht zur Ableitung (*deductio*) aller philosophischen Erkenntnisse aus einem einzigen Satze als ihrer gemeinschaftlichen Quelle (*fons*) oder Wurzel (*radix*) dienen, sondern zur Hinleitung (*reductio*) derselben auf ein einziges Ziel als ihren gemeinschaftlichen Mittelpunkt (*centrum*) oder Brennpunkt (*focus*). — Von einer andern Vergleichung ausgehend könnte man das Verhältniß der verschiednen Prinzipien der Philosophie auch so bestimmen: Das oberste Formalprinzip ist bloß der Schlußstein im Gewölbe der Philosophie, so wie das oberste Materialprinzip als die Basis desselben betrachtet werden kann. Was außerdem als Grund- Lehr- und Folgesatz in der Philosophie aufgestellt wird, sind theils anderweite Materialien theils Verbindungsmittel derselben zur Errichtung des Gebäudes. Das Realprinzip aber ist der Architekt selbst. So wie also nicht ein und dasselbe Ding Architekt, Basis und Schlußstein seyn kann, so kann auch nicht ein und dasselbe Prinzip reales, ideal-materiales und ideal-formales seyn. — Wäre es indessen jemanden nur um einen Satz zu thun, in welchem diese drey verschiednen Prinzipien bloß zugleich angedeutet würden, und wollte man diesen Satz alsdann schlechtweg das höchste Prinzip der Philosophie nennen:

so ließe sich eine solche Formel wohl bilden und
gegen diese Benennung derselben auch nichts weiter einwenden. Diese Formel ergäbe sich nun aus
folgender Zusammenstellung der bisher gefundenen
Prinzipien:

A.

Einiges Realprinzip.

Ich

(§. 36.)

B.	**C.**
Oberstes Materialprinzip.	Oberstes Formalprinzip.
bin thätig und	suche absolute Har-
(§. 46.)	monie in aller mei-
	ner Thätigkeit.
	(§. 54.)

Oberste Idealprinzipien.

Es könnte demnach folgender Satz schlechtweg höchstes Prinzip der Philosophie heißen:

**Ich bin thätig und suche absolute Harmo-
nie in aller meiner Thätigkeit.**

Anmerkung 3.

Bis hieher ist bloß bestimmt worden, welches die
obersten Prinzipien der philosophischen Erkenntniß
seyen, und zwar sowohl in realer und idealer, als in
materialer und formaler Hinsicht. Hiemit aber hat
die apodiktische Elementarlehre ihr Geschäft bey

weitem noch nicht vollendet; sie hat vielmehr, wie
bereits oben (§. 21 und 22.) bemerkt worden, noch
drey Hauptuntersuchungen anzustellen. Die erste betrift die Frage: Welches ist der absolute Gränzpunkt des Philosophirens d. h. wie weit
reicht die philosophirende Vernunft mit den bisher
gefundenen Prinzipien in ihren Spekulazionen aus?
Wird sie dadurch im Erklären und Begreifen in's Unendliche fortgeführt oder auf einen fixen Punkt hin-
geleitet, der das Ende aller Erklärbarkeit und Begreiflichkeit ist, den sie also auch nicht überschreiten darf,
ohne in grundlose Träumereyen zu verfallen? Fände
sich ein solcher Punkt, so würden dadurch zugleich
alle möglichen Systeme der Philosophie bestimmt
seyn. Denn entweder ginge das philosophirende Subjekt über jenen Punkt hinaus oder es bliebe auf demselben unverrückt stehen. Ginge es über denselben
hinaus, so könnte dies wieder in zwey entgegengesetzten Richtungen geschehen. Mithin würden sich
daraus drey mögliche Systeme der Philosophie ergeben, wovon die beyden Ersten sich zu einander verhalten müßten, wie These und Antithese. Das
Letzte hingegen müßte die Synthese zwischen jenen beyden enthalten. — Die andre noch rückstän-
dige Hauptuntersuchung der apodiktischen Elementarlehre betrift die Frage: Welches ist die ursprüngliche Form der gesammten Thätigkeit des
Ichs d. h. wie weit erstreckt sich meine Thätigkeit
überhaupt, wie vielfach ist sie und auf wie mancherley Art kann ich würksam seyn? Hier müßten also

die Grundzüge jeuer Form entworfen werden; es
müfsten die Hauptarten der Thätigkeit des menschlichen Geistes von der untersten Stufe der Sensualität
bis zur höchsten Stufe der Razionalität in einem systematischen Abrisse dargestellt werden. — Aus dieser Darstellung würde sich dann zuletzt auch noch die Beantwortung der Frage ergeben: Welches ist der h ö c h s t e
und letzte Z w e c k m e i n e r g e s a m m t e n Thä-
t i g k e i t d. h. auf welches Ziel hin soll sich die Tendenz meiner ganzen Thätigkeit beziehen? Mit dieser
Untersuchung würde sich die E l e m e n t a r l e h r e
schliefsen, indem dann blofs noch die M e t h o d o-
l o g i e der philosophischen Erkenntnifs abzuhandeln
wäre.

Der apodiktischen Elementarlehre

zweytes Hauptstück.

Vom absoluten Gränzpunkte des Philosophirens.

§. 55.

Wir fanden oben (§. 41.), Bewußtseyn bedeute nichts andres, als eine Synthese des
Seyns und des Wissens im Ich. Jedes besondre Bewußtseyn aber ist ein bestimmtes
d. h. es bezieht sich auf etwas Bestimmtes, das
da ist und wovon man weiß (z. B. wenn ich
ein Kunstwerk betrachte oder einen Schmerz
empfinde und mir nun dessen bewußt bin).
Bey jedem Bewußtseyn findet also auch eine
bestimmte Art der Synthese des Seyns und
des Wissens statt und das bestimmte Bewußtseyn entsteht eben in mit und durch diese
bestimmte Synthese.

Anmerkung.

Man hat z. B. ein Bewußtseyn von diesem Kunst-
werke, wieferne man weiß, daß ein solches Kunstwerk würklich von uns wahrgenommen wird — man
ist

ist sich dieses Schmerzes bewußt, wieferne man weiß, daß ein solcher Schmerz würklich von uns gefühlt wird, und daher beydes für etwas Würkliches, außer oder in sich, hält.

§. 56.

Solche bestimmte Synthesen des Seyns und des Wissens aber, welche immerfort wechseln, würden gar nicht möglich seyn, wenn nicht Seyn und Wissen in uns schon ursprünglich (*a priori*) verknüpft wäre d. h. wenn nicht schon vor allem Wechsel von Bestimmungen des Bewußtseyns Seyn und Wissen in einem solchen Verhältnisse stünde, daß sich Beydes wechselseitig auf einander beziehen und durch einander bestimmen kann. Jede bestimmte Synthese des Seyns und des Wissens, welche in irgend einem Momente der Zeit in uns vorkommt, weist also mich (das philosophirende Subjekt) in der Reflexion auf mich selbst zurück auf eine ursprüngliche Verknüpfung des Seyns und des Wissens im Ich (*Synthesis a priori*) als ihre Bedingung (*conditio sine qua non*), und diese Synthese ist anzusehen als eine ursprüngliche That-sache (*factum a priori*) d. h. als eine solche, welche sich als Faktum in keinem bestimmten

Momente der Zeit nachweisen läſst, sondern
jedem bestimmten Zeitmomente, in welchem
ich mir etwas bewuſst bin, vorhergeht.
Daher kann diese Synthese auch die transzendentale genannt werden zum Unterschiede von jeder anderweiten bestimmten
Synthese des Seyns und des Wissens, welche
lediglich empirisch ist, weil sie in der
Zeitreihe erscheint und zum Kontexte der Erfahrung gehört.

§. 57.

Da in mit und durch jenes Faktum das Bewuſstseyn überhaupt als solches konstituirt
wird und anhebt, ohne dasselbe also auch alle
übrige Thatsachen des Bewuſstseyns gar nicht
stattfinden würden, so muſs die ursprüngliche oder transzendentale Synthese
des Seyns und des Wissens im Ich als
Urthatsache des Bewuſstseyns angesehen werden. Eine Urthatsache aber ist
eine solche, die von keiner andern, welche
vorhergeht, abgeleitet und dadurch erklärt
oder begriffen werden kann, weil sie selbst die
ursprüngliche Bedingung aller übrigen Thatsachen ist, die im Bewuſstseyn vorkommen

können. Also ist jene transzendentale Synthese der absolute Gränzpunkt des Philosophirens, so daß jede Philosophie, welche über diesen Gränzpunkt hinausgeht d. h. welche die Möglichkeit jener Synthese selbst zu erklären und zu begreifen sucht, sich in grundlose Spekulazionen und leere Träumereyen verlieren, in ihren Voraussetzungen willkürlich und in ihren Behauptungen anmaaßend, mit einem Worte — transzendent werden muß, weil sie das Transzendentale selbst überfliegen will.

§. 58.

Die ursprüngliche Synthese des Seyns und des Wissens ist demnach schlechthin unbegreiflich d. h. es ist schlechterdings unerklärbar, wie und wodurch Seyn und Wissen in uns verknüpft sey, indem uns das Bewußtseyn bloß lehrt, daß beydes in uns verknüpft sey, sobald wir uns etwas bewußt sind, und daß es eben darum schon ursprünglich oder vor allem bestimmten Bewußtseyn verknüpft seyn müsse, weil sonst kein bestimmtes Bewußtseyn stattfinden könnte. Folglich ist auch die Aner-

kennung jener Unbegreiflichkeit und
die daher entstehende freywillige Beschränkung der Spekulazion auf jenen Gränzpunkt die unumgänglich nothwendige Bedingung eines glücklichen Erfolgs
im Philosophiren.

Anmerkung 1.

Alle Philosophie muſs zuletzt auf etwas Unerklär-
bares und Unbegreifliches stoſsen, weil das Erklären
und Begreifen so wenig als das Beweisen ins Unendliche fortgehen kann. Jedes philosophirende Subjekt
muſs daher durch sein Philosophiren endlich an einen
Punkt kommen, wo alles weitere Erklären und Begreifen aufhört. Dieſs ist so richtig, daſs selbst
die alles erklären und begreifen wollende Wissenschaftslehre sich genöthigt gesehen hat, irgend
eine Unerklärbarkeit und Unbegreiflichkeit in ihrem
Systeme zuzulassen und einzugestehen *). Ist nun

---

*) FICHTE nennt im Philosophischen Journale
(Bd. 8. Hft. 1. S. 12.) die Schranken, in welche er das
Ich eingeschlossen seyn läſst und woraus er die Bestimmtheit des Ichs in Ansehung seiner Vorstellungen
von der objektiven Welt erklärt, ausdrücklich „unbegreifliche Schranken‟; und im Systeme der
Sittenlehre (S. 124.) sagt er: „Dieses bestimmte
„Vernunftwesen ist nun einmal so eingerichtet, daſs
„es sich gerade so beschränken muſs; und diese Ein-
„richtung läſst sich nicht weiter erklären.‟ —

die Frage, wo eigentlich jener Punkt zu fixiren sey,
weil ihn der Philosophirende für sich selbst fixiren
muſs, so ist die natürliche Antwort: Da, wo man etwas gefunden hat, was selbst alles Erklären und Begreifen erst möglich macht. In mit und durch die ursprüngliche Synthese des Seyns und des Wissens hebt
unser ganzes Bewuſstseyn an. Wir können aber nur
in mit und durch unser Bewuſstseyn überhaupt erklären und begreifen; denn hätten wir gar kein Bewuſstseyn, so würden wir auch schlechterdings nichts erklären und begreifen können; wir wären gar nicht
Wir (ich, du u. s. w.) und es wäre uns überall nichts
zu erklären und zu begreifen gegeben. Das Bewuſst-

Eben so sagt SCHELLING in seinem Systeme des
transzendentalen Idealismes (S. 118.): „Daſs
„ich überhaupt begränzt bin, folgt unmittelbar aus
„der unendlichen Tendenz des Ichs, sich Objekt zu
„werden; die Begränztheit überhaupt ist also erklär-
„bar; aber die Begränztheit überhaupt läſst die be-
„stimmte völlig frey, und doch entstehen beyde durch
„einen und denselben Akt. Beydes zusammengenom-
„men, daſs die bestimmte Begränztheit nicht bestimmt
„seyn kann durch die Begränztheit überhaupt, und
„daſs sie doch mit dieser zugleich und durch Einen
„Akt entsteht, macht, daſs sie das Unbegreifliche
„und Unerklärbare der Philosophie ist." — Ob
nun die allerneueste, über die Wissenschaftslehre noch
hinausgehende, Schellingsche Philosophie (das absolute Identitätssystem) auch dieses Unbegreifliche und Unerklärbare wegphilosophiren werde, steht
zu erwarten.

seyn ist also das **Organ aller Erklärbarkeit
und Begreiflichkeit.** Muß aber nicht eben darum jene Synthese, durch welche das Bewußtseyn ursprünglich konstituirt wird, unerklärbar und unbegreiflich seyn? Wir halten demnach vest an dem
Satze: Seyn und Wissen sind in uns ursprünglich
verknüpft zum Bewußtseyn, und diese Verknüpfung
ist der absolute Gränzpunkt alles Philosophirens, mithin das an sich Unerklärbare und Unbegreifliche aller
Philosophie. Daher können wir zwar ein Seyn vom
andern und ein Wissen vom andern ableiten und dadurch das abgeleitete Seyn und das abgeleitete Wissen
erklären und begreifen, aber das ursprüngliche Seyn
und das ursprüngliche Wissen von dem, was ist,
bleibt dem Erklären und Begreifen unzugänglich.
(To ειναι και το ειδεναι του ειναι εστιν ακαταληπτον.)
Treffend drückt dieß JACOBI so aus *): „Das Würk-
„liche kann außer der unmittelbaren Wahrnehmung
„desselben eben so wenig dargestellt werden, als das
„Bewußtseyn außer dem Bewußtseyn." — Willst
du also wissen, was das Seyn und das Wissen vom
Seyn sey, so frage nicht mich, sondern dich selbst,
und du wirst in deinem Innersten eine Antwort
vernehmen, die du so wenig als ich in Worte fassen und aussprechen kannst!

---

*) In seinem Gespräche: *David Hume* über den
   Glauben oder Idealismus und Realismus,
   S. 140.

Anmerkung 2.

Es läßt sich nach dem Bisherigen schon im voraus bestimmen, was von dem Unternehmen der Wissenschaftslehre zu halten sey, welche in die Regionen, die jenseits alles Bewußtseyns liegen, hinaufsteigen und aus denselben das Bewußtseyn selbst gleichsam herunterholen will. „Die Wissenschaftslehre" — so erklärt sie sich selbst — „ist die systematische Ablei-„tung eines Würklichen, der ersten Potenz im „Bewußtseyn; und sie verhält sich zu diesem würk-„lichen Bewußtseyn wie die Demonstrazion einer „Uhr zur würklichen Uhr" — und — „die Wissen-„schaftslehre leitet ohne alle Rücksicht auf „die Wahrnehmung, *a priori*, ab, was ihr zu-„folge eben in der Wahrnehmung, also *a posteriori*, „vorkommen soll" *). — Daß sie dieses große Versprechen wenigstens bis jetzt noch nicht erfüllt habe, liegt am Tage; denn sie hat noch keine einzige bestimmte objektive Weltvorstellung, welche durch die Wahrnehmung eines Würklichen oder *a posteriori* in uns entsteht (z. B. die Vorstellung eines bestimmten Menschen oder eines bestimmten Gewächses u. s. w.), aus ihren Grundsätzen *a priori* abgeleitet, sondern sich, wenn sie dazu aufgefodert wurde, mit den unbegreiflichen Schranken entschuldigt, in welche das Ich nun einmal eingeschlossen sey; und was die Vorstellungen von gewissen Objekten überhaupt

---

*) S. Fichte's sonnenklaren Bericht über das Wesen der neuesten Philosophie, S. 65-68.

(z. B. von organischen Wesen im Allgemeinen) anlangt, so würde sie ohne alle Rücksicht auf
die Wahrnehmung mit ihren Deduktionen *a
priori* gar bald am Ende gewesen seyn. Daſs aber
ihr Versprechen auch überhaupt unerfüllbar sey, wird
sich in der Folge noch näher ergeben. Vorläufig nur
so viel. Der Wissenschaftslehrer will aus einer
ins Unendliche hinausgehenden Thätigkeit des Ichs, in welcher gar nichts unterschieden werden kann, und aus einem
Zurückgestoſsenwerden jener Thätigkeit,
oder mit andern Worten, aus zwey einander
entgegengesetzten Thätigkeiten, deren eine ins Unendliche geht und die andre in dieser Unendlichkeit sich anzuschauen strebt, die Intelligenz mit dem ganzen Systeme ihrer Vorstellungen entstehen lassen und so das Bewuſstseyn selbst deduziren oder die Möglichkeit desselben durch Vorstellung gewisser Objekte,
welche das Ich sich als ein Nichtich entgegensetzt,
darthun *). Wir sind uns aber weder jener ins Unendliche hinausgehenden Thätigkeit noch des Zurückkehrens derselben in sich selbst bewuſst und können
eingestandnermaaſsen auch kein Bewuſstseyn davon
erlangen, sondern beydes wird nur zum Behufe der

---

*) S. Fichte's Grundlage der gesammten Wis-
senschaftslehre, S 195. (Ausg. 1.) und Schelling's System des transzendentalen Idealismes, S. 147.

Möglichkeit einer Dedukzion des Bewuſstseyns vor-
ausgeset t. Fragt man nun nach demjenigen, wodurch die ins Unendliche hinausgehende Thätigkeit in
sich selbst zurückgetrieben und dadurch eine gerade
entgegengesetzte Richtung anzunehmen genöthigt werde, so wird gar nichts als Grund dieses Zurückkehrens
angegeben, und es läſst sich auch schlechterdings
nichts angeben. Denn auſser dem Ich ist nichts, was
dessen Thätigkeit in sich zurücktreiben könnte; vielmehr entsteht erst durch diese entgegengesetzte Richtung die ganze Welt von Objekten, welche das Ich
als auſser sich vorhanden anschaut, ob sie gleich nur
ein Produkt des Ichs selbst vermöge seiner Anschauung
— ein Reflex seiner Thätigkeit — ist. Es sind also
lauter grund- und bodenlose Spekulazionen, worauf
der Wissenschaftslehrer durch sein Versprechen einer
Dedukzion des Bewuſstseyns geführt wird, weil er
die natürliche und nothwendige Gränze aller philosophischen Spekulazion überschreitet. Denn indem er
den Mechanism des Bewuſstseyns demonstriren will,
wie man den einer Uhr demonstrirt, so will er eigentlich die Möglichkeit der ursprünglichen Synthese des
Seyns und des Wissens einsehen. Dieſs kann ihm
aber nicht gelingen, weil jene Synthese als ein Urfaktum unerklärbar und unbegreiflich ist.

Anmerkung 3.

Wenn die ursprüngliche Synthese des Seyns und
des Wissens absoluter Gränzpunkt des Philosophirens
und das in mit und durch diese Synthese konstituirte

Bewußtseyn Organ aller Erklärbarkeit und Begreiflichkeit ist, so muß der Philosophirende sein Geschäft
darauf beschränken, daß er auf diejenigen Thätigkeiten, welche er in sich unmittelbar wahrnimmt und
deren er sich dadurch bewußt ist, reflektirt und das
Verhältniß derselben gegen einander und ihre Regelmäßigkeit untersucht, um die allgemeinen und nothwendigen Gesetze seiner Thätigkeit überhaupt kennen
zu lernen. Er folgert also zwar aus den Thatsachen
seines Bewußtseyns etwas, dessen er sich vor jener
Reflexion und Untersuchung nicht bewußt war. Aber
dadurch erklärt und begreift er das Bewußtseyn selbst
keineswegs; denn die Möglichkeit einer synthetischen
Vereinigung des Seyns und des Wissens lernt er durch
die Kenntniß der Gesetze seiner Thätigkeit nicht einsehen, weil durch diese Gesetze bloß die Form unsrer
Thätigkeit bestimmt, jene Synthese aber die ursprüngliche Bedingung aller Thätigkeit ist, deren wir uns
irgend bewußt sind. Sie muß also bey allen unsern
Forschungen nach den Gesetzen unsrer Thätigkeit immer als Urfaktum vorausgesetzt werden, ohne jemals
erklärt und begriffen werden zu können. Darum
wurde auch schon oben (§. 41. Anm.) eingestanden,
die Erklärung — Bewußtseyn bedeute eine Synthese
des Seyns und des Wissens im Ich — sey bloß nominal. Denn eine reale müßte genetisch seyn
d. h. zeigen, wie das Bewußtseyn entstehe. Sollte
aber dieses gezeigt werden, so müßte gezeigt werden,
wie und wodurch Seyn und Wissen in uns ursprünglich verknüpft werde, weil durch diese Synthese das

Bewufstseyn als solches konstituirt wird. Wir konnten jedoch nur auf diese Synthese als auf ein Urfaktum hindeuten d. h. zeigen, es müsse vorausgesetzt werden, ohne es erklären und begreifen zu können, weil wir es dann von einem andern Faktum hätten ableiten müssen, wodurch es aber seine Dignität als Urfaktum verloren hätte und dieses andre an dessen Stelle getreten wäre. Es mufs demnach jenes Faktum als ein solches gedacht werden, in mit und durch welches die Reihe von Bestimmungen unsers Bewufstseyns anhebt, welches also zwar nicht in diese Reihe selbst hineinfällt (folglich auch nicht anderweit abgeleitet werden kann) aber doch nicht aufserhalb derselben oder darüber hinausliegt. Es begränzt daher diese Reihe *a priori*, und eben darum ist dadurch auch der Gränzpunkt des Philosophirens bestimmt. Hierin liegt der eigentliche Grund, warum vom Bewufstseyn keine Realerklärung gegeben werden kann, und warum das Bestreben, eine solche zu geben, durchaus mifslingen mufs *).

---

*) In der Schrift: Über den Begriff der Wissenschaftslehre (S. 26. oder 23. nach der 2. Ausgabe) heifst es: „Eine Realerklärung des Wissens „ist schlechterdings unmöglich.“ Nach dem sonnenklaren Bericht über das Wesen der neuesten Philosophie (S. 65 und 66.) soll aber in der Wissenschaftslehre das Bewufstseyn demonstrirt werden, wie man eine Uhr demonstrirt. Eine solche Demonstrazion müfste also wohl eine wahre Realerklärung des Bewufstseyns seyn; denn sie

§. 59.

Wenn ich auf das Seyn und Wissen, dessen ursprüngliche Verknüpfung ich nun ein
für allemal als absoluten Gränzpunkt des Philosophirens anerkannt habe, um mich forthin
nicht in transzendente Spekulazionen zu verir-
ren, weiter reflektire, so finde ich, dafs ich
das Seyn, von dem ich weifs, sowohl auf **mich
selbst** als auf **etwas aufser mir** beziehe.
Ich setze also etwas, was ich selbst bin (das
Ich), und etwas, was ich selbst nicht bin,
sondern was ein Ding aufser mir ist (das
Nichtich) als **existirend**; ich lege folglich beydem eine gewisse **Realität** bey.
Was berechtigt mich dazu?

§. 60.

Ich will das Seyn oder das, was ist, das
Reale, und das Wissen oder die Vorstellung

---

müfste das Bewufstseyn genetisch erklären. Wenn nun
gleichwohl eine Realerklärung des Wissens unmöglich ist, wie soll denn eine Realerklärung des Bewufstseyns, welches ja eben ein Wissen ist, möglich seyn? — Es wäre wohl zu wünschen, dafs der
sonnenklare Bericht uns hierüber, wie über so manche
andre Dinge, etwas klärer berichtet und nicht durch
den Widerspruch gegen frühere Behauptungen die
Sache noch mehr verdunkelt hätte.

von dem, was ist, das Ideale nennen. Jene Frage kann ich daher auch so ausdrücken: Wie verhält sich Reales und Ideales gegen einander? Denn dieses Verhältnifs müfste mich wohl belehren, ob und wiefern ich befugt sey, mich selbst und Dinge aufser mir als ein Reales vorzustellen. Auf diese bestimmtere Frage nun sind, wie ich sehe, zwey Antworten möglich:

1.) Entweder ist das Eine in und durch das Andre gesetzt, mithin Eins von dem Andern durch mein Philosophiren abzuleiten;

2.) Oder Beyde sind ursprünglich gesetzt und mit einander verknüpft, folglich eine solche Ableitung unmöglich.

§. 61.

Ich will einstweilen die erste Antwort annehmen, so seh' ich, dafs wieder zwey Fälle möglich sind. Ich kann nämlich

1.) das Reale als das Ursprüngliche oder Erste (*Prius*) setzen und daraus das Ideale als das Zweyte (*Posterius*) ableiten wollen. Hieraus würde ein System der Philosophie entstehen, welches Realism genannt werden müfste.   Ich kann aber auch

2.) das Ideale als das Ursprüngliche oder Erste (*Prius*) setzen und daraus das Reale als das Zweyte (*Posterius*) ableiten wollen.   Das daraus hervorgehende System der Philosophie müfste also Idealism heissen.   Welches von beyden soll ich nun als gültig annehmen?

§. 62.

So viel ergiebt sich im voraus, daſs beyde Systeme willkürlich verfahren müssen, indem sie entweder das Reale oder das Ideale als Ableitungsprinzip setzen.   Denn an und für sich betrachtet hat das Eine wie das Andre gleiche Ansprüche auf diese Dignität. Es kann also, wenn nicht etwa der glücklichere Erfolg in der würklichen Ableitung dem einen Systeme einen Vorzug vor dem andern giebt, blofs ein regelloses Belieben entscheiden, ob die Ableitung vom Realen oder vom Idealen beginnen soll.

§. 63.

Setz' ich das Reale als das Ursprüngliche oder Erste, so setz' ich eigentlich ein

Reales ohne ein Ideales. Denn das Ideale
soll erst hinterher aus dem Realen als eine gewisse ihm zukommende Bestimmung oder Art
zu seyn abgeleitet werden. Das Reale ohne
ein Ideales ist aber nichts anders als das, was
Materie oder körperliche Masse heifst;
denn in dieser finde ich nicht Vorstellung und
Bewufstseyn, sondern blofs Ruhe und Bewegung, welche sich nach nothwendigen Gesetzen der Anziehung und Abstofsung richten.
Der Realism, der das Ideale aus dem blofsen
Realen ableiten will, ist also eigentlich Materialism und leistet nicht, was er verspricht. Denn er vermag nicht zu zeigen, wie
das Ideale aus dem Realen hervorgehe d. h. wie
materielle Dinge sich selbst und andre Dinge
ihrer Art vorstellen und dadurch ein Bewufstseyn von sich und andern dergleichen
Dingen erhalten können.

Anmerkung.

Dafs der Realism, sobald er nur konsequent ver.
fährt, in Materialism sich verwandeln müsse, ist
offenbar. Denn wenn das Reale als das einzig Ursprüngliche angenommen wird, so wird alles Ideale
(Vorstellung und Bewufstseyn) in Gedanken aufgehoben; es bleibt also gar nichts übrig als die blofse

Materie, ein ausgedehntes, Raum erfüllendes, ruhendes oder sich bewegendes Ding. Wenn gleichwohl nicht alle Realisten zugleich erklärte Materialisten gewesen sind, so hat sie entweder ihre Inkonsequenz im Denken vom geraden Wege abgeführt oder ihr besseres Gefühl von dem Extreme, das sie in der Spekulazion wohl vor sich sahen, zurückgeschreckt, weil sie nicht mit Unrecht fürchteten, die Moralität möchte durch den konsequenten Realism gefährdet werden. Die Letzten wurden also gleichsam mit Wissen und Willen ihren Grundsätzen untreu. Diejenigen Realisten hingegen, welche Konsequenz im Spekuliren für die erste Pflicht des Philosophen als solchen hielten und vielleicht zum Theil als Menschen für das Interesse der Moralität weniger besorgt waren, haben sich unbedenklich für den Materialism erklärt. Nur hat es ihnen mit der Ableitung des Idealen aus der Materie als dem allein Ursprünglichen nicht gelingen wollen und sie sind darüber unter einander selbst uneins geworden; ein Beweis, daß sie überhaupt von einer ungültigen Voraussetzung ausgingen. Einige nämlich machten die Materie a l s s o l c h e, Andre die o r g a n i s i r t e Materie zum Prinzipe des Idealen, indem sie entweder behaupteten, die M a t e r i e a n u n d f ü r s i c h s e l b s t produzire Vorstellungen und Bewußtseyn, oder, sie bewürke dieß erst v e r m i t t e l s t d e r O r g a n i s a z i o n, indem sie durch diese Modifikazion ihres Zustandes so verfeinert und in allen ihren Theilen so innig verbunden werde, daß sie nun der sogenannten geistigen

Thätig-

Thätigkeiten fähig sey. Allein beyde Parteyen haben
bis jetzt noch immer nichts vorgebracht, was einer
verständlichen Erklärung oder einem ordentlichen Beweise ähnlich sähe. Auch können sie schlechterdings
keinen Grund angeben, warum wir, ungeachtet die
Materie entweder an sich oder vermöge der Organisa-
zion das Ideale produziren soll, dennoch so viele Körper, organische und unorganische antreffen, an welchen sich auch nicht die leiseste Spur von Vorstellung
und Bewufstseyn entdecken läfst. Der Realist ist also
durchaus unvermögend, die Entstehung des Idealen
aus dem Realen auf eine befriedigende Weise darzuthun. Er bleibt in der Ableitung des Einen aus dem
Andern uberall hinter seinem Versprechen zurück.

§. 64.

Es widerstreitet aber jener Realism auch
meinem praktischen Interesse. Denn
ich sehe wohl ein, dafs nach diesem Systeme
ich selbst weiter njchts als ein materielles Ding
bin und folglich auch lediglich unter nothwendigen Naturgesetzen solcher Dinge stehe.
Ich mufste also die Idee, ein selbstständiges
und freyes, mithin in Rücksicht meiner Gesinnungen und Entschliefsungen von der Naturnothwendigkeit unabhängiges Wesen zu seyn,
aufgeben. Nun hab' ich mir zwar durch meine
bisherigen Untersuchungen noch keine gründ-

liche Rechenschaft über diese Idee gegeben. Aber ich fühle mich doch gedrungen, mich als ein solches Wesen zu beurtheilen und nach dieser Idee zu handeln. Jenes System würde mich daher, wenn ich es annehmen wollte, mit mir selbst uneinig in Ansehung des Denkens und des Handelns machen. Ich kann also eine Idee, die mir so theuer und werth ist, nicht so geradezu als eine willkürlich geschaffne Einbildung zu Gunsten eines Systems verwerfen, das selbst willkürlich verfährt, indem es sein Prinzip setzt (§. 62.), und dann doch nicht aus diesem Prinzipe würklich ableiten kann, was es ableiten wollte (§. 63.).

Anmerkung 1.

Daſs der Realism, sobald er nur konsequent durchgeführt wird, der Sittlichkeit Abbruch thue, ist gar keinem Zweifel unterworfen, eben darum, weil er in seiner strengen Konsequenz nichts anders als Materialism ist. Man hat zwar zuweilen aus einer gewissen Gutmüthigkeit den Materialism von jenem Vorwurfe frey sprechen wollen. Allein diese Gutmüthigkeit ist sehr übel angebracht. Denn der Vorwurf trifft nur das System oder die Theorie, nicht den Menschen und seine Praxis. Diese kann trefflich seyn, während jene gar nichts taugt. Es mag also wohl Realisten genug gegeben haben und noch geben, die der Sittlichkeit

durch Wort und That huldigen; aber die Frage ist,
ob diese Huldigung aus ihrem Systeme erklärbar sey.
Und diese Frage muß jeder Unbefangene verneinen.
Denn da der konsequente Realist Materialist seyn
muß, so muß er auch das ganze System menschlicher
Handlungen für einen bloßen Naturmechanism erklären und eben dadurch die Sittlichkeit mit der Wurzel
ausrotten. Denn diese kann nur auf dem Boden der
Freyheit gedeihen, wie sich tiefer unten bestimmter
zeigen wird. Hier sollte nur so viel dargethan werden, daß der Realism auch durch seine praktische
Tendenz nicht annehmungswürdig erscheine.

Anmerkung 2.

Wenn in einem konsequenten realistischen (mate-
rialistischen) Systeme von Religion die Rede seyn
könnte, da diese mit der Sittlichkeit auf gleichem Boden erwächst oder vielmehr eine Frucht der Sittlichkeit ist: so müßte das All der Dinge selbst für
die Gottheit oder das allerrealeste, unendliche,
höchste Wesen gehalten werden. Denn wie ließe
sich nach diesem Systeme eine von der Welt unabhängige Intelligenz denken, von der die Welt selbst in
Ansehung ihres Seyns abhängig wäre? Der Theism
des konsequenten Realisten müßte also schlechterdings Pantheism seyn, und so hat er sich auch im
Spinozism ausgesprochen, indem SPINOZA unter
allen Selbstdenkern, welche die Geschichte der Philosophie kennt, den Realism noch am konsequentesten
durchgeführt hat. Ob übrigens diese Vorstellungsart

von der Gottheit der Vernunft angemessen sey, darüber läfst sich hier noch kein bestimmtes Urtheil
fällen.

§. 65.

Setz' ich das **Ideale** als das **Ursprüngliche oder Erste**, so setz' ich eigentlich ein
Ideales **ohne** ein Reales. Denn dieses soll
erst aus jenem abgeleitet d. h. es soll gezeigt
werden, wie es zugehe, dafs meine Vorstellungen sich auf bestimmte Gegenstände, als wären es reale Dinge aufser mir, beziehen. Das
Ideale ohne ein Reales ist aber im Grunde
Nichts; indem, wenn ich alles Reale weg-
denke, weder ein **Subjekt** d. h. etwas, das
vorstellt und sich dadurch bewufst ist, noch
ein **Objekt** d. h. etwas, das vorgestellt wird
und dessen man sich dadurch bewufst ist,
übrig bleibt. Ist nun Subjekt und Objekt aufgehoben, so ist Vorstellung und Bewufstseyn
nothwendig mit aufgehoben, folglich gar nichts
mehr vorhanden. Der **Idealism**, der das
Reale aus dem blofsen Idealen ableiten will,
ist also nichts anders als **Nihilism** und leistet nicht, was er verspricht. Denn er vermag
nicht zu zeigen, wie das Reale aus dem
Idealen hervorgehe d. h. wie Vorstellungen

von bestimmten realen Dingen möglich seyen, da doch ursprünglich gar nichts Reales, weder ein objektives noch ein subjektives, vorhanden seyn soll.

Anmerkung.

Dafs der Idealism, sobald er in der Spekulazion konsequent durchgeführt wird, sich in Nihilism verwandeln müsse, haben die neuesten Idealisten selbst eingestanden. Das Resultat nämlich, welches Fichte in seiner Schrift über die Bestimmung des Menschen *) durch die blofse Konsequenz der Spekulazion gewinnt, ist folgendes: „Es giebt über-„all kein Dauerndes, weder aufser mir noch in mir, „sondern nur einen unaufhörlichen Wechsel. Ich „weifs überall von keinem Seyn und auch nicht von „meinem eignen. Es ist kein Seyn. — Ich selbst „weifs überhaupt nicht und bin nicht. Bilder sind; „sie sind das Einzige, was da ist, und sie wissen von „sich nach Weise der Bilder — Bilder, die vorüber-„schweben, ohne dafs etwas sey, dem sie vorüber-„schweben; die durch Bilder von den Bildern zusam-„menhangen; Bilder ohne etwas in ihnen Abgebil-

---

*) Bekanntlich besteht diese Schrift aus drey Büchern, welche Zweifeln, Wissen und Glauben überschrieben sind. Jenes Resultat findet sich im 2. B., welches vom Wissen handelt, S. 172—4. Da Fichte Urheber des neuesten Idealismes ist, so darf man sein Geständnifs wohl als ein allgemeines betrachten.

„detes, ohne Bedeutung und Zweck. Ich selbst bin
„eins dieser Bilder; ja ich selbst bin diefs nicht, son-
„dern nur ein verworrenes Bild von den Bildern. —
„Alle Realität verwandelt sich in einen wunderbaren
„Traum, ohne ein Leben, von welchem geträumt
„wird, und ohne einen Geist, dem da träumt; in ei-
„nen Traum, der in einem Traume von sich selbst zu-
„sammenhangt. Das Anschauen ist der Traum;
„das Denken — die Quelle alles Seyns und aller
„Realität, die ich mir einbilde, meines Seyns, mei-
„ner Kraft, meiner Zwecke — ist der Traum von je-
„nem Traume.“ — Wenn eine solche Bilder-
und Traumphilosophie nicht ein wahrer Nihilism ist, so weifs ich nicht, was man sonst so
nennen will.   Man kann das absolute Nichts nicht
stärker aussprechen, als in den Worten: „Ich weifs
„überall von keinem Seyn und auch nicht von mei-
„nem eignen. Es ist kein Seyn. Ich selbst weifs
„überhaupt nicht und bin nicht.“ — Bey solchen
Behauptungen sieht man in der That nicht ein, wie
noch eine Dedukzion des Realen aus dem Idealen möglich seyn soll. Indessen die Vorstellungen von realen
Dingen aufser uns sind einmal da, jedermann (auch
der Idealist) stellt sich mit Nothwendigkeit eine objektive Welt vor; diefs läfst sich durch kein Räsonnement wegläugnen, denn es ist allgemeine Thatsache des menschlichen Bewufstseyns.
Auch läugnet es der Idealist nicht. Er will nur erklären, wie as zugehe, dafs sich objektive Weltvorstellungen in unserm Bewufstseyn ankündigen, unge-

achtet eigentlich nichts Reales aufser uns sey. Hier
haben nun die Idealisten zwey Wege eingeschlagen.
Einige (die ältern) nahmen ihre Zuflucht zur Gottheit und liefsen durch diese jene Vorstellungen in
uns produzirt werden. Dafs dadurch gar nichts erklärt werde, ist offenbar. Denn die Gottheit — das
Daseyn derselben, welches freylich erst erwiesen werden müfste, vorausgesetzt — ist ein für uns völlig
unbegreifliches Wesen; folglich ist auch die
Art und Weise, wie sie Vorstellungen in uns erzeugen soll, durchaus unbegreiflich. Andre (die
neueren) haben das Ich selbst nach nothwendigen
Gesetzen seiner Anschauung jene Vorstellungen produziren lassen. Da aber diese Idealisten, wenn sie
die Entstehung der Vorstellungen von bestimmten
Gegenständen (diesem Berge, diesem Flusse u. s. w.)
erklären sollen, sich auf gewisse unbegreifliche
Schranken berufen, in welche das Ich nun einmal
eingeschlossen sey, man weifs nicht, warum und wodurch, da doch die Thätigkeit des Ichs zugleich
als unendlich, mithin als unbeschränkt vorausgesetzt
wird *): so ist dadurch nicht nur ebenfalls gar nichts
erklärt, sondern man verwickelt sich noch obendrein
in Widersprüche, die sich nur durch anderweite eben
so willkürliche Voraussetzungen heben lassen. —
Übrigens kann man den Idealism der ersten Art den
Berkeleyschen, den der zweyten den Fichteschen

---

*) S. die oben angeführten Stellen, §. 58. Anm. 1 und 2.

nennen, weil Berkeley und Fichte die Koryphäen
dr r idealistischen Parteyen sind. Wegen des von
beyden angenommenen Erklärungsprinzips könnte
man jenen Idealism auch den m y s t i s c h e n oder
t h e o l o g i s c h e n, diesen den e g o i s t i s c h e n oder
a n t h r o p o l o g i s c h e n nennen. Auch könnte man
beyde Arten des Idealismes unter dem Titel des a s-
s e r t o r i s c h e n zusammenfassen, um sie von dem
K a r t e s i a n i s c h e n zu unterscheiden, welcher ein
p r o b l e m a t i s c h e r ist, indem Des Cartes die
Realität der Aufsenwelt blofs insofern in Zweifel
zog, als kein evidenter Beweis dafur geführt werden
könne, wovon in der Folge die Rede seyn wird.
Kant nennt den Berkeleyschen Idealism den d o g m a-
t i s c h e n und den Kartesianischen den s k e p t i-
s c h e n, den seinigen aber den k r i t i s c h e n oder den
t r a n s z e n d e n t a l e n. Auch von diesem sogenannten Idealisme wird tiefer unten weiter geredet werden.
Wir haben es hier blofs mit dem dogmatischen zu
thun, weil nur dieser ein eigentlicher oder wahrer
Idealism ist. Dieser (der Berkeleysche und Fichte-
sche) ist t r a n s z e n d e n t, nicht transzendental,
weil er den absoluten Gränzpunkt des Philosophirens überfliegt und aus überschwenglichen Erklä-
rungsprinzipien die objektiven Weltvorstellungen zu
deduziren sucht, ohne doch die Entstehung derselben aus den angenommenen Prinzipien auf eine be-
greifliche. Art erklären zu können.

§. 66.

Es widerstreitet aber jener Idealism auch
meinem praktischen Interesse. Denn
ich sehe wohl ein, dafs nach jenem Systeme
mir gar kein Objekt übrig bleibt, in Beziehung worauf ich thätig seyn könnte, weil die
Welt, als mein sittlicher Würkungskreis,
nichts aufser mir würkliches ist. Nun sagt
mir mein Gewissen so oft und so nachdrücklich, dafs ich in Beziehung auf die Gegenstände, die mich umgeben, auf gewisse
Weise thätig seyn soll. Gleichwohl müfste
ich diese Anfoderungen des Gewissens und
mithin das Gewissen selbst für willkürlich geschaffne Einbildungen halten, wenn das, worauf sich das Gewissen in seinen Foderungen
bezieht, nicht würklich existirte. Nun bin
ich zwar durch meine bisherigen Untersuchungen über das Gewissen und dessen Foderungen
noch nicht gehörig unterrichtet. Aber ich
fühle doch einen innern Drang, darnach zu
handeln, und würde mich selbst verachten
müssen, wenn ich nicht darnach handeln
wollte. Jenes System würde daher, wenn
ich es annehmen wollte, eine Disharmonie zwischen meiner Spekulazion und meiner

Praxis stiften. Ich kann mich also nicht ent-
schliefsen, mein Gewissen um eines Systems
willen zu verläugnen, welches selbst willkürlich verfährt, indem es sein Prinzip setzt
(§. 62.), und dann doch nicht aus diesem
Prinzipe würklich ableiten kann, was es ableiten wollte (§. 65.)

Anmerkung 1.

Der neueste (egoistische) Idealism hat es sehr
wohl gefühlt, dafs seine Spekulazion mit der Moralität nicht verträglich sey. Er hat sich daher auf eine
doppelte Art gegen diesen Vorwurf zu verwahren gesucht. Einmal hat er erklärt, der Idealism sey blofs
Spekulazion, könne und solle also im würklichen Leben niemanden angemuthet werden *).
Allein für's Erste macht sich eine Philosophie sehr
verdächtig, dafs sie von willkürlichen Voraussetzungen ausgehe, wenn ihre Resultate schlechterdings
nicht auf das Leben angewandt werden können und

---

*) So sagt FICHTE (im philosophischen Journal,
Bd. 5. Hft. 4. S. 322. Anm.): „Der Idealism kann nie
„Denkart seyn, sondern er ist nur Spekulazion.
„Wenn es zum Handeln kommt, dringt sich der
„Realism uns allen und selbst dem entschiedensten
„Idealisten auf." — Und (ebendas. S. 365. Anmerk.):
„Die Anmuthung der idealistischen Denkart im Le-
„ben ist von der Beschaffenheit, dafs sie nur darge-
„stellt werden darf, um vernichtet zu seyn."

sollen. Muſs jeder, sobald es zum Handeln kommt, realistisch denken, so ist die idealistische Denkart in der Spekulazion wohl nichts anders als Träumerey, welche Theorie und Praxis entzweyt. Während der Philosoph als Spekulant überzeugt ist, daſs alles Aüssere sein eignes selbstgeschaffnes Produkt, alle zum Handeln gegebne Objekte Geschöpfe seiner sich selbst auſser sich hin stellenden Anschauung sind, muſs er als Praktikant überall so verfahren, als wenn er jene Überzeugung nicht hätte, als wenn er gerade vom Gegentheile überzeugt wäre. Darf eine solche Philosophie auf allgemeine Gültigkeit Anspruch machen? — Sodann sollte ja durch den neuesten Idealism oder die Wissenschaftslehre, die denselben lehrt, die wohlthätigste Revoluzion in allen Wissenschaften und in der Menschheit selbst bewürkt werden, wenn er sich erst allgemeiner verbreitete *). Wie ist aber alles dieses durch eine Philosophie möglich, die es selbst eingestehen muſs, daſs sie nur Spekulazion und daher auf's Leben nicht anwendbar sey? — Eine zweyte Ausflucht in Beziehung auf den obigen Vorwurf findet der neueste Idealism im Glauben. Nachdem nämlich der Idealist — es ist hier von dem Ich die Rede, welches sich, im zweyten Buche von Fichte's Bestimmung des Menschen, im Wissen oder vielmehr im absoluten Nichtwissen der Wis-

---

*) Vergl. das angeführte Journal, Bd. 5. Hft. 4. S. 345. und den sonnenklaren Bericht, Lehrst. 6. S. 186 ff.

senschaftslehre durch einen höbern Geist hat
Unterricht geben lassen und dann, im dritten Buche
seinem eignen Nachdenken überlassen, im Glauben
Trost wegen des absoluten Nichtwissens sucht —
nachdem also dieser Idealist durch die vorhin (in der
Anmerkung zum vorigen §.) charakterisirte Bilder-
und Traumphilosophie das Resultat gewonnen hat,
daſs er selbst überhaupt nicht wisse und
nicht sey, und nachdem er wiederholt hat, er
habe eingesehen und sehe klar ein, daſs
es so sey, so setzt er hinzu: „Ich kann es nur
„nicht glauben;“ worauf ihm der erhabne Geist
zur Antwort giebt: „Das ist ein andres,“ und ihn
bald hernach, auf dieses andre Organ der Erkenntniſs
verweisend, mit sich selbst allein läſst.   Man kann
also nach dem Idealisme der Wissenschaftslehre
zwar klar einsehen, daſs man nicht sey und
nicht wisse, sondern daſs nur Bilder und Träume
oder vielmehr nur Bilder von den Bildern und Träume
von den Träumen seyen, aber dennoch nicht glauben, was man klar eingesehen hat *).   Weil
denn nun der Idealist nicht glauben kann, was er mit
der gröſsten Klarheit eingesehen hat, so stellt er die
theoretisch vernichtete Aufsenwelt um des Gewissens

---

*) Wem fällt hier nicht jener ehrliche Bauersmann ein,
   dem ein Mathematiker auf die möglichst faſsliche Art
   die Bewegung der Erde demonstrirt hatte und der am
   Ende ganz naiv ausrief: „Ich seh' es wohl ein, daſs
   es so seyn muſs, aber ich kann's nicht glauben!“

willen wieder her und glaubt die Realität derselben, weil sonst keine Praxis möglich seyn würde.
Was ist das aber für eine wunderliche Philosophie,
die das Ich mit seiner objektiven Welt, wie ein Kind
mit seinem Kartenhause, spielen läßt, um nur den Foderungen des Gewissens ihre Anwendbarkeit im Leben
zu sichern und nicht durch spekulative Vernichtung
der Aufsenwelt den ganzen Schauplatz unsrer moralischen Würksamkeit zu verlieren! Wozu soll denn die
Welt erst theoretisch vernichtet werden, wenn ich sie
hinterher doch wieder realisiren muſs? Zwar soll der
Satz — „daſs das Bewuſstseyn eines Din-
„ges auſser uns absolut nichts weiter
„ist, als das Produkt unsers eignen Vor-
„stellungsvermögens“ — nach der Absicht jener Philosophie selbst für die Praxis einen reellen Gewinn darbieten.   Denn so erklärt sich der erhabne
Geist in dem vorhin genannten Buche gegen das geleh-
rige Ich kurz darauf, nachdem er diesen Satz „ent-
„schlossen aufgestellt“ und das Ich demü-
thigst — „ich sehe alles ein und muſs dir alles zugeben“ — eingestanden hatte *): „Und mit dieser
„Einsicht, Sterblicher, sey frey und auf ewig erlöst
„von der Furcht, die dich erniedrigte und quälte!
„Du wirst nun nicht länger vor einer Nothwendigkeit
„zittern, die nur in deinem Denken ist, nicht länger
„fürchten, von Dingen unterdrückt zu werden, die
„deine eignen Produkte sind, nicht länger dich, das

---

*) Bestimmung des Menschen, S. 159 u. 161-162.

„Denkende, mit dem aus dir selbst hervorgehenden
„Gedachten in Eine Klasse stellen. So lange du glau-
„ben konntest, daſs ein solches System der Dinge,
„wie du es dir beschrieben, unabhängig von dir auſser
„dir würklich existire und daſs du selbst ein Glied in
„der Kette dieses Systems seyn möchtest, war diese
„Furcht gegründet. Jetzt nachdem du eingesehen
„hast, daſs alles dieſs nur in dir selbst und durch
„dich selbst ist, wirst du ohne Zweifel nicht vor dem
„dich fürchten, was du für dein eignes Geschöpf er-
„kannt hast. Von dieser Furcht nur wollte ich dich
„befreyen. Jetzt bist du erlöst, und ich überlasse
„dich dir selbst. “ — So schön nun diese Worte klin-
gen, so fürchte ich dennoch, daſs jene ewige Erlö-
sung nur von kurzer Dauer seyn möchte. Denn sobald
der Idealist aus seiner Spekulazion heraus ins Leben
übertritt, so steht die ganze objektive Welt wieder
vor ihm, und der Blitz, der vom Himmel, oder der
Ziegel, der vom Dache fällt, kann ihn tödten nach
wie vor und also auch — wenn er sich sonst vor dem
Tode fürchtet — zu fürchten machen. Der Idealism
verschwindet also augenblicklich auf dem Gebiete des
Praktischen, auf welchem jeder Mensch, selbst der
entschiedenste Idealist, wenn er nicht eben spekulirt,
steht. Hat nun der Mensch die Furcht vor der objektiven Welt nicht durch andre Motive besiegen, hat er
sich nicht durch seine moralische Kraft über die bloſse
Naturnothwendigkeit (den Instinkt) erheben gelernt,
so kann ihn keine Spekulazion in der Welt davon befreyen. Hat er aber jenes gelernt, so bedarf er des

Idealismes gar nicht, sondern er sieht, auch ohne diesen, selbst dem Tode, wie ein beherzter Krieger, muthig ins Auge, weil er ihn als sittlich guter Mensch
nicht zu fürchten braucht — *si fractus illabatur orbis,
impavidum ferient ruinae* — ob er gleich übrigens
die Welt für ein reales Ding aufser sich halten mag.
SOKRATES, CATO, JESUS, LUTHER wufsten nichts
vom Idealism und waren doch frey von dieser Furcht,
von welcher die Sterblichen erst jener erhabne Geist
— der gleich, nachdem er seine pathetische Rede.voll-
endet hat, von dem Ich wohl nicht mit Unrecht ein
„betrüglicher Geist" gescholten wird — befreyen wollte.   Der Idealism ist folglich weder unumgänglich nothwendige Bedingung, noch Beförderungsmittel der Sittlichkeit, vielmehr müfste man,
wenn man durchaus konsequent verfahren und die
idealistische Denkart auch auf das Praktische übertra-
gen wollte, um Theorie und Praxis zu vereinigen, an
den Geboten der Sittlichkeit selbst, die alle eine reale
Aufsenwelt voraussetzen, irre werden.

Anmerkung 2.

Was die Religion anlangt, so kann der Idealism, wiefern er egoistisch ist, die Gottheit als
eine vom Ich unabhängige Intelligenz, von welcher
die Welt als ein reales Ganzes aufser dem Ich ihrem
Seyn nach abhange, ebenfalls nicht zulassen.   Denn
es existirt nichts aufser dem Ich, und die Welt ist das
Produkt des Ichs selbst.   Das Ich selbst wäre also

Gott, und der Theism des konsequenten Idealisten könnte nichts anders als Autotheism seyn, wie er sich auch in den neuesten Zeiten als solcher würklich angekündigt hat, obwohl auf eine versteckte Weise, von der tiefer unten die Rede seyn wird. Der ältere (mystische) Idealism weicht zwar hierin von dem neueren ab. Denn er setzt die Gottheit als eine vom Ich unabhängige Intelligenz voraus und läßt durch diese die Welt im Ich produziren. Er scheint sich auch insoferne besser mit der Sittlichkeit zu vertragen, als er die auf die Aufsenwelt sich beziehenden Gebote der Vernunft als unmittelbare Befehle Gottes, der da will, daß der Mensch so handle, als wenn reale Objekte aufser ihm wären, betrachtet. Da er aber auf diese Art die Gottheit mit dem Menschen ein blofses Gaukelspiel treiben lafst und da er keine sichere Bürgschaft aufstellen kann, dafs nicht dieses Gaukelspiel ein leeres Spiel seiner eignen Phantasie sey, die sich erst Objekte einbilde und, weil sie diefs nach nothwendigen Naturgesetzen sich selbst unbewufst thue, hinterher eine andre Intelligenz als Ursache des Weltphänomens erdichte: so verträgt sich im Grunde der mystische Idealism eben so wenig mit dem reinen praktischen Interesse der Menschheit und mit würdigen Begriffen von der Gottheit. Indessen wird sich auch hierüber erst in der Folge ein bestimmteres Urtheil fällen lassen, wenn die moralischen und religiösen Ideen selbst näher bestimmt seyn werden.

§. 67.

§. 67.

Wenn nun der Realism sowohl als der Idealism in spekulativer Hinsicht unzulänglich (§. 63 und 65.) und in praktischer mit den sittlichen Ideen und Gefühlen unvereinbar ist (§. 64 und 66.): so bleibt mir nichts übrig, als die erste Antwort auf meine Frage — wie verhält sich Reales und Ideales gegen einander? — zu verwerfen und blofs die zweyte als gültig anzuerkennen (§. 60.). Folglich mufs ich Reales und Ideales als ursprünglich gesetzt und mit einander verknüpft betrachten und die Ableitung des Einen vom Andern als unmöglich ansehen. Diefs kann auch nicht anders seyn, da die ursprüngliche oder transzendentale Synthese des Seyns und des Wissens in mir Urthatsache des Bewufstseyns und als solche unerklärbar und unbegreiflich ist (§. 56 — 58.). Hieraus geht also ein drittes System der Philosophie hervor, welches am schicklichsten

Transzendentaler Synthetism

genannt werden kann. Denn es behauptet eine transzendentale Synthese des Realen und des

Idealen, und ist folglich transzendentaler Realism und transzendentaler Idealism in ursprünglicher und eben darum unzertrennlicher Vereinigung.

Anmerkung 1.

Wenn man auf den wesentlichen Grundcharakter philosophischer Systeme Rücksicht nimmt, so giebt es deren nur drey in materialer Hinsicht, Realism, Idealism und Synthetism *). Alle übrigen philosophischen Systeme, die jemals erfunden worden sind, und jemals erfunden werden mögen, sind blofs verschiedne durch die Individualität der Philosophirenden erzeugte Modifikazionen jener drey Systeme und lassen sich in Ansehung ihrer Grundbestimmungen auf dieselben zurückführen, so wie alle konsonirende Akkorde aus dem musikalischen Dreyklange (*Trias harmonica*) hervorgehen. Man kann den Unterschied und das Verhältnifs dieser drey Systeme von und gegen einander auf folgende Art vorstellen:

1.) Der Realism ist ein thetisches, der Idealism ein antithetisches, der Synthetism ein syn-

---

*) In formaler Hinsicht, wo man auf die Methode des Philosophirens Rücksicht nimmt, giebt es ebenfalls nur drey Systeme, Dogmatizism, Skeptizism und Kritizism, wovon die Methodenlehre der Fundamentalphilosophie ausführlich handeln wird.

thetisches System. Sie verhalten sich also gegen
einander und unterscheiden sich von einander wie
These, Antithese und Synthese. Denn das
Erste setzt willkürlich das Reale als Ableitungsprinzip des Idealen; das Zweyte setzt eben so willkürlich das entgegenstehende Ideale als Ableitungsprinzip des Realen. Beyde widerstreiten also einander, wie Satz und Gegensatz, und heben sich wechselseitig auf. Das Dritte vereinigt sie Beyde, indem es Reales und Ideales als ursprünglich gesetzt
und verknüpft behauptet, mithin alle Ableitungsver-
suche des Einen aus dem Andern für nichtig erklärt.

2.) Der Realism und der Idealism sind beyderseits
transzendent; denn sie überschreiten mit ihren
Spekulazionen den absoluten Gränzpunkt des Philosophirens (§. 57.). Der Synthetism hingegen ist immanent und zugleich transzendental; denn er
bleibt diesseits jenes Punktes und strebt nicht über das
Transzendentale selbst — das Ursprüngliche, was allem Empirischen zum Grunde liegt — hinauszugehen,
um es von einem noch Höheren abzuleiten, weil es
eben dadurch seine Ursprünglichkeit verlieren würde.
Es giebt also eigentlich weder einen transzendentalen Realism, noch einen transzendentalen
Idealism (weil beyde an und für sich betrachtet
transzendent sind) sondern nur einen transzendentalen Synthetism.

3.) Wenn im Philosophiren seine Prinzipien willkürlich setzen und dadurch zu überschwenglichen An-
maaſsungen verleitet werden dogmatisch philo-

sophiren heißt, so sind Realism und Idealism beyderseits dogmatische Systeme. Es können also
auch nicht Dogmatizism und Idealism einander entgegengesetzt werden, wie es die Wissenschaftslehre gethan hat, indem sie sich dadurch das Ansehen
geben wollte, als sey sie nicht dogmatisch, weil sie
idealistisch sey. Wenn hingegen kritisch philosophiren darin besteht, daß man seine Prinzipien
mit Vermeidung aller Willkür durch prüfende Erforschung seiner selbst zu bestimmen sucht und sich vor
allen überschwenglichen Anmaaßungen durch Vorsicht
im Spekuliren hütet, so ist der Synthetism das einzige ächt kritische System der Philosophie.

Anmerkung 2.

Alle Systeme der Philosophie, welche von einer
ursprünglichen Unität ausgehen, sie mögen
dieselbe nennen, wie sie wollen, sind demnach transzendent und dogmatisch, mithin auch diejenigen,
welche Reales und Ideales für ursprünglich identisch erklären. Diese Identität läßt sich nämlich
nicht anders denken, denn als absolute Unität.
Was soll aber dieses Absolut-Eine seyn? Um
es zu denken, müßte ich von aller Realität und Idea-
lität, aller Objektivität und Subjektivität abstrahiren. Sobald ich aber hievon abstrahire, so bleibt mir
gar nichts übrig, worauf ich noch reflektiren
könnte. Mithin denke ich eigentlich gar nichts mehr,
sondern ich stelle, wenn ich von dem Absolut-Einen
rede, welches weder real noch ideal, weder objektiv noch

subjektiv seyn soll, blofse Worte als Gedankenzeichen
auf; der Gedanke selbst aber ist $= 0$. Und wie und
wodurch soll aus dem Absolut-Einen ein Zweyfaches
hervorgeheu? Wie und wodurch soll man die Entzweyung desselben in ein Reales und Ideales, Objektives und Subjektives, als möglich oder würklich denken? Auch müfste diese Entzweyung, da nicht
ursprünglich beydes zugleich gesetzt und verknüpft seyn soll, in eine bestimmte Zeitreihe
fallen, mithin sich als ein abgeleitetes Faktum
bestimmt nachweisen lassen. Da aber auf die Frage:
Wenn? hier keine Antwort möglich ist, weil die Unterscheidung des Wenn oder Wo schon den Unterschied des Realen und Idealen voraussetzt, so müfste
jene Entzweyung als ein ursprüngliches Faktum angesehen werden. In diesem Falle aber wäre
damit nichts anders als unsre transzendentale Synthese
gemeynt, und das Absolut-Eine fiele jenseits dieser
Synthese; man könnte also von demselben platterdings
gar nichts wissen und behaupten. Ich zweifle daher
sehr, dafs durch das neuangekündigte Schellingsche absolute Identitätssystem die Blöfsen
des Fichteschen Idealismes bedeckt werden möchten. Vielmehr bin ich vest und innig überzeugt, dafs
wir durch alles unser Philosophiren nie über den
ursprünglichen Unterschied des Realen und Idealen,
Objektiven und Subjektiven hinauskommen werden
und dafs, so lange wir noch bey unsern Worten etwas Bestimmtes denken und nicht statt des Denkvermögens mit dem blofsen Sprachvermögen philosophiren

wollen, die philosophirende Vernunft von einer ursprünglichen Duplizität anheben müsse. Daher könnte man auch den transzendentalen Synthetism einen transzendentalen Dualism nennen, wenn nicht der Ausdruck Dualism bereits ein gewisses metaphysisch-psychologisches System andeutete, an welches man bey dem Ausdrucke Synthetism keineswegs denken darf, wenn man ihn nicht gänzlich mifsdeuten will.

Anmerkung 3.

Die Frage, ob die Kritik der reinen Vernunft ebenfalls von einer ursprünglichen Duplizität anhebe, ist eigentlich für die Gültigkeit des transzendentalen Synthetismes völlig indifferent, und es ist daher eine weitläufige Untersuchung hierüber für diesen Ort nicht nöthig. Indessen glaube ich, dafs sie bejaht werden müsse. Vom Anfange bis zu Ende setzt die Kritik ein Reales oder Objektives als unterschieden von dem Idealen oder Subjektiven voraus und laügnet blofs die Erkennbarkeit desselben nach seiner vom Subjekte unabhängigen Beschaffenheit, in Rücksicht auf welche sie es Ding an sich nennt. Sie sucht sogar das Daseyn der Aufsenwelt gegen den problematischen Idealism des CARTESIUS zu beweisen (von welchem angeblichen Beweise nachher die Rede seyn wird) und glaubt es durch ihre Theorie der Sinnlichkeit (transzendentale Ästhetik genannt) auch gegen den mystischen Idealism des BERKELEY gerechtfertigt zu haben.

Sie erklärt sich daher ausdrücklich gegen diese beyden
Arten des Idealismes *) und nennt zwar ihr System
einen transzendentalen oder kritischen Idealism, setzt aber zugleich hinzu, daſs derselbe bloſs
formal nicht material sey, mithin nicht die Existenz der Sachen, welche zu bezweifeln ihr nie in den
Sinn gekommen sey, sondern bloſs unsre Vorstellungsart von den Sachen betreffe, indem sie behauptet, daſs
die Form unsrer Erkenntniſs des Realen oder Objektiven lediglich etwas Ideales oder Subjektives sey,
folglich keine den Sachen als Dingen an sich zugehö-
rige Bestimmungen andeute **).   Die Kritik hat also

---

*) Gegen den egoistischen Idealism oder das System
der Wissenschaftslehre hat sich KANT späterhin im
Intelligenzblatte der A. L. Zeitung ausdrücklich erklärt, und diese authentische Erklärung muſs
doch mehr gelten, als alle fremde Deutungen.

**) S. KANT's Kritik der reinen Vernunft, S. 1. 236. 274 ff.
566. 568. 585. 641. u. a. a. O. (nach der 3. Ausgabe)
vgl. mit Dessen Prolegomenen zu einer jeden
künftigen Metaphysik, S. 70 und 207 ff. Doch
sagt die Kritik (S. 344.) von dem Dinge an sich,
welches sie als transzendentales Objekt Ursache der
Erscheinung nennt, daſs es völlig unbekannt sey, „ob
„es in uns oder auch auſer uns anzutreffen sey, ob
„es mit der Sinnlichkeit zugleich aufgehoben werden
„oder, wenn wir jene wegnehmen, noch übrig blei-
„ben würde." Diese skeptische Aüſserung scheint
mit den übrigen verglichen anzudeuten, daſs KANT
über diesen wichtigen Punkt seiner Kritik mit sich
selbst nicht recht einig gewesen sey. Auch ist es

das Wort Idealism in einer ungewöhnlichen und uneigentlichen Bedeutung gebraucht und sich dadurch freylich im Ausdrucke vergriffen, womit sie ihr System bezeichnete.   Aber den absoluten Gränzpunkt des Philosophirens, wie er oben bestimmt worden ist, hat sie stets im Auge behalten, ob sie ihn gleich nirgends bestimmt angezeigt hat.   Daher sagt FICHTE in der Vorrede zu seiner Schrift über den Begriff der Wissenschaftslehre (S. V.) ganz richtig: „Der Verfasser ist bis jetzt innig überzeugt, daß kein „menschlicher Verstand weiter, als bis zu der Grän-„ze vordringen könne, an der KANT, besonders in „seiner Kritik der Urtheilskraft gestanden, „die er uns aber nie bestimmt und als die letzte „Gränze des endlichen Wissens angegeben „hat." — Allein FICHTE hat nach meiner eben so innigen Überzeugung in der Folge durch seine Wissenschaftslehre jene Gränze selbst überschritten, ist dadurch transzendent geworden und in die Schlingen des Dogmatismes zurückgefallen, aus welchem uns die Kritik erlösen sollte.   Sie hat aber diesen Zweck leider verfehlt und mußte ihn eben darum verfehlen,

---

auffallend, daß er jenes transzendentale Objekt Ursache der Erscheinung nennt und doch gleich darauf behauptet, es könne weder als Größe, noch als Realität, noch als Substanz u. s. w. gedacht werden. Zu diesem U. s. w. gehört ja wohl auch der Begriff Ursache. Schwerlich wird man diese Stelle vom Vorwurfe der Inkonsequenz durch hermeneutische Kunstgriffe befreyen können.

weil sie jene Gränze nicht vest und genau bestimmte.
Daher hat die Kritik gleichsam das Signal zu einer
Menge von transzendenten Spekulazionen und dogmatischen Systemen gegeben, ungeachtet sie dieselben
ein für allemal mit der Wurzel ausrotten wollte *).

---

*) Es ist eine sehr merkwürdige Aüfserung JACOBI's,
wenn er in der Vorrede zu seinem Briefe an
FICHTE (S. VIII.) sagt: „Da ich das Bewufstseyn
„des Nichtwissens für das Höchste im Men-
„schen und den Ort dieses Bewufstseyns für den der
„Wissenschaft unzugänglichen Ort des
„Wahren halte, so muſs es mir an KANT gefallen,
„daſs er sich lieber am System als an der Majestät
„dieses Orts versündigen wollte. FICHTE versündigt
„sich an ihr, nach meinem Urtheil, wenn er in den
„Bezirk der Wissenschaft diesen Ort ein-
„schliefsen und von dem Standpunkte der Speku-
„lazion, als dem angeblich höchsten, als dem
„Standpunkte der Wahrheit selbst, auf ihn will herab
„sehen lassen." — JACOBI erklärt sich zwar nach
seiner Art nicht deutlich über jenen der Wissenschaft
unzugänglichen Ort des Wahren. Ich kann aber dar-
uuter nichts anders verstehen, als die ursprüngliche
Synthese des Realen und Idealen im Menschen als absoluten Gränzpunkt des Philosophirens. An der Majestät dieses Ortes versündigte sich FICHTE insofern,
als er ihn in den Bezirk seiner Wissenschaftslehre
einschliefsen d. h. jene Synthese durch seine transzendenten Spekulazionen erklären und begreifen wollte.
In Beziehung auf jenen Ort ist das Bewufstseyn
des Nichtwissens allerdings das Höchste im
Menschen. Denn wenn der Philosoph die Unerklärbarkeit und Unbegreiflichkeit jener Synthese anerkannt

§. 68.

Der transzendentale Synthetism erkennt
die jedem Menschen von gesundem Verstande
natürliche und nothwendige dreyfache Überzeugung von seinem eignen Seyn, von dem
Seyn andrer Dinge außer ihm, und
von der zwischen ihm und diesen Dingen stattfindenden Gemeinschaft als gültig an und
behauptet, daß diese Überzeugungen gar nicht
durch Beweise von der philosophirenden
Vernunft erst zu begründen, aber nichts
desto weniger unumstößlich gewiß
sind, weil sie ursprünglich sind.

---

hat, so kann er unmöglich noch weiter über dieselbe
hinausgehen, vom Standpunkte der Spekulazion auf
sie herabsehen und sie selbst zu einem Objekte des
Wissens machen wollen. Indessen versündigt
man sich dadurch wohl nicht am Systeme, wenn
man eben dieses nicht will. Denn das System
kann und darf nicht weiter gehen, als es die Natur
des Subjekts erlaubt, und das System soll ja eben die
Gränze bestimmen, innerhalb welcher das Subjekt
sich vermöge seiner Natur zu halten habe. Hat sich
also KANT am Systeme versündigt, so ist es
nur dadurch geschehen, daß er den absoluten Gränzpunkt des Philosophirens so wenig als die obersten
Prinzipien der philosophischen Erkenntniß vest und
genau bestimmt hat, wie es der Wissenschaft zukommt.

Anmerkung. 1.

Unter einem Menschen von gesundem Verstande wird hier derjenige verstanden, dessen Urtheil weder durch böse Gesinnungen noch durch falsche Spekulazionen irre geleitet worden ist. Ein solcher ist von der Wahrheit und Gewißheit folgender drey Sätze ohne allen Zweifel überzeugt: Ich bin — es sind Dinge außer mir und unter diesen auch andre Menschen — ich stehe mit diesen Dingen in wechselseitiger Würksamkeit. Die philosophirende Vernunft kann nun die Frage aufwerfen: Worauf gründen sich diese Überzeugungen? — Sind die bisherigen Untersuchungen richtig, so gründen sie sich lediglich auf die transzendentale Synthese des Seyns und des Wissens in uns d. h. jeder Mensch weiß es ursprünglich, daß er selbst und etwas außer ihm ist und beydes mit einander in Gemeinschaft steht. Was ich aber ursprünglich weiß, das weiß ich unmittelbar d. h. es kann und braucht aus keinem andern Wissen abgeleitet und durch dieses erst vermittelt zu werden, sondern ich bin davon schlechthin überzeugt, weil ich mir dessen, was ich aussage und behaupte, ursprünglich bewußt bin. Die philosophirende Vernunft kann also jene Sätze nicht beweisen und braucht sich, wenn sie ihr Geschäft kennt, auf keinen Beweis einzulassen. Denn Beweisen heißt ein Wissen vom andern ableiten, eins durch das andre vermitteln. Wo ich nun ursprünglich und unmittelbar weiß, da ist kein Beweis möglich und nöthig. Man kann also jene drey

Sätze die drey Grund- oder Urüberzeugungen des menschlichen Geistes nennen. Denn alle Überzeugungen, die je ein Mensch hegen kann, beziehen sich entweder auf ihn selbst oder auf etwas Andres. Wäre ich also nicht von meinem eignen Seyn, von dem Seyn andrer Dinge aufser mir, und von unsrer wechselseitigen Beziehung auf einander überzeugt, so würde überall gar keine Überzeugung stattfinden. Bezweifelt oder laügnet jemand dennoch die Wahrheit und Gewifsheit jener drey Sätze, so mufs Er beweisen (nach der Regel: *Neganti incumbit probatio*) d. h. er mufs Gründe anführen, warum er sein Seyn u. s. w. bezweifelt oder laügnet. Wo will er nun diese Gründe hernehmen? Ohne Zweifel aus seinem Bewufstseyn. Ist aber Bewufstseyn nicht schon eine Synthese des Seyns und des Wissens? Würde er wohl Bewufstseyn haben, wenn nicht er selbst und etwas aufser ihm wäre, dessen er sich bewufst werden und das er von sich unterscheiden könnte? Bewufstseyn seiner selbst und Bewufstseyn eines Andern aufser sich selbst bedingen sich also wechselseitig, und ein Beweis vom Nichtseyn seiner selbst oder eines Aüfsern ist eben so unmöglich, als ein Beweis vom Seyn Beyder und ihrer wechselseitigen Beziehung auf einander. Daher finden sich jene Grundüberzeugungen in jedem Menschen ohne alle vorhergegangene Reflexion, und keine nachfolgende Reflexion kann sie jemals vernichten, wenn auch auf einen Augenblick wankend machen. Das Geschäft der philosophirenden Vernunft besteht also in Hinsicht

auf jene Überzeugungen lediglich darin, sie in ihrer
Ursprünglichkeit und Unmittelbarkeit anzuerkennen,
und jeden angeblichen Beweis *pro* oder *contra* in seiner Blöße darzustellen.

Anmerkung 2.

Wenn der Satz: Ich bin, bewiesen werden sollte,
so entstände natürlich die Frage: Von wem und für
wen?   Und hierauf wäre wieder die natürliche Antwort: Von mir selbst und für mich selbst.   Denn von
einem Andern und für einen Andern einen Beweis
meines Seyns fodern hieße ein fremdes Seyn für gewiß und mein eignes für ungewiß halten, welches
unstreitig die absurdeste Absurdität wäre, weil i c h
doch von dem fremden Seyn wissen muß, wenn i c h
es für gewiß halten soll, und, wenn mein e i g n e s
Seyn mir zweifelhaft wäre, es noch vielmehr ein
f r e m d e s seyn müßte.   Aber im Grunde ist es eben
so widersinnig, von mir selbst und für mich selbst
einen Beweis meines Seyns zu fodern; denn um ihn
von m i r und für m i c h zu fodern, muß ich m e i n
Seyn schon als gewiß voraussetzen.   Ja ich kann gar
nicht einmal sagen: I c h zweifle an meinem Seyn,
ohne eben dieses Seyn schon in Gedanken vorauszusetzen.   Wenn daher Des Cartes sein berühmtes
Cogito, ergo sum aufstellte, so bedachte er nicht,
daß er in dem Satze: Ich denke, s e i n Seyn schon
voraussetzte, mithin nichts anders damit sagte, als:
I c h b i n mit der Bestimmung des Denkens, so wie
der Satz: Ich will, nichts anders bedeutet, als: I c h

bin mit der Bestimmung des Wollens. Des Cartes hätte also eben so gut sagen können: *Volo, ergo sum*. Überdiess kann ich von meinem Denken, so wie von jeder Art meiner Thätigkeit, nur durch mein Bewufstseyn belehrt werden. Bewufstseyn aber als Selbstbewufstseyn ist schon ein Wissen vom eignen Seyn. Folglich weifs ich unmittelbar, dafs ich bin, und bedarf dafür keines Beweises. Ein Beweis dagegen aber ist gar nicht denkbar, weil ich, indem ich ihn führte, mein eignes Bewufstseyn verläugnen müfste.

Anmerkung 3.

Aber weifs ich auch von den Dingen aufser mir unmittelbar? Kann und mufs nicht vielleicht die Überzeugung von deren Seyn durch einen förmlichen Beweis gerechtfertigt werden? Man nimmt ja nur — heifst es — die Vorstellungen von den Aufsendingen in sich wahr; aber ob diesen Vorstellungen auch etwas Würkliches aufser dem Vorstellenden entspreche, das ist die Frage. Wenn man also von dem Daseyn gewisser Vorstellungen in uns auf das Daseyn gewisser Gegenstände aufser uns schliefsen wollte, so würde diefs ein sehr übereilter Schlufs seyn, da es ja Fälle genug giebt, wo wir darum, weil wir uns etwas vorstellen, noch nicht das Daseyn des Vorgestellten annehmen, sondern die Vorstellung bestimmt für eine Erdichtung erklären. Könnten also nicht alle Vorstellungen von äufsern Gegenständen blofse Produkte unsers eignen oder gar eines andern hohern Geistes seyn? — Dieser Einwurf hat beym ersten Aublick einigen Schein; aber bey genauerer Ansicht verschwindet derselbe bald. Denn es ist ganz falsch, daſs wir bloſs unsre Vorstellungen von äuſsern Gegenständen wahrnehmen und dann vom Daseyn jener Vorstellungen auf das Daseyn dieser Gegenstände schlieſsen. Wenn wir würklich etwas wahrnehmen (anschauen oder empfinden) so schauen an und empfinden wir die Sache selbst, nicht die Vorstellung von der Sache. Erst indem wir von der Sache abstrahiren und auf unsre eigne Thätigkeit reflektiren, können wir auch die Anschauung und Empfindung als bloſse Vorstellung denken und sie so dem Objekte entgegensetzen. Wir schlieſsen also nicht von den wahrgenommenen Vorstellungen auf nicht wahrgenommene Dinge sondern wir nehmen die Dinge wahr und schlieſsen eben daher und weil wir uns die wahrgenommenen Dinge auch abwesend vergegenwärtigen oder andre an deren Stelle denken können, daſs Vorstellungen von den äuſsern Objekten durch die Wahrnehmung in uns entstanden seyen. Darum heiſst es eben ein Wahr-nehmen, weil wir uns dadurch von der Würklichkeit eines Objektes unmittelbar überzeugen oder dessen unmittelbar bewuſst werden. Daher sind wir auch, sobald wir etwas würklich wahrnehmen, vom Daseyn dieses Dinges eben so stark, vest, innig und lebendig überzeugt, als vom eignen Seyn. Hieraus folgt erstlich, daſs die Ueberzeugung vom Daseyn äuſserer Dinge kein bloſses Glauben, sondern ein würkliches Wissen sey.

Denn was man wahrnimmt, das glaubt man nicht
bloſs, sondern man weiſs es *). Dieses Wissen aber
ist zweytens kein mittelbares, sondern ein un-
mittelbares. Denn was ich wahrnehme, braucht
mir niemand erst zu beweisen, sondern ich weiſs es
unmittelbar. Das Seyn der Dinge aufser uns bedarf
also eines Beweises so wenig, als unser eignes.
Beym Beweisen stellt man immer nur den Zusammenhang der einen Vorstellung mit der andern dar; man
erschlieſst die Gültigkeit der einen Erkenntniſs aus der
Gültigkeit einer andern. Man beweist also nur da,
wo Vorstellungen und Erkenntnisse zu vermitteln sind,
nicht wo man durch die Wahrnehmung von der Existenz der Sache unmittelbar belehrt ist. Daſs man einen Beweis der Existenz äuſserer Gegenstände überhaupt vorzüglich nöthig gefunden hat, ungeachtet die
Überzeugung von jener Existenz sich wie die von unsrer eignen mit gleichem Grade der Lebendigkeit und
Gewiſsheit in unserm Bewuſstseyn ankündigt, kommt
ledi-

---

*) Es wird hiedurch eine Behauptung des Organon's
(S. 38.) ausdrücklich zurückgenommen. Das Wort
glauben kann nur von dem gebraucht werden, was
man entweder nicht selbst wahrgenommen hat, sondern auf Zeugniſs eines Andern (auf Treu' und Glauben) für wahr hält, oder was gar nicht wahrgenommen werden kann, sondern bloſs wegen eines subjektiven Grundes (z. B. um des Gewissens willen, gleichsam auch auf Zeugniſs desselben) für wahr gehalten
wird.

lediglich daher, dafs wir durch Phantasie auch gewisse Objekte als aüfsere uns einbilden und
erträumen können.   Könnten also — meynt der skeptische oder problematische Idealist — nicht alle aüssere Objekte blofs eingebildet und erträumt seyn?
Allein es ist offenbar, dafs wir gar keinen Unterschied
zwischen eingebildeten und würklichen Objekten machen würden, wenn wir nicht ursprünglich von
der Realität eines Aüfsern überhaupt überzeugt
wären und das, was würklich wahrgenommen wird,
auch für würklich existirend hielten, ohne nach einem
anderweiten Beweise zu fragen.   In welchen Fällen
nun ein Objekt blofs eingebildet und erträumt oder
wahrgenommen und würklich sey, mufs nach Regeln
beurtheilt werden, die nicht hieher gehören.   (Die
angewandte Logik mufs in der Lehre vom sinnlichen Scheine, wiefern er den Verstand zu falschen
Urtheilen über die Objekte des Denkens verleitet, jene
Regeln aufstellen.)   Es ist schon genug, dafs jedermann Wahrnehmung von Einbildung unterscheidet,
mithin ein Reales, das wahrgenommen werden kann,
ursprünglich setzt und, sobald er etwas würklich wahrnimmt, es auch unmittelbar für wahr und
würklich hält.   Daher mufsten alle Beweise, welche
man für die Existenz der Aufsendinge versucht hat,
mifslingen.   Zu diesen mifslungenen Versuchen gehört denn auch jener „einzig mögliche Beweis
„für die Realität der Aufsenwelt", welchen
Kant in seiner Kritik der reinen Vernunft
(S. 275. vergl. mit der Vorrede, S. 39. nach der

3. Ausgabe) aufgestellt hat. Er meynt nämlich, das Wechselnde in uns (die Vorstellungen, wodurch unser Daseyn in der Zeit empirisch bestimmt wird) setze ein von ihm unterschiednes Beharrliches voraus, und dieses Beharrliche sey eine reale Aussenwelt. Allein diese letzte Folgerung dürfte wohl etwas zu rasch (ein *Saltus in concludendo*) seyn. Denn es folgt nicht, daß nur eine reale Aussenwelt jenes Beharrliche seyn könne. Der mystische Idealist läßt die in uns wechselnden und unser Daseyn in der Zeit bestimmenden Vorstellungen durch die Gottheit, und der egoistische durch das nach innern nothwendigen Gesetzen handelnde absolute Ich, wodurch es sich selbst beschränkt und in dieser Beschränkung als empirisch bestimmt erscheint, produzirt werden. Sie nehmen also beyderseits ein von dem in uns Wechselnden und Bestimmten verschiednes Beharrliche und Bestimmende an, ohne doch eine unabhängig von uns existirende reale Aussenwelt anzunehmen. KANT legt folglich in seinem angeblichen Beweise mehr in die Konklusion, als wozu er in den Prämissen berechtigt war. Dieß ist aber stets der Fall, sobald man etwas zu beweisen unternimmt, was keinen Beweis zuläßt und bedarf. Da nun die Überzeugung vom Daseyn äußerer Gegenstände von dieser Art ist, so kann aus dem Mangel eines evidenten Beweises auch die Ungültigkeit jener Überzeugung nicht gefolgert werden. Denn diese Folgerung wäre ebenfalls ein Sprung und bewiese zu viel, nämlich, daß auch die Überzeugung von unserm eignen Seyn

ungültig wäre. Das Eine kann also so wenig als
das Andre mit Grunde bezweifelt oder geläugnet
werden.

Anmerkung 4.

Wenn die Überzeugung vom eignen Seyn und vom
Seyn andrer Dinge aufser mir unmittelbar gewifs ist,
so mufs es auch die von der zwischen mir und diesen
Dingen stattfindenden Gemeinschaft seyn. Ich
bin mir eben so unmittelbar bewufst, dafs ich auf äus-
sere Gegenstände würke und diese äufseren Gegenstände auf mich würken, als dafs solche Gegenstände
sind; ja ich würde ohne diese wechselseitige Würksamkeit mir weder meines eignen Seyns noch des
Seyns andrer Dinge aufser mir bewufst werden können.
Würklichkeit kündigt sich nur durch Würksamkeit an; nur durch Thätigkeit gelang' ich
zum Bewufstseyn meiner selbst; und nur durch
wechselseitige Thätigkeit, durch ein Streben,
dem etwas entgegenstrebt, ist für mich eine bestimmte
Thätigkeit möglich; denn ohne dieses Entgegenstre-
ben zerstreute sich die Thätigkeit richtungslos in's Unendliche. Indem ich also auf eine gewisse Art und in
Beziehung auf ein gewisses Objekt thätig bin und indem ich mir dieser bestimmten Thätigkeit bewufst
werde, so werde ich mir auch eines bestimmten Objektes bewufst, mit dem ich eben durch meine Thätigkeit in wechselseitige Würksamkeit trete. Es ist
also immer dieselbe ursprungliche Synthese des Seyns
und des Wissens, des Realen und des Idealen, worauf

alle drey Grundüberzeugungen des Menschen zurück-
weisen. Da nun diese Synthese selbst unerklärbar
und unbegreiflich ist (aus einem höhern Prinzipe
nicht abgeleitet werden kann): so lassen sich auch
jene Grundüberzeugungen nicht aus anderweiten Überzeugungen deduziren, sondern sie sind ursprüngliche
— in mit und durch obige Synthese bestimmte —
Überzeugungen. Eben daher ist es auch unerklärbar
und unbegreiflich, wie ich selbst oder etwas aufser
mir thätig seyn und wie die Thätigkeit des Einen
mit der Thätigkeit des Andern in Verbindung treten,
Widerstand leisten, überwinden oder überwunden
werden könne. Selbst der neueste Idealism, der alles
aus einer Natur von entgegengesetzten
Thätigkeiten deduziren, der die Intelligenz selbst
mit dem ganzen Systeme ihrer Vorstellungen daraus
entstehen lassen will, vermag die Möglichkeit des
Thätigseyns selbst und der Entgegengesetztheit zweyer
Thätigkeiten nicht zu erklären, sondern er setzt
schlechthin Thätigkeit und fodert von jedem, dafs er
durch sein eignes Bewufstseyn sich belehren lasse,
was Thätigseyn heifse, ohne nach der Möglichkeit desselben überhaupt zu fragen, da sich jeder seiner würklichen Thätigkeit bewufst seyn mufs.

Anmerkung 5.

Wenn wir vom Daseyn äufserer Gegenstände überhaupt unmittelbar überzeugt sind, so bezieht sich
diese Überzeugung eigentlich auf lauter bestimmte
Objekte, die als gegeben betrachtet werden. Denn

indem ich mir aüfserer Objekte bewufst bin, so ist
diefs immer ein Bewufstseyn dieses oder jenes
Objektes und entspringt lediglich aus der Wahrnehmung. Fragt also jemand, warum stellst du dir aus-
ser dir selbst noch andre Menschen, aufser den Menschen noch andre lebendige oder leblose, organische
oder unorganische Wesen u. s. w. vor, so ist darauf
keine andre Antwort möglich, als: Weil ich sie wahrnehme. Nun heifst der Inbegriff alles Wahrnehmbaren
die Welt und zwar bestimmter die Sinnenwelt
(*mundus sensibilis*), weil das Wahrnehmbare nur durch
die Sinne wahrgenommen (angeschaut oder empfunden) wird. Die Sinnenwelt ist also nach den Grundsätzen des transzendentalen Synthetismes ein gegebe-
nes Mannichfaltige wahrnehmbarer Objekte, in Beziehung auf welche der Mensch thätig ist. Der Mensch
aber kann in Beziehung auf dieselben auf mancherley
Art thätig seyn, indem er entweder diese Objekte
nach ihrer Natur d. h. nach ihrer gesetzmäfsigen Beschaffenheit zu erforschen sucht, oder sie nach seinen
Absichten d. h. nach gewissen Zwecken, die er sich
setzt, zu bilden und zu lenken strebt. Der Idealism
müfste freylich alles, was wahrgenommen wird,
a priori deduziren, die Welt gleichsam vor unsern Augen erst entstehen lassen d. h. er müfste zeigen, wie das Ich zur Vorstellung von allem Du, Er,
Es u. s. w. gelange, weil den Idealisten sein eignes
Bewufstseyn auf diese Vorstellungen führt und weil
er weifs, dafs eben diese Vorstellungen auch bey andern Menschen, wie bey ihm selbst, nur mit gewissen

eigenthümlichen Modifikationen angetroffen werden,
weil er also der Nachfrage nach der Möglichkeit eines
solchen Systems von Vorstellungen, da doch aufser
dem Ich nichts existirt, nicht entgehen kann. Wenn
er nun aber aus der eignen von allem Aüfsern unabhängigen Produkzionskraft des Ichs das ganze System
objektiver Weltvorstellungen zu deduziren beginnt,
so ist die Dedukzion sogleich beym ersten besten individuellen Gegenstande (diesem Menschen, diesem
Baume, diesem Gebaüde, diesem Himmelskörper u.
s. w.) am Ende, und er ist genöthigt, sich auf gewisse unbegreifliche Schranken, in welche
das Ich nun einmal eingeschlossen sey, zu berufen
d. h. sein Unvermögen, die versprochne Dedukzion
zu geben, einzugestehen und eben dadurch den absoluten Gränzpunkt des Philosophirens
wenigstens indirekt oder stillschweigend anzuerkennen (§. 65.).

Der apodiktischen Elementarlehre

drittes Hauptstück.

*Von der ursprünglichen Form der Thätigkeit des
Ichs.*

§. 69.

Vermöge der Wechselwürkung, welche zwischen uns selbst (dem Ich) und den Dingen
aufser uns (dem Nichtich) stattfindet (§. 68.),
finden wir, wenn wir auf uns selbst reflektiren, gewisse Bestimmungen in uns, welche
wir als durch etwas aufser uns bewürkt oder
veranlafst betrachten müssen. Wir sind uns
aber auch bewufst, dafs wir gewisse Bestimmungen aufser uns hervorbringen können.
Wir verhalten uns also zu dem Aüfsern theils
leidend (*passive*) theils thätig (*active*).
Die Thätigkeit (*activitas*) sobald sie beschränkt ist, mufs immer mit einem gewissen Leiden (*passivitas*) verknüpft seyn.
Jene ist das Positive, diese das Negative
bey unsrer Würksamkeit. Wir sind uns

endlich auch bewuſst, daſs wir in uns selbst
gewisse Bestimmungen hervorzubringen oder
uns selbst zu bestimmen vermögen. In dieser Rücksicht wird die Thätigkeit Selbstthätigkeit genannt.

Anmerkung.

Da bey unsrer beschränkten Würksamkeit immer
eine gewisse Passivität mit der Aktivität verknüpft
ist und da jene bloſs aus den Schranken entspringt,
denen unsre Thätigkeit als endliche Thätigkeit unterworfen ist, so kann man für die passiven und aktiven
Bestimmungen nicht zwey verschiedne Vermögen, als
Quellen derselben, unter dem Titel der Rezeptivität und Spontaneität annehmen. Ein bloſs lei-
dentliches Vermögen, dergleichen die Rezeptivität,
als Grund der Empfänglichkeit für gewisse Bestimmungen, seyn soll, läſst sich gar nicht denken. Und
der Ausdruck Spontaneität zeigt eigentlich kein Thätigkeitsvermögen, sondern die Thätigkeit selbst an,
wieferne sie Selbstthätigkeit ist. Diese findet statt,
wenn man z. B. über etwas absichtlich nachdenkt oder
in Beziehung auf die Zukunft Entschlüsse faſst. Da
aber die Bestimmungen, welche durch Selbstthätigkeit
in mir hervorgebracht worden sind, auch gewisse anderweite Bestimmungen auſser mir zur Folge haben
können (z. B. wenn ein Entschluſs ausgeführt wird):
so werden auch diese äuſsern Bestimmungen auf die
Selbstthätigkeit bezogen werden müssen. Übrigens

darf man nicht etwa die Selbstthätigkeit (*spontaneitas*) mit der Freyheit (*libertas*) für identisch halten. Erste bedeutet den Akt der Selbstbestimmung überhaupt, unangesehen ob sich das Thätige dabey nach Naturgesetzen richtet oder nicht. Letzte zeigt eine von der Naturnothwendigkeit völlig unabhängige Art der Selbstbestimmung an. Daß wir uns selbst zu bestimmen vermögen, lehrt das Bewußtseyn unmittelbar; ob wir uns aber mit Freyheit selbst zu bestimmen vermögen, ist eine ganz andre Frage, die durch bloße Berufung auf das Bewußtseyn, in welchem nur die Selbstbestimmung überhaupt, nicht die Freyheit derselben als Thatsache vorkommt, nicht entschieden werden kann. Ließe sich aber eine anderweite Thatsache des Bewußtseyns, z. B. eine Foderung des Gewissens, aufzeigen, die ohne Voraussetzung der Freyheit gar nicht als möglich gedacht werden könnte, so würden wir alsdann uns mit Recht als frey im Handeln in Beziehung auf jene Foderung beurtheilen. Hievon wird tiefer unten die Rede seyn *).

---

*) Freyheit findet nur statt in Beziehung auf das Sittliche und setzt Vernunft voraus. Also muß erst davon gehandelt werden, ehe über Freyheit entschieden werden kann. Daß aber Freyheit und Selbstthätigkeit sehr häufig verwechselt worden sind, ist unläugbar. Diejenigen, welche sich zum Beweise ihrer Freyheit auf ihr Gefühl oder Bewußtseyn beriefen, fielen in diesen Fehler; denn nur der Selbstthätigkeit ist man

§. 70.

Indem wir auf diejenigen Bestimmungen reflektiren, deren wir uns unmittelbar bewufst sind, sie mögen durch uns selbst oder etwas aufser uns hervorgebracht seyn, so sehen wir ein, dafs uns auch gewisse Bestimmungen zukommen müssen, die gar nicht auf diese Art entstanden, sondern ursprüngliche Bestimmungen sind. Es mufs nämlich die Möglichkeit, gewisse Bestimmungen in der Zeitreihe nach und nach anzunehmen, schon vor der Annahme dieser Bestimmungen in uns bestimmt seyn. Es müssen also gewisse anderweite Bestimmungen, welche den entstandenen als Bedingungen ihrer

---

sich bewufst, nicht der Freyheit in seiner Selbstthätigkeit. Eben so diejenigen, welche die Freyheit schlechthin für das Vermögen der Selbstbestimmung erklärten; denn dieses Vermögen kommt auch den vernunftlosen Thieren zu, wenn sie sich willkürlich bewegen, ihre Nahrung suchen u. d. Aber sie folgen nur dem Instinkte, bestimmen sich also unter der Herrschaft der Naturnothwendigkeit, mithin nicht frey. Freyheit und Selbstthätigkeit sind folglich wesentlich im Begriffe verschieden. Legt man dennoch zuweilen den Thieren Freyheit bey, so meynt man blofs eine physische und äufsere, nämlich Unabhängigkeit vom Menschen.

Möglichkeit vorhergehen oder ihnen zum Grunde liegen, in uns angetroffen werden. Diese Grundbestimmungen können daher mit Recht ursprüngliche oder transzendentale Bestimmungen (auch Bestimmungen *a priori*) heißen. Jene aber, welche erst nach und nach aus den ursprünglichen hervorgehen, also in mit und durch Erfahrung entstehen, können abgeleitete oder empirische Bestimmungen (auch Bestimmungen *a posteriori*) heißen.

§. 71.

Die ursprünglichen Bestimmungen machen den Grundcharakter der menschlichen Natur oder das Wesen des Menschen aus. Sie können also zusammengenommen die ursprüngliche Einrichtung oder Anlage (*constitutio* s. *indoles originaria*) des Ichs genannt werden. Sie sind eben darum wesentliche, mithin auch allgemeine und nothwendige Bestimmungen, da hingegen die empirischen nicht zum Wesen des Menschen gehören, folglich auch nicht bey allen Menschen auf gleiche Art angetroffen werden müssen. Von diesen läßt sich ein

Grund angeben, weil sie aus jenen erst entspringen. Von jenen aber läfst sich weiter
kein Grund angeben, als dafs der Mensch nun
einmal so und nicht anders eingerichtet ist.

§. 72.

Man kann also den Menschen aus einem
doppelten Gesichtspunkte betrachten. Einmal
als reines Ich, wieferne man blofs auf seine
ursprünglichen Bestimmungen reflektirt. Sodann als empirisches Ich, wiefern aufser
denselben auch anderweite Bestimmungen an
ihm angetroffen werden, die ihm nicht ursprünglich zukommen. Da nun jeder Mensch,
wiefern er würklich existirt und sich seines Daseyns als in der Zeit bestimmt bewufst ist, immer mit gewissen empirischen Bestimmungen
existirt, so kann man nur von dem empirischen Ich sagen: Es existirt. Dem reinen Ich hingegen kann das Prädikat des realen Seyns nicht beygelegt werden, weil es kein
reales Ding, sondern ein blofser Begriff,
ein Gedankending ist. Denn man denkt
es nur dadurch, dafs man von seinen empirischen Bestimmungen abstrahirt und blofs auf
die ursprünglichen reflektirt. Das reine Ich

ist also nichts anders als der Inbegriff des Ursprünglichen oder Transzendentalen in mir, was ich als den Grund alles Empirischen in mir denke. Es kann daher auch das absolute Ich heifsen; denn es ist schlechthin so, weil es so ist, indem sich von dem Ursprünglichen kein anderweiter Grund angeben läfst.

Anmerkung 1.

Wenn die Wissenschaftslehre behauptet, das Ich dürfe nicht als ein existirendes Ding, sondern blofs als reine Thätigkeit, als ein Handeln gedacht werden, so hat sie Recht, wieferne blofs vom absoluten oder reinen Ich die Rede ist. Denn dieses ist ein blofses *Abstractum*, und ein solches existirt nicht, sondern wird blofs gedacht. Bey diesem Denken reflektire ich also nur auf meine Thätigkeit überhaupt nach ihrer ursprünglichen Bestimmtheit, und Thätigkeit überhaupt kann auch ein Handeln genannt werden, wenn man diesen Ausdruck im weitern Sinne nimmt und darunter jede Art der Würksamkeit versteht, sie sey innerlich oder äufserlich, immanent oder transeunt. Sollte aber jene Behauptung auch vom empirischen Ich verstanden werden, so wäre sie offenbar falsch; denn als empirisches Ich existirt jeder Mensch würklich und ist sich seines in der Zeit bestimmten Daseyns unmittelbar bewufst. Das Prädikat des realen Seyns mufs ihm also in dieser

Hinsicht wie jedem andern wahrnehmbaren Objekte
in der Sinnenwelt zukommen.

Anmerkung 2.

Die Philosophie betrachtet den Menschen blofs
aus dem ersten Gesichtspunkte, also als reines Ich,
und dadurch unterscheidet sie sich wesentlich von der
Anthropologie, welche den Menschen aus dem
zweyten Gesichtspunkte, mithin als empirisches
Ich betrachtet. Jene ist also eine transzendentale, diese eine empirische Menschenkunde.
Zur letzten gehört theils die empirische Somatologie, theils die empirische Psychologie;
jene hat es mit den aüfseren, diese mit den inneren
Erscheinungen am Menschen zu thun, wie sie sich
dem Menschen, wenn er sich und andre beobachtet,
zu erkennen geben. Die empirische Psychologie gehört also gar nicht in das Gebiet der Philosophie, geschweige dafs sie die erste oder Grundwissenschaft
der Philosophie seyn sollte. Sie bedarf vielmehr,
wenn sie nicht eine blofse Rhapsodie von einzelnen
Wahrnehmungen und leeren Vermuthungen seyn soll,
anderweit leitender Prinzipien, welche ihr nur die
Philosophie darreichen kann. Indem aber die Philosophie den Menschen als reines Ich zu erforschen
sucht, so hat sie es weder mit der Seele (anima,
ψυχη) noch mit dem Leibe (corpus, σωμα) zu thun,
wieferne darunter nach der gemeinen Vorstellungsart
zwey verschiedne Subjekte, wovon eins geistiger das
andre körperlicher Natur seyn soll, verstanden werden.

Sie untersucht zwar (in der Metaphysik) jene Vorstellungsart in Ansehung ihrer Gültigkeit; aber sie
folgt derselben nicht, weil der Unterschied zwischen
Seele und Leib blofs empirisch, mithin auch nur in
empirischer Hinsicht gültig ist. Sie abstrahirt also
von jenem Unterschiede in ihren Untersuchungen über
den Menschen, und unterscheidet blofs in transzendentaler Hinsicht das Innere und das Aüfsere
am Menschen, als zwey verschiedne Reflexionspunkte,
indem die Thätigkeit, deren wir uns bewufst sind,
entweder nach innen oder nach aufsen gerichtet seyn
kann, und diese zwiefache Tendenz unsrer Thätigkeit
für die Anordnung des Systems der Philosophie von
grofser Bedeutung ist. Über das ursprüngliche Verhältnifs des Innern und Aüfsern aber kann sie nichts
bestimmen, weil dieses jenseits der Gränze des Philosophirens liegt, die Philosophie also transzendent
werden müfste, wenn sie das Wie und Wodurch in
dieser Hinsicht bestimmen wollte. Wenn daher in der
Folge die Ausdrücke Intelligenz und Gemüth
vorkommen, so wird hiemit ausdrücklich erklärt, dafs
darunter nicht etwa die Seele im Gegensatze des Körpers, sondern das reine Ich selbst als solches verstanden werden solle *).

* * *

*) Intelligenz (mens, νους) bezieht sich eigentlich
mehr auf das Theoretische, Gemüth (animus, θυμος),
mehr auf das Praktische im Menschen. Hier werden
beyde Ausdrücke als gleichgeltend gebraucht und beydes zugleich (mens animusque) darunter verstanden.

§. 73.

Die ursprünglichen Bestimmungen des Ichs
d. h. die *a priori* gesetzten Bedingungen der
empirischen Bestimmungen desselben müssen
von dreyfacher Art seyn, jedoch so daſs die eine
mit der andern nothwendig verknüpft ist und
alle ein unzertrennliches Ganze ausmachen. Es
muſs nämlich ursprünglich bestimmt seyn

1.) die Möglichkeit überhaupt, auf
gewisse Art thätig zu seyn d. h. der innere
Grund oder die Quelle einer jeden besondern
Art der Thätigkeit, welche sich in unserm
Bewuſstseyn ankündigt. Man nennt dieſs ein
Vermögen der Thätigkeit (z. B. Erkennt-
niſsvermögen);

2.) die Regel, nach welcher sich jede Art
der Thätigkeit richtet d. h. die Handlungsweise
des Vermögens, wenn es in würkliche Thätigkeit übergeht. Man nennt dieſs ein Gesetz
der Thätigkeit (z. B. Erkenntniſsgesetze);

3.) der Umfang einer jeden Art der Thätigkeit d. h. der Würkungskreis, innerhalb
welchem das Vermögen bey seiner Thätigkeit
eingeschlossen ist. Man nennt dieſs eine
Schranke der Thätigkeit (z. B. Erkenntniſs-.
schranken).

§. 74.

§. 74.

Die ursprünglichen Bestimmungen des Ichs sind also nichts anders als die ursprünglichen Vermögen, Gesetze und Schranken sei-ner Thätigkeit. Diese Bestimmungen dürfen aber nicht als isolirt im Gemüthe gedacht wer-den, sondern sie gehören nothwendig zusam-men. Denn ein Vermögen zur Thätigkeit ist nicht denkbar ohne Gesetze, weil es immer auf eine bestimmte Art thätig seyn muß, und durch eben diese Gesetze ist auch zugleich der gesammte Würkungskreis dieses Vermögens bestimmt. Daher kann man jene Bestimmun-gen zusammengenommen auch die ursprüng-liche Handlungsweise (*forma agendi ori-ginaria*) oder mit einem Worte die Urform des Ichs nennen. Denn diese Form hangt ab von den Gesetzen der Thätigkeit, und wo Ge-setze der Thätigkeit sind, da sind auch Vermö-gen und Schranken der Thätigkeit.

Anmerkung 1.

Daß ich thätig bin, lehrt das Bewußtseyn; es ist Thatsache desselben. Wenn man sich aber einer Thätigkeit bewußt ist, so ist dieß nicht Thätigkeit überhaupt, sondern jedesmal eine durchaus bestimmte, ein ganz bestimmtes Handeln. Vergleichen wir nun

die Thätigkeiten, deren wir uns nach und nach bewußt
werden, mit einander, so finden wir, daß unsre Thätigkeit zwar sehr mannichfaltig ist, daß aber doch ungeachtet dieser Mannichfaltigkeit gewisse Thätigkeiten
einander mehr oder weniger ähnlich sind, mithin einen gemeinsamen Charakter haben und in der Wie-
derholung, Aufeinanderfolge und Verbindung derselben eine gewisse Regelmäßigkeit stattfindet. Wir sind
also genöthigt, gewisse Arten der Thätigkeit, unter
welchen einzelne bestimmte Thätigkeiten begriffen
sind, zu unterscheiden, und für diese besondern Arten der Thätigkeit gewisse innere Gründe voraumu-
setzen, welche Vermögen heißen. Der Ausdruck
Vermögen bedeutet daher nichts weiter, als den
inneren Grund der Möglichkeit, auf gewisse Art
thätig zu seyn, das, wodurch man thätig zu seyn
vermag. Diese Erklärung ist folglich bloß nominal;
denn eine Realerklärung, welche zeigte, worin jener
Grund bestehe und wie daraus Thätigkeit hervorgehen
könne, ist nicht möglich, weil von der Thätigkeit
selbst keine solche Erklärung möglich ist (§. 68.
Anmerk. 4.).

Anmerkung 2.

Die Vermögen des Ichs können von einer doppelten Seite erwogen werden; einmal, wenn man bloß
auf ihre ursprüngliche Bestimmtheit Rücksicht nimmt, mithin von ihrer Anwendung in der Erfahrung und den dadurch angenommenen Modifikazionen abstrahirt; sodann, wenn man sie unter

oben diesen Modifikazionen betrachtet. In
jener Hinsicht können sie reine, in dieser empíri-
sche Vermögen heifsen. Es ist folglich immer ein
und dasselbe Vermögen, welches nur aus verschiednen Gesichtspunkten erwogen und daher bald
rein, bald empirlsch genannt wird. Denn jedes Vermögen nimmt zwar in den Individuen immer ein eigenthümliches Gepräge an. Dadurch wird aber der
allgemeine, nothwendige und wesentliche Charakter
desselben nicht aufgehoben, sondern nur besonders
modifizirt, wie die Gesichtszüge der einzelnen Menschen unendlich mannichfaltig sind, obgleich alle auf
eine und dieselbe Grundform sich beziehen lassen.
Die reinen Vermögen können auch transzendentale heifsen, weil bey ihnen nur das Ursprüngliche,
was allem Empirischen *a priori* zum Grunde liegt,
in Erwägung gezogen wird.

Anmerkung 3.

Vermögen werden zuweilen auch Fähigkeiten
und Kräfte genannt. Der erste Ausdruck bedeutet
eigentlich eine gewisse Empfänglichkeit, der
zweyte eine gewisse Thätlichkeit*). Mithin
würde unter Fähigkeit ein mehr passives oder ruhendes, unter Kraft ein mehr aktives oder seine Würk-

---

*) Man sagt z. B.: Ein Mensch von vieler Fähigkeit,
und: Ein Mensch von vieler Kraft. Beydes ist sehr
verschieden. Jener ist sehr empfänglich oder gelehrig,
dieser sehr thätlich oder energisch.

samkeit äüfserndes Vermögen zu verstehen seyn.
Wenn man also von Fähigkeiten und Kräften redet,
so denkt man dabey schon an gewisse empirische
Bestimmungen des Menschen in Ansehung seiner
Thätigkeit; mithin ist, wenn vom Ursprünglichen
die Rede seyn soll, der Ausdruck Vermögen schicklicher. Das, was man **Naturgaben** nennt, gehört
eben so wie die **Fertigkeiten** zum Empirischen
im Menschen. Beyde sind eigenthümliche Bestimmungen eines einzelnen Subjektes zu einer gewissen
Art der Thätigkeit, wodurch ihm die Aüfserung derselben leichter wird als Andern, wodurch es schneller
und lebhafter auf diese bestimmte Art würkt. Fertigkeiten werden **erworben** durch Übung und An-
gewöhnung, Naturgaben sind **angeboren**, mithin
zwar in gewisser Hinsicht — nämlich in Beziehung
auf ein gewisses Subjekt — aber nicht absolut — in
allgemeiner Beziehung — ursprünglich. Naturgaben
heifsen auch **natürliche Talente**, weil sie Vorzüge sind, womit die Natur vermöge einer besondern
Gunst den Einen vor dem Andern ausstattet. Sie sind
daher auf keine Weise erwerblich, ob sie gleich der
Kultur und des Fleifses bedürfen, wenn sie gehörig
entwickelt und ausgebildet werden sollen. Das **Genie**, sowohl das zur Wissenschaft (*ingenium scienti-
ficum*) als das zur Kunst (*ingenium artisticum*), gehört ebenfalls zu den natürlichen Talenten *). Wie

---

*) Man könnte jenes auch das **logische**, dieses das
technische nennen. Das letzte heifst auch vor-

aber jemand schon von Natur in irgend einer Art
der Thätigkeit ein gröfseres Würkungsvermögen be-
sitzen könne, als Andre, ist unbegreiflich, weil überhaupt, was Thätigkeit und Vermögen sey, unerklärbar ist.   Daher wird das Genie als ein dem Menschen
inwohnender höherer Genius, und der Mensch, wenn
er als Genie thätig ist, als begeistert betrachtet. (*Est
deus in nobis etc.*) Da nun Genie durch nichts erworben oder ersetzt werden kann, sondern als ein
schlechthin zufälliges Geschenk der Natur erscheint,
so gründet sich hierauf der hohe Werth desselben und
die eigenthümliche Art von Achtung, welche dem Genie, auch wenn es in seinen anderweiten Thätigkeiten
eben nicht achtungswürdig erscheint, von allen, die
es zu schätzen verstehen, gezollt wird.   In seinen
Produkzionen ist das Genie musterhaft, weil es sich
selbst und andern bey ähnlichen Produkzionen unbewufst die Regel giebt.   Daher ist O r i g i n a l i t ä t
das charakteristische Merkmal des Genies; N a c h a h -
m u n g des Nichtgenies.   Zuweilen wird aber die
Originalität selbst nachgeahmt, woraus die a f f e k -
t i r t e   O r i g i n a l i t ä t des Geniesüchtigen entspringt.

Anmerkung 4.

Da die Art und Weise, wie das Ich durch seine
Vermögen thätig ist, eigentlich durch die Gesetze

---

zugsweise (κατ' εξοχην) Genie, weil es sich in seinen
Produkzionen deutlicher ausspricht, als das erste.

dieser Vermögen bestimmt ist, so bedeutet die Handlungsweise oder Form des Ichs eigentlich die Gesetzmäßigkeit desselben in Ansehung seiner Thätigkeit. Daher kann man auch die Gesetze eines Vermögens die Form desselben nennen, worunter also nichts anders als dessen gesetzliche Handlungsweise zu verstehen ist. Da man nun die Vermögen des Gemüths sowohl als auch die Gesetze derselben als ein Mehr- oder Vielfaches betrachten kann, weil sich verschiedne Arten der Thätigkeit in unserm Bewußtseyn ankündigen, so kann man auch wohl von mehren Formen reden, jedoch so, daß man darunter immer nur Handlungsweisen (*formas agendi*) versteht. So hat es vermuthlich auch die Kritik der reinen Vernunft gemeynt, wenn sie von Formen der Sinnlichkeit, des Verstandes u. s. w. sprach. Daß sie würkliche Formen, gleichsam ein leeres Fachwerk im Gemüthe, in welches durch die Erfahrung ein Material eingedrückt würde, um darin eine gewisse Gestalt anzunehmen, verstanden habe, ist eine gröbliche Mißdeutung ihrer Worte, die keine ernste Widerlegung verdient.

Anmerkung 5.

Der Mensch ist auf dem natürlichen d. h. demjenigen Standpunkte, worauf er steht, bevor er zu philosophiren anfängt, sich zwar seiner Thätigkeit aber nicht der Form oder der Gesetze derselben bewußt. Diese lernt er erst durch Reflexion auf sich selbst kennen. Man muß daher das gemeine Bewußtseyn von dem philosophischen unterscheiden. Jenes ist natürlich, dieses künstlich; denn es entsteht durch eine eigenthümliche Operazion des menschlichen Geistes, die eine gewisse Geschicklichkeit voraussetzt. Jenes findet bey allen Menschen, dieses nur beym Philosophirenden als solchem statt; denn nur dieser als solcher ist sich der Gesetze seiner Thätigkeit oder seiner Handlungsform bewußt. Das gemeine Bewußtseyn, ob es gleich selbst als Bewußtseyn dem philosophischen vorhergeht, indem es sich eher als dieses im Menschen entwickelt, muß dennoch das empirische heißen, weil in ihm lauter empirische Bestimmungen des Ichs vorkommen; das philosophische hingegen muß das transzendentale heißen, weil der Philosoph sich der transzendentalen Bestimmungen des Ichs bewußt zu werden sucht (§. 70.), oder das reine Selbstbewußtseyn, weil es ein Bewußtseyn vom reinen Ich ist (§. 72.). Da nun das philosophische Bewußtseyn sich nicht anders entwickeln kann, als durch Reflexion auf die Thatsachen des bey jedem, der zu philosophiren beginnt, schon vorhandnen Bewußtseyns, so ist das empirische Bewußtseyn zwar die *conditio sine qua non* des transzendentalen; aber das transzendentale Bewußtseyn entspringt doch nicht aus dem empirischen, sondern aus der freyen Reflexion des philosophirenden Subjektes auf sich selbst. Die empirischen Bestimmungen des Ichs als Thatsachen des gemeinen Bewußtseyns geben nämlich dem philosophirenden Subjekte nur Anleitung die transzendentalen Bestimmungen

des Ichs kennen zu lernen, indem der Philosophirende
durch vernünftiges Nachdenken die Gesetze aufsucht,
nach welchen jene empirischen Bestimmungen sich
richten. Er erkennt also seine ursprüngliche Handlungsweise zwar mit Hülfe jener empirischen Bestimmungen, aber die eigentliche Quelle dieser Erkenntniß
ist die philosophirende Vernunft; denn durch diese
erzeugt das Subjekt die Erkenntniß von den Gesetzen
seiner Thätigkeit in sich selbst. Folglich ist die philosophische Erkenntniß an und für sich keine empirische, sondern eine transzendentale, ob sie gleich mit
etwas Empirischem anhebt und an dasselbe ihre Untersuchungen gleichsam anknüpft. Eben darum wurden
oben die Thatsachen des Bewußtseyns Prinzipien
(αϱχαι) genannt, weil sie als Anfangspunkte der Spekulazion durch ihre unmittelbare Gewißheit eine sichere Grundlage für die philosophische Erkenntniß
sind.

Anmerkung 6.

Durch die Verschiedenheit des gemeinen und des
philosophischen Bewußtseyns ist auch bestimmt der
Unterschied zwischen dem gemeinen Verstande
und der philosophirenden Vernunft, wiewohl der Unterschied zwischen Verstand und Vernunft
überhaupt (Intellektualität und Razionalität) erst tiefer unten genauer bestimmt werden kann.
Der Mensch ist nämlich auf dem Standpunkte des
Lebens sich der Gesetze seiner Thätigkeit als solcher nicht bewußt; er denkt sie also nicht als

allgemeine Regeln (*in abstracto*). Da er sich
aber gleichwohl nach jenen Gesetzen richtet, so muß
er sich derselben wenigstens in ihrer jedesmaligen
Anwendung auf einen gegebenen Fall (*in concreto*)
bewußt seyn; er denkt sie also nicht deutlich (*explicite*), sondern verworren (*implicite*). Wenn daher der Mensch nach dem gemeinen Verstande urtheilt
und handelt, so fühlt er das Wahre, Gute u. s. w.
ohne sich darüber durch Gründe rechtfertigen zu können. Seine Aussprüche sind Machtsprüche, wodurch alle Zweifelsknoten zerhauen werden. Auf
dem Standpunkte der Spekulazion hingegen ist
man sich jener Gesetze in ihrer höchsten Allgemeinheit bewußt und denkt sie deutlich als
Prinzipien des Urtheilens und Handelns; wenigstens strebt man darnach. Wer also philosophirt,
räsonnirt über das Wahre, Gute u. s. w. um die
Gründe desselben aufzusuchen. Seine Räsonnements
sind Dedukzionen, wodurch die Zweifelsknoten
gelöst werden sollen. Daher kann man auch
schlechtweg sagen: Der gemeine Verstand verfährt
nach Gefühlen, die philosophirende Vernunft nach
Prinzipien. Das philosophische Bewußtseyn entspringt also aus der Entwicklung und Verdeutlichung
des gemeinen, indem man die Thatsachen des letzten auf
Prinzipien zurückzuführen sucht. Hieraus folgt nun
erstlich, daß zwischen der philosophirenden Vernunft
und dem gemeinen Verstande oder dem philosophischen
und dem gemeinen Bewußtseyn in der Hauptsache
oder in Ansehung der Resultate des Philosophirens

das vollkommenste Einverständniſs stattfinden müsse.
Denn ob man gleich durch Philosophiren eine gründlichere, deutlichere, vollständigere und bestimmtere
Einsicht gewinnt, mithin auch die Ansichten der philosophirenden Vernunft von den einseitigen und beschränkten Ansichten des gemeinen Verstandes in vielen Punkten divergiren müssen, so kann doch zwischen den Aussprüchen des gemeinen Verstandes,
wenn er gesund d. h. nicht durch böse Neigungen
und von aufsen beygebrachte falsche Meynungen verkehrt ist, mithin zwischen den Aussprüchen des natürlichen Menschenverstandes und der philosophirenden Vernunft kein direkter Widerspruch stattfinden.
Wenigstens würde die philosophirende Vernunft dadurch in den Verdacht fallen, daſs sie in ihren Spekulazionen durch willkürliche Voraussetzungen irre geleitet worden sey, und ihre Ansprüche auf Allgemeingültigkeit aufgeben müssen. Denn eine Philosophie,
die in ihren Behauptungen dem gesunden Menschenverstande gerade entgegengesetzt wäre, die z. B. behauptete — wie die Stoische — der Selbstmord sey
erlaubt und der Schmerz sey kein Übel, könnte nie als
allgemeingültig anerkannt werden, weil in jedem Menschen von unverdorbenem Kopf und Herzen sich sogleich eine innere Stimme gegen solche Behauptungen
erheben würde. Auf der andern Seite aber darf sich
der gemeine Verstand keineswegs zum Richter der
philosophirenden Vernunft aufwerfen und derselben
in Bestimmung dessen, was wahr, gut u. s. w. ist,
vorgreifen. Denn durch diese Anmaaſsung würde er

der philosophirenden Vernunft ihr Geschäft verleiden
und allem Philosophiren augenblicklich ein Ende
machen. Er muſs also der philosophischen Spekulazion völlige Freyheit verstatten, und dieſs um so mehr,
da seine Aussprüche, wenn sie würklich als Aussprüche des gesunden, natürlichen, unverdorbenen
Menschenverstandes bewährt werden sollen, der
Rechtfertigung durch philosophirende Vernunft fähig
seyn müssen. Daher ist es ein offenbares Zeichen
des Unverstandes, wenn man auf dem Gebiete der
Wissenschaft, wo bloſs Vernunft gegen Vernunft
kämpfen soll, eine philosophische Behauptung dadurch widerlegt zu haben meynt, daſs man sich
schlechtweg auf den gesunden Menschenverstand beruft und das Gegentheil jener Behauptung für einen
Ausspruch desselben ausgiebt, ohne sich auf die
Gründe des Gegners einlassen oder selbst für seine
eigne Behauptung Gründe anführen zu wollen. Diese
Berufung auf den gesunden Menschenverstand ist
dann nichts weiter als ein Bekenntniſs eigner Un-
wissenheit und Unfähigkeit zum gründlichen Denken, wodurch für die Wahrheit dessen, was man
behauptet, doch unmöglich etwas entschieden werden
kann. Übrigens wird zuweilen der gemeine Verstand
auch ein Gemeinsinn genannt, weil er in seinen
Aussprüchen eben so wie der Sinn durch Gefühl
und Empfindung bestimmt zu werden scheint. In
beyden Ausdrücken aber bedeutet gemein nicht das
Pöbelhafte (*vulgare s. plebejum*) sondern das
Gemeinsame (*commune*). Gemeinverstand, oder

Gemeinsinn (*intellectus s. sensus communis — common sense* — also Gemeinsinn nicht in der Bedeutung von Gemeingeist — *public spirit* — genommen) ist folglich etwas ganz anders als Pöbelverstand oder Pöbelsinn (*intellectus s. sensus plebejus*), welcher nur gewissen Menschen oder Menschenklassen zukommt und eine aus Mangel an Kultur oder auch aus falscher Kultur entstandene Verdorbenheit des natürlichen Menschenverstandes ist *).

---

*) In dem kritischen Journale der Philosophie von Schelling und Hegel (Bd. 1. St. 1. S. XVIII.) heißt es: „Die Philosophie — ist nur dadurch „Philosophie, daß sie dem Verstande, und damit „noch mehr dem gesunden Menschenverstande, „worunter man die lokale und temporäre Beschrankt„heit eines Geschlechts der Menschen versteht, ge„rade entgegengesetzt ist; im Verhältnisse zu „diesem ist an und für sich die Welt der Philosophie „eine verkehrte Welt." — In dieser Stelle wird offenbar der Gemeinverstand mit dem Pöbelverstande verwechselt. Denn nur der (hohe oder niedere) Pöbel ist ein solches Geschlecht der Menschen, welches an den Vorurtheilen der Zeit und des Orts hangt und durch dieselben in seinem Denken und Thun beschränkt ist. Hingegen gab es immer und überall verständige und edle Menschen, die sich auch ohne Philosophie, blofs durch ihren gesunden Menschenverstand über jene lokale und temporäre Beschränktheit weit erhoben. Die in der angeführten Stelle gegebne Erklärung pafst also nur auf den Pöbelverstand, keineswegs aber auf den gesunden Menschenverstand, welcher zu allen Zeiten und an allen Orten derselbe

§. 75.

Wenn wir auf unsre Thätigkeit, so wie sie sich in dem Bewufstseyn eines jeden ankündigt, reflektiren, so finden wir zuvörderst eine doppelte Art derselben, ein zweyfaches Handeln (im weiteren Sinne). Die eine Thätigkeit ist innerlich (immanent) und besteht im Vorstellen von etwas und dem davon abhängigen Erkennen. Die andre ist aüfserlich, (transeunt) und besteht im Streben nach etwas und dem davon abhängigen Handeln (im engeren Sinne). Jene Thätigkeit ist also blofs ideal oder theoretisch — es wird dadurch nur etwas Subjektives erzeugt; diese ist real oder praktisch — es wird dadurch etwas Objektives hervorgebracht. Das gesammte Thätigkeitsvermögen des Ichs zerfällt also nothwendig zuvörderst in das theoretische und praktische Vermögen.

Anmerkung 1.

Alle Unterscheidung verschiedner Arten von Thätigkeiten in dem Menschen geschieht blofs durch

---

war, ist und seyn wird. Jenem soll sich die Philosophie allerdings entgegensetzen. Setzt sie sich aber diesem entgegen, so möchte wohl die Philosophie mit ihrer verkehrten Welt dabey den kürzern ziehen.

Absonderung dessen, was mit einander verbunden ist, und Betrachtung des Getrennten in seiner Getrenntheit, mithin durch Abstrakzion und Reflexion. Denn indem wir thätig sind, sind immer mehre Arten der Thätigkeit innig mit einander verbunden und bringen ein gemeinschaftliches Resultat hervor. Es ist immer Ein Subjekt, welches thätig ist, nur dafs es seine Thätigkeit auf mancherley Weise aüfsert; es ist immer Eine Quelle, aus welcher sich der Strom unsrer Thätigkeit in verschiednen Richtungen ergiefst. Daher ist auch theoretische und praktische Thätigkeit immer beysammen (z. B. bey jeder Arbeit, die der Mensch verrichtet) und es wäre eine sehr ungereimte Vorstellungsart, wenn jemand sich einbildete, das theoretische und praktische Vermögen kämen in der Intelligenz oder dem Gemüthe eben so isolirt vor, als sie in und während der philosophischen Untersuchung geschieden werden. Indessen ist diese Scheidung durchaus nöthig, wenn wir den ganzen Umfang unsrer Thätigkeit und die Gesetze derselben wollen kennen lernen. Diese Bemerkung wird hier ein für allemal gemacht und mufs bey den folgenden Untersuchungen immer gegenwärtig seyn.

Anmerkung 2.

Die theoretische und praktische Thätigkeit unterscheiden sich dadurch wesentlich, dafs jene, als solche, i m m a n e n t , diese, als solche, t r a n s e u n t ist. Denn wenn auch Vorstellungen und Erkenntnisse sich auf etwas Aüfseres beziehen und durch

etwas Aüfseres veranlafst werden, so haben sie doch
an und für sich keine Tendenz nach aufsen. Wenn
wir hingegen nach etwas streben und um das, wonach
wir streben, würklich zu machen handeln, so geht
diese Thätigkeit gleichsam aus dem Innern heraus und
auf etwas Aüfseres über, das dadurch auf gewisse
Weise bestimmt wird, gesetzt auch dafs dieses Handeln wieder auf das Innere, von welchem es ausging,
zurückwürkt und dasselbe wieder auf gewisse Weise
bestimmt. Denn das Innere und Aüfsere steht vermöge der ursprünglichen Synthese des Realen und
Idealen immer in Wechselwürkung und eben darum
ist auch das Theoretische und Praktische in unsrer
Würksamkeit immer mit einander verknüpft, obgleich
beyde Arten der Thätigkeit an und für sich selbst betrachtet wesentlich verschieden sind. Im Theoretischen — beym Vorstellen und Erkennen — richten
sich die Vorstellungen nach den Gegenständen; das
Subjektive ist also als bestimmt durch das Objektive
zu betrachten. Im Praktischen — beym Streben und
· Handeln — richten sich die Gegenstände nach den
Vorstellungen; das Objektive ist also als bestimmt
durch das Subjektive zu betrachten. Wie das Subjektive durch das Objektive oder dieses durch jenes bestimmt werden könne, läfst sich freylich nicht erklären und begreifen, weil die urspiüngliche Synthese
des Idealen und Realen selbst unerklärbar und unbegreiflich ist. Aber dafs diese doppelte Bestimmung
des Subjektiven und Objektiven durch einander stattfinde, lehrt das Bewulstseyn jeden, der auf seine

Thätigkeit aufmerksam ist; es ist also faktisch gewiſs. Wenn z. B. ein Mensch vor uns hintritt und um ein Almosen bittet, so wird das Subjektive durch das Objektive bestimmt, und unsre Thätigkeit ist bloſs immanent oder theoretisch, wieferne wir uns diesen Menschen und sein Bedürfniſs vorstellen. Geben wir ihm dann das Erbetene, so wird das Objektive durch das Subjektive bestimmt, und unsre Thätigkeit ist transeunt oder praktisch, wieferne wir etwas thun, wodurch seinem Bedürfnisse abgeholfen und also sein Zustand anders modifizirt wird.

Anmerkung 3.

Man kann das theoretische Gemüthsvermögen auch das Vorstellungsvermögen oder das Erkenntniſsvermögen oder noch schicklicher das Vorstellungs- und Erkenntniſsvermögen nennen, weil Vorstellen und Erkennen die Hauptfunkzionen des theoretischen Vermögens sind, obgleich damit auch noch anderweite Funkzionen des Gemüths in Verbindung treten können, und weil jede Vorstellung, ob sie gleich an sich noch nicht würkliche Erkenntniſs ist, dennoch als Element zur Erkenntniſs betrachtet werden kann. Eben so kann man das praktische Gemüthsvermögen auch das Bestrebungsvermögen oder das Handlungsvermögen oder noch besser das Bestrebungs- und Handlungsvermögen nennen, weil alle Funkzionen des praktischen Vermögens auf ein Streben oder Handeln hinauslaufen, obgleich damit auch noch anderweite

Funk-

Funkzionen des Gemüths verknüpft seyn können, und
weil jede Bestrebung, wenn sie auch nicht allemal in
ein würkliches Handeln übergeht, doch als Element
zur Handlung angesehen werden kann. Manche nennen das praktische Gemüthsvermögen auch das B e-
g e h r u n g s v e r m ö g e n (*facultas appetendi*) dann
muß aber der Ausdruck Begehren in einem so weiten
Sinne genommen werden, daß er von der einen Seite
sowohl das eigentliche Begehren als auch das Verab-.
scheuen, und von der andern sowohl das bloße Streben als auch das würkliche Handeln unter sich befaßt.
In dieser weiten Bedeutung hat es auch KANT genommen *), wenn er das B e g e h r u n g s v e r m ö g e n für
das Vermögen erklärt, durch unsre Vorstellungen Ursache von der Würklichkeit der Gegenstände dieser
Vorstellungen zu seyn. Er versteht also darunter das
praktische Vermögen überhaupt. So wie nämlich das
theoretische Vermögen die Objekte durch die Vorstellung erkennt, so produzirt das praktische etwas Ob-
ektives nach Maßgabe der Vorstellungen. Im Praktischen haben also die Vorstellungen Kausalität in Ansehung der Würklichkeit dessen, worauf sie gerichtet
sind, weil durch die Thätigkeit etwas realisirt oder
außer mir würklich gemacht wird, was ich mir vorher
bloß vorstellte. Daher kann die theoretische Thätigkeit mit Recht eine bloß i d e a l e, die praktische aber
eine r e a l e genannt werden.

---

*) In der V o r r e d e zu seiner K r i t i k d e r p r a k t i -
schen V e r n u n f t, S. 16. nach der 2. Aufl.

Anmerkung 4.

Bekanntlich haben Einige zwischen das Vorstellungs- oder Erkenntnißvermögen und das Begehrungsvermögen noch ein drittes Vermögen unter dem Titel des Gefühlvermögens eingeschoben. Allein das Gefühl gehört immer zu einer von beyden Thätigkeiten, entweder der theoretischen oder der praktischen, sey es als vorhergehend oder als folgend. Das Gefühl ist nämlich immer entweder eine solche Affekzion des Gemüths, aus welcher ein Vorstellen oder Streben entspringt, oder eine solche, die selbst aus dem Vorstellen oder Streben entspringt. Folglich ist das Fühlen keine eigenthümliche, von der theoretischen und praktischen Thätigkeit abzusondernde, Funkzion des Gemüths, und jene Trichotomie der Gemüthsvermögen ist nicht logisch richtig, weil die Theilungsglieder einander nicht gehörig entgegengesetzt sind. Daher wird auch das Wort Gefühl in einem so weiten Sinne gebraucht, daß Empfindungen und Gedanken, Neigungen und Triebe, Gründe und Grundsätze, wenn wir uns derselben nicht deutlich bewußt sind, damit bezeichnet werden. Daher giebt es ein Gefühl der Wahrheit, der Schönheit, des Rechts, der Sittlichkeit u. s. w. Wir bleiben also mit Recht bey der obigen dichotomischen Grundeintheilung stehen.

§. 76.

In aller Thätigkeit des Ichs, sie sey theoretisch oder praktisch, lassen sich ferner drey Grade unterscheiden, welche man als ver-

schiedne Potenzen jener Thätigkeit ansehen
kann. Die erste Potenz ist die Sensualität,
die zweyte die Intellektualität, die dritte
die Razionalität. Erwägt man nun jede
dieser Potenzen theils in theoretischer, theils
in praktischer Hinsicht besonders, so entspringen daraus folgende ursprüngliche Gemüthsvermögen. Die Sensualität in theoretischer
Hinsicht heifst vorzugsweise der Sinn (*sensns*)
oder die Sinnlichkeit in engerer Bedeutung (*sensualitas strictius sic dicta*), in praktischer der Trieb (*instinctus*). Die Intellektualität in der ersten Hinsicht heifst vorzugsweise der Verstand (*intellectus*), in der
zweyten der Wille (*voluntas*). Die Razio-na-
lität endlich in der ersten Hinsicht heifst
theoretische Vernunft (*ratio theoretica*),
in der zweyten praktische Vernunft (*ratio practica*).

Anmerkung.

Bekanntlich hat schon KANT in seinen kritischen
Schriften einen Unterschied zwischen theoretischer und praktischer Vernunft gemacht.
Diese Unterscheidung hat auch ihre gute Richtigkeit,
sobald man unter der theoretischen und praktischen
Vernunft nur nicht zwey von einander abgesonderte
und einander in ihren Prinzipien und Tendenzen

entgegengesetzte Gemüthsvermögen — gleichsam zwey
Vernunfte, die wie feindseelige Genien im Widerstreite mit einander liegen — sondern blofs zwey ver-
schirdne Würkungsarten einer und derselben Vernunft
versteht. Es ist aber offenbar einseitig und falsch,
und hat eben darum so viel Mifsverständnisse und
Streitigkeiten veranlafst, dafs in der Kantischen Philosophie nur die Razionalität, als die höchste Potenz
unsrer Thätigkeit, nicht aber auch die untern Stufen
derselben von jener doppelten Seite betrachtet worden
sind. Denn dafs auch die Sensualität und die Intellektualität so gut wie die Razionalität ihre theoretische
und praktische Seite habe, lehrt die Natur der Sache,
da die theoretische und praktische Würkungsart unsers
Gemüths durchaus im innigsten Zusammenhange und
in wechselseitiger Beziehung auf einander steht.
Auch deutet schon der Sprachgebrauch darauf hin.
Denn wenn man sagt, die Sinnlichkeit habe jemanden zu einem Verbrechen hingerissen, so meynt
man offenbar nicht die theoretische, sondern die praktische Sensualität, die aus dem Triebe entspringenden
Neigungen. Eben so heifst ein sinnlicher Mensch
nicht ein solcher, der etwas sinnlich wahrnimmt oder
vorstellt, sondern der sich vom Triebe beherrschen läfst
und seinen Neigungen hingiebt. Und auf gleiche
Weise wird auch der Ausdruck, ein verständiger
Mann, oft von einem solchen Menschen gebraucht,
dessen Wille auf eine zweckmäfsige oder regelmäfsige
Art thätig ist, mithin in praktisch - intellektualer
Bedeutung.

§. 77.

Die Funkzion der theoretischen Sensualität (der Sinnlichkeit in engerer Bedeutung oder des vorzugsweise sogenannten Sinnes) ist das Wahrnehmen oder das unmittelbare Vorstellen gegebner Gegenstände,
welches theils ein Anschauen theils ein
Empfinden ist. Die Wahrnehmungen
(*perceptiones*) sind also theils Anschauungen (*intuitiones* s. *intuitus*) theils Empfindungen (*sensationes*). Mithin kann der Sinn
auch das Wahrnehmungsvermögen oder das
Anschauungs- und Empfindungsvermögen genannt werden. Und da Anschauungen und
Empfindungen sich sowohl auf etwas Aufse-
res als auf etwas Inneres beziehen können,
so läfst sich die theoretische Sensualität überhaupt auch in den aüfsern und innern
Sinn eintheilen.

Anmerkung 1.

Das Wort anschauen wird in dreyerley Be-
deutungen genommen, welche sorgfältig unterschieden werden müssen. In der ersten ist es ganz speziell
und bedeutet sehen. Diefs ist die gemeine (etymologische oder grammatische) Bedeutung, wodurch
das Wort auf ein bestimmtes sinnliches Organ, ver-

mittelst dessen man wahrnimmt, beschränkt wird.
In der philosophischen Kunstsprache aber erweitert
sich der damit zu verbindende Begriff, indem dadurch
sinnliche Vorstellungen unangesehen des Organs, welches dabey im Spiele ist, bezeichnet werden. Hieraus
entspringt nun die zweyte und dritte Bedeutung. In
jener steht die Anschauung der Empfindung
entgegen, so daß Anschauung eine sinnliche Vorstellung ist, die zunächst auf das Objektive,
und Empfindung eine solche, die zunächst
auf das Subjektive bezogen wird. (So wird der
Ofen angeschaut, die Wärme aber empfunden, die
Form der musikalischen Komposizion angeschaut, der
Eindruck, den sie macht, empfunden, ein ausge-
dehnter Körper, den man mit der Hand umfaßt, angeschaut, seine Schwere oder Härte empfunden). In
der dritten Bedeutung endlich, welche die weiteste
ist, umfaßt das Wort Anschauung alle und jede
sinnliche Vorstellungen, sie mögen zunächst
auf das Objektive oder Subjektive bezogen werden.
In dieser Bedeutung nimmt es die Kantische Kritik,
wenn sie Raum und Zeit Formen der Anschauung nennt; denn diese sogenannten Formen
beziehen sich auf alle und jede sinnliche Vorstellungen.

Anmerkung 2.

Der Sinn oder die Sinnlichkeit (als theoretische Sensualität) ist das Vermögen der unmittelbaren Vorstellung. Unmittelbar aber wird nur

dasjenige vorgestellt, was man wahrnimmt. Denn
bey der Wahrnehmung tritt das Wahrgenommene
gleichsam selbst vor uns hin und wir sagen eben darum, dafs wir es w a h r - n e h m e n, weil es sich uns
unmittelbar repräsentirt. Soll aber etwas
wahrgenommen werden, so mufs das Gemüth erst auf
gewisse Weise affizirt werden d. h. eine Veränderung
erleiden, wodurch es zur Wahrnehmung gleichsam
aufgefodert wird. Man kann also auch mit KANT sagen, die Sinnlichkeit sey das Vermögen durch
ein Affizirtwerden zu Vorstellungen zu gelangen *).
Die Möglichkeit dieses Affizirtwerdens läfst sich (aus
bereits oben angezeigten Gründen) nicht erklären und
begreifen. Durch die Art und Weise des Affizirtwerdens mufs auch die Art und Weise der Vorstellung,
wenigstens zum Theil, bestimmt seyn. Denn wir
können, soferne wir wahrnehmen, uns die
Gegenstände nicht anders vorstellen, als wir von ihnen affizirt werden. Auf der andern Seite müssen
aber auch die Gegenstände so angeschaut und empfunden werden, wie es der ursprünglichen Handlungsweise (Form) des Gemüths oder den *a priori*
bestimmten Gesetzen in Ansehung des sinnli
chen Vorstellens gemäfs ist, da die Thätigkeit eines

---

*) S. Kritik der reinen Vernunft, §. 1. Eigent-
lich heifst es hier: „Die Fähigkeit (*Rezeptivität*).“
Da aber die Sinnlichkeit sich bey der Wahrnehmung
nicht blofs passiv verhält, so scheint das Wort Vermögen schicklicher zu seyn.

jeden Vermögens an gewisse Gesetze gebunden ist
und ohne solche ursprüngliche (mithin auch allgemeine und nothwendige) Gesetze keine Gleichförmigkeit und Regelmäßigkeit in unsern Wahrnehmungen
stattfinden würde. Es wird also bey jeder sinnlichen
Vorstellung etwas dem Gemüthe Gegebnes und etwas vom Gemüthe Hervorgebrachtes angetroffen werden müssen, und man kann jenes am schicklichsten den Gehalt oder Stoff, dieses die Gestalt oder Form der sinnlichen Vorstellung nennen,
folglich auch beydes als die wesentlichen Elemente
derselben ansehen, obgleich diese Elemente nur in ihrer würklichen Vereinigung die Vorstellung selbst ausmachen. Daher beruht jene Unterscheidung lediglich
auf der philosophischen Abstrakzion und Reflexion;
in der würklichen Vorstellung aber läßt sich keins
von beyden Elementen abgesondert von dem andern
nachweisen. Diefs ist denn auch überall der Fall, wo
wir an irgend einem Dinge Materie und Form unter-
terscheiden. Nur beyde zusammen in unzertrennlicher
Vereinigung machen das Ding selbst aus.

Anmerkung 3.

Man kann sowohl äußerlich als innerlich etwas
wahrnehmen. Denn alles, was in uns unmittelbar
vorgeht, ist eigentlich nur Objekt der innern Wahrnehmung, ob es gleich mit dem Äußern in entfernter
Beziehung stehen mag. Daher nimmt man auch einen
abwesenden Freund oder einen erdichteten Pallast eigentlich nur in sich wahr, wiewohl man beyde außer

sich versetzt. Man kann also die Sinnlichkeit wieder
von einer doppelten Seite betrachten, als aüſsern
und als innern Sinn.   Zu diesem gehört auch die
Phantasie.   Denn Phantasie ist die Quelle einer
unendlichen Menge von innern Wahrnehmungen, sie
mögen bloſse Wiederholungen ehemaliger Anschauungen und Empfindungen oder Schöpfungen neuer sinnlichen Vorstellungen seyn.   Im ersten Falle würkt der
innere Sinn oder die Phantasie reproduktiv, im
zweyten produktiv.   In jener Hinsicht könnte
man die Phantasie Erinnerungskraft, in dieser
Einbildungskraft nennen, obwohl der erste
Ausdruck gewöhnlich auf die Wiedererkennung ehemaliger Vorstellungen bezogen und der zweyte auch
statt Phantasie überhaupt gebraucht wird.

§. 78.

Die Funkzion der praktischen Sensualität (des Triebes) ist das unmittelbare Streben nach einem Gegenstande, welcher
sich theils durch Begehren theils durch
Verabscheuen aüſsert.   Die Bestrebungen
des Triebes oder die sinnlichen Bestrebungen
sind also theils Begehrungen (*appetitiones
s. appetitus*) theils Verabscheuungen (*aver-
sationes*).   Mithin kann der Trieb auch
das sinnliche Bestrebungsvermögen oder das
Begehrungs - und Verabscheuungsvermögen

genannt werden. Die aus demselben hervorgehenden besondern Bestimmungen des Gemüths, vermöge welcher es auf gewisse
Weise würksam ist, heifsen Neigungen
oder auch Triebe in der Mehrzahl.

Anmerkung 1.

Wir sind uns bewufst, dafs wir durch unsre Vorstellungen Ursache von der Würklichkeit der Gegenstände dieser Vorstellungen seyn können, und wieferne wir auf diese Art das Objektive durch das Subjektive bestimmen, insoferne handeln wir im eigentlichen oder strengen Sinne d. h. wir sind praktisch thätig (§. 75.). Wir sind uns ferner bewufst,
dafs jedem Handeln ein inneres Streben zur Realisirung dessen, was wir uns vorstellen, vorausgeht.
Wir sind uns endlich auch bewufst, dafs unter unsern
Vorstellungen einige uns auf eine besondre Art affizi-
ren d. h. ein gewisses Gefühl erregen, welches entweder angenehm oder unangenehm, mithin entweder ein Gefühl der Lust oder der Unlust ist *).
Wenn nun eine Vorstellung in uns entsteht, die
ein solches Gefühl in uns erregt, so werden wir

---

*) Dafs es auch gemischte Gefühle giebt, ist wahr;
  aber eben so wahr ist, dafs Lust und Unlust immer
  zu ungleichen Theilen gemischt ist. Daher ist
  immer das Eine oder das Andre überwiegend,
  folglich jedes Gefühl seinem Hauptmomente nach immer entweder angenehm oder unangenehm.

angetrieben, auf eine gewisse Art thätig zu seyn. Wir müssen also in uns voraussetzen eine eigenthümliche Thätigkeitsquelle, welche Trieb heifst.

Anmerkung 2.

Der Trieb *(instinctus)* ist nichts anders als eine allgemeine innere Bedingung des Strebens, vermöge deren das Gemüth durch das Gefühl der Lust und Unlust zu gewissen Arten der Thätigkeit angereitzt wird. Nach diesen verschiednen Thätigkeiten und nach den verschiednen Objekten, worauf sie sich beziehen, bekommt auch der Trieb verschiedne Namen, z. B. Erhaltungstrieb, Geschlechtstrieb u. s. w. Die Äufserungen desselben sind an und für sich betrachtet völlig unwillkürlich; denn er ist unmittelbar — ohne vorhergegangene Reflexion über die mittelbaren Folgen der Thätigkeit — auf das Angenehme und Unangenehme gerichtet. Diese Richtung aber ist von doppelter Art. Denn entweder ist der Trieb darauf gerichtet, das Objekt, dessen Vorstellung das Gemüth angenehm affizirt oder ein Gefühl der Lust erregt, mit dem Subjekte, so weit es möglich und nöthig ist, zu vereinigen, oder darauf, das Objekt, dessen Vorstellung das Gemüth unangenehm affizirt oder ein Gefühl der Unlust erregt, von dem Subjekte, so weit es möglich und nöthig ist, zu entfernen. Der Trieb äufsert sich also durch ein doppeltes Streben, wovon jenes das Begehren *(appetere)* dieses das Verabscheuen *(aversari)* heifst, und kann daher selbst

wieder in das Begehrungsvermögen und das
Verabscheuungsvermögen zerfällt werden *).

Anmerkung 3.

Aus dem Triebe entspringen die Neigungen
(*inclinationes*).   Neigungen sind nämlich blofs gewisse
besondre Modifikationen des Triebes, vermöge welcher uns gewisse Arten von sinnlichen Bestrebungen
eigenthümlich sind.   Sind diese Bestrebungen Begehrungen, so heifst die Neigung Zuneigung, Ab-
neigung aber, wenn es Verabscheuungen sind.
Die Neigung ist empirisch, der Trieb ursprünglich.   Indessen versteht man auch zuweilen unter
Trieben in der Mehrzahl die Neigungen als besondre Modifikationen des Triebes, oder verbindet
beydes mit einander, Triebe und Neigungen, um
das Ursprüngliche und Empirische in Ansehung unsrer
sinnlich praktischen Thätigkeit zugleich zu bezeichnen.   Eine Neigung heifst auch ein Hang, wenn sie

*) Der Ausdruck Begehrungsvermögen mufs dann in der
   engsten Bedeutung genommen werden.   In der weitern zeigt er den Trieb überhaupt an; denn der Trieb
   ist eigentlich nichts anders als ein Begehrungs- und
   Verabscheuungsvermögen, weil keine Begehrung ohne
   Verabscheuung des Gegentheils und keine Verabscheuung ohne Begehrung des Gegentheils statt findet.
   In der weitesten Bedeutung versteht man auch das
   ganze praktische Vermögen darunter, wiewohl unschicklich (§. 75. Anm. 3.).

sehr habituell geworden ist. (So kann die Neigung
zum andern Geschlechte ein Hang zur Wollust, die
Neigung zu geistigen Getränken ein Hang zur Trun-
kenheit, die Neigung zu spielen ein Hang zum Spiele
werden.) Überall aber liegt der Trieb als allgemeine
innere Bedingung des sinnlichen Strebens zum Grunde:
Dieser Trieb wird b e f r i e d i g t, wenn das, wonach
er strebt, realisirt ist, und diese Befriedigung gewährt
dem Subjekte V e r g n ü g e n d. h. sie bringt einen Zustand hervor, in welchem das Gefühl der Lust eine
Zeit lang fixirt ist. Nichtbefriedigung des Triebes erweckt M i f s v e r g n ü g e n oder S c h m e r z, welche
Worte also den entgegengesetzten Zustand (der fixir-
ten Unlust) anzeigen *). Da nun das Subjekt, wiefern es bey seiner Thätigkeit vom Triebe beherrscht
wird, nothwendig das zu realisiren sucht, was ein an-
genehmes Gefühl zur unmittelbaren Folge hat, die
Realisirung dessen hingegen, was mit einem unangenehmen Gefühle verknüpft ist, verabscheut, mithin
es zu vernichten oder wenigstens von sich zu entfernen sucht: so s t r e b t d e r T r i e b n o t h w e n d i g
nach V e r g n ü g e n, und er hat als blofser Trieb
k e i n a n d r e s O b j e k t a l s d a s A n g e n e h m e.
A n g e n e h m heifst daher jedes Ding, was den Instinkt

---

*) Schmerz bedeutet nur einen h ö h e r n G r a d des Mifs-
vergnügens. Übrigens versteht es sich von selbst, dafs
jene Zustände längere oder kürzere Zeit dauern können.
Sie unterscheiden sich aber nur durch diese Dauer vom
blofsen Gefühle, welches auch momentan seyn kann.

befriedigt, die Sinne gleichsam kitzelt und dadurch
ein Gefühl der Lust erweckt oder Vergnügen gewährt; das Gegentheil aber heißt unangenehm.
Folglich ist der Trieb als solcher durchaus selbstisch
d. h. auf das Vergnügen des durch ihn in Thätigkeit
gesetzten Subjekts gerichtet, auch dann, wenn irgend
ein sympathetisches Gefühl im Spiele ist. Denn hier
bewürkt die Theilnahme an fremder Lust oder Unlust
ein gleiches Gefühl in dem Andern und setzt ihn dadurch in Thätigkeit. Es ist also dem Begriff und Wesen eines Triebes ganz entgegen, wenn Einige den
Trieb in den eigennützigen und uneigennüt-
zigen eingetheilt und unter dem letzten den Willen oder gar die praktische Vernunft selbst verstanden haben. Wille und Vernunft sind etwas ganz
anders als Trieb. Durch solche Eintheilungen werden
die Begriffe nicht entwickelt sondern verwirrt.

§. 79.

Die Funkzion der theoretischen Intellektualität (des Verstandes) ist das
Denken oder das mittelbare Vorstellen, welches darin besteht, daß ein gegebnes Mannichfaltige von Vorstellungen zur Einheit eines Begriffs verknüpft wird. Die Vorstellungen des
Verstandes heißen daher Begriffe (*conceptus*
s. *notiones*) und sind in ihrer Beziehung auf
die Vorstellungen der Sinnlichkeit oder die

Anschauungen und Empfindungen die Ele-
mente der Erkenntniſs (*cognitio*). Die
Erkenntniſs ist also ein gemeinschaftliches
Produkt der theoretischen Sensualität und
Intellektualität.

Anmerkung 1.

Das Denken ist vom Anschauen und Empfinden, sofern es isolirt von diesem betrachtet wird,
wesentlich verschieden. Beym Denken sind schon
Vorstellungen gegeben, welche vom Denkenden gleichsam weiter verarbeitet werden. Diese Operazion besteht nun darin, daſs das Gemüth die gegebenen Vorstellungen durchgeht, das Mannichfaltige, was ihnen
gemeinschaftlich ist, als Theilvorstellungen,
wodurch nur gewisse Merkmale (*notae*) von Gegenständen, nicht aber die Gegenstände selbst, vorgestellt werden, auffaſst und in eine Totalvorstel-
lung vereinigt, welche eben daher Begriff (*conceptus — notio — quoniam plures notae in unam
repraesentationem concipiuntur*) heiſst *). Daher

---

*) Das lateinische *Cogitare* deutet ebenfalls darauf hin.
Schon Varro sagte: *Cogitare a cogendo dictum;
mens plura in unum cogit, unde deligere possit.* Andre
leiten es von *coagitare* her, welches auf eins hinaus-
läuft. Man wird diese und ähnliche etymologische
Bemerkungen nicht für ganz überflüsig halten. Sie
dienen wenigstens zur Erläuterung und beweisen ne-
benher, daſs der menschliche Geist, indem er seine

bezieht sich der Begriff nur mittelbar auf Gegenstände, nämlich vermittelst der Vorstellungen, aus welchen er erwachsen ist. Das unmittelbare Vorstellen ist also intuitiv oder sensitiv, das mittelbare diskursiv (*quoniam mens discurrit quasi inter notas ad eas in unam repraesentationem concipiendas*) *). Daher ist auch die sinnliche Vorstellung allezeit eine einzelne (*individualis*); denn sie bezieht sich immer nur auf das, was angeschaut oder empfunden wird, mithin auf Einzelheiten. Der Begriff

---

Thätigkeiten und Vermögen durch Worte bezeichnete, die Natur derselben, wenn auch nicht klar einsahe, doch dunkel ahnete oder fühlte. Da nun das Gefühl uns oft richtiger leitet als die Spekulazion, so ist es nicht undienlich, die letzte zuweilen mit dem ersten zu vergleichen und sie an demselben gleichsam zu erproben.

*) Hievon hat auch das Diskuriren seinen Namen, weil ein Diskurs nur durch Begriffe geführt wird, welche durch die Worte angedeutet werden. Denn Worte sind zunächst nur Zeichen für Begriffe, und nur durch die Anschauungen und Empfindungen, woraus die Begriffe erwachsen sind, können sie in dem Hörer oder Leser wieder Anschauungen und Empfindungen erwecken. Der Hörer oder Leser muß also das diskursive Vorstellen erst in ein intuitives oder sensitives verwandeln, welches oft schwer fällt, wenn man nicht der Phantasie durch Zeichnung oder irgend etwas Äußeres (dem innern Sinne durch den äußern) zu Hülfe kommt.

Begriff aber ist eine gemeinsame (*communis*) Vorstellung, weil er aus lauter Merkmalen besteht, die
an mehren Einzelheiten angetroffen und folglich auch
in ihrer Gesammtheit auf mehre Objekte bezogen
werden können.   Daher kann ich zwar auch einen
einzelnen Gegenstand denken; sofern ich ihn aber
denke, wird er durch lauter Merkmale, die auf mehre
passen, vorgestellt (z. B. Cajus als Mensch, Mann,
alt, grofs, hager, kahl u. s. w.); wird er hingegen
angeschaut, so wird er so vorgestellt, wie alle diese
Merkmale auf eine einzige bestimmte Art nur an ihm
vorkommen *).

Anmerkung 2.

Was komponirt ist, läfst sich auch wieder dekom-
poniren, wenigstens kann es nicht an sich indekom-
ponibel seyn.   Man kann also auch die im Begriffe
zur Einheit verbundne Mannichfaltigkeit wieder als
Mannichfaltigkeit darstellen.   Diefs geschieht durch
Entwicklung des Begriffs d. h. durch Zergliederung
desselben in seine Merkmale.   Diese Operazion kann

---

*) Wenn die Logiker von Einzelbegriffen (*notio-
nibus individualibus*) reden, so ist diefs eigentlich ein
abgekürzter aber unbequemer Ausdruck. Das was in
der Vorstellung eines Dinges Begriff ist, ist immer
etwas Gemeinsames, auf mehre Dinge Beziehbares.
Indem es aber auf Ein Ding bezogen wird, so wird
es gleichsam vereinzelt oder individualisirt. Man sollte
also sagen, ein auf einen einzelnen Gegenstand bezo-
gener (ein individualisirter) Begriff.

man ebenfalls ein Denken nennen; sie ist aber nur
ein sekundäres oder abgeleitetes (gleichsam
ein umgekehrtes) Denken, und setzt ein primäres
oder ursprüngliches, wodurch der Begriff selbst
erzeugt wird, voraus. Beyde Arten des Denkens stehen also im Verhältnisse der Analyse und Synthese;
sie können daher auch das analytische und synthetische Denken genannt werden. Dieses geht
jenem nothwendig voraus; denn wo nichts verbunden
ist, kann man nichts auflösen. Das synthetische ist
produzirend, das analytische exponirend; jenes erweitert, dieses erläutert die Erkenntniß.
Jenes ist das eigentliche transzendentale Denken; dieses ist eine bloß logische Operazion.
Denn beym logischen Gebrauche des Verstandes werden die Begriffe oder Gedanken als schon vorhanden
vorausgesetzt und nur nach ihrer Beziehung auf einander in Ansehung der Einstimmung und des Wider-
streits gefragt, nicht aber nach ihrem Ursprunge, welchen die über die Logik hinausgehende Metaphysik
nach den Grundsätzen der Fundamentalphilosophie zu
untersuchen hat. Jeder Begriff ist daher in transzendentaler oder metaphysischer Hinsicht zusammengesetzt, ob es gleich in logischer Hinsicht auch einfache
d. h. für unser beschränktes Vermögen nicht weiter
auflösbare Begriffe geben kann *).

---

*) Die einfachen Begriffe (notiones simplices) der
   Logiker sind nicht absolut, sondern nur relativ
   einfach. Wen man nämlich einen Begriff zergliedert,

Anmerkung 3.

Der Verstand ist das Vermögen zu denken.
Denken aber heißt mittelbar vorstellen und die
mittelbare Vorstellung heißt Begriff (Anm. 1.).
Der Verstand ist also das Vermögen der Begriffe,
wie der Sinn das Vermögen der Anschauungen (in
der dritten Bedeutung des Worts, wo es auch die Empfindungen unter sich befaßt — §. 77. Anm. 1.) ist. Da
nun der Begriff durch Verbindung eines in und durch
anderweite Vorstellungen gegebenen Mannichfaltigen
entsteht, so kann man auch sagen, der Verstand
sey das Vermögen durch Verknüpfung gegebner Vorstellungen zu Begriffen zu gelangen. Folglich kann
und muß auch in Ansehung der Begriffe Materie
und Form unterschieden werden. Die letzte ist bestimmt durch die ursprünglichen Gesetze des Denkens, mithin die ursprüngliche Handlungsweise des
Verstandes selbst. Die erste besteht in den zur

---

so vereinfacht man ihn gleichsam. Diese Vereinfa-
chung muß nun freylich irgendwo aufhören, weil der
analysirende Verstand ein beschränktes Vermögen ist.
So wenig aber ein Theil eines Körpers an und für
sich selbst einfach ist, ob er gleich so unendlich klein
seyn mag, daß unsre beschränkte Sehkraft oder Tren-
nungskraft keine Theils mehr an ihm unterscheiden
und von einander absondern kann: so wenig ist auch
ein Begriff an sich einfach, obwohl dessen Inhalt so
unendlich klein seyn mag, daß unser beschränkter
Verstand ihn nicht weiter zergliedern kann. Er
heißt also nur in dieser Beziehung (mithin
logisch) einfach.

Verknüpfung gegebenen Vorstellungen. Weil man
nun eine Sache nur insoferne gehörig verstehen
lernen kann, als man sich einen richtigen Begriff
von ihr macht, so heifst eben darum das Vermögen
der Begriffe im Deutschen Verstand; im Lateinischen aber hat es seinen Namen von dem Akte, wodurch Begriffe entstehen, d. i. von der Verknüpfung
verschiedner Merkmale, erhalten. (*Intellectus*
kommt nämlich her von *intelligere,* welches so
viel ist als *inter legere, quoniam fit electio inter varias notas,* oder *quoniam plures inter se di-
versae notae colliguntur.*)

Anmerkung 4.

Etwas **erkennen** heifst einen gegebenen Gegenstand als einen bestimmten Gegenstand vorstellen.
Zur **Erkenntnifs** als der bestimmten Beziehung
unsrer Vorstellungen auf gegebene Gegenstände gehört
demnach zweyerley, 1.) dafs der Gegenstand **gegeben** d. h. wahrgenommen, und 2.) dafs er be-
stimmt d. h. in gewisse Gränzen eingeschlossen und
so von andern Gegenständen unterschieden werden
könne. Der Gegenstand wird **gegeben** (*datur*)
vermittelst der Anschauung oder Empfindung, denn
diese belehrt mich, dafs etwas sey, wodurch ich affizirt werde; er wird **bestimmt** (*determinatur*) vermittelst des Begriffs, denn dieser enthält Merkmale,
wodurch ich den Gegenstand von andern aussondern
und ihn so als einen bestimmten Gegenstand anerkennen kann. Hieraus erhellet, dafs Sinn und Verstand

gemeinschaftlichen Antheil an der Erkenntniſs haben, und das Erkenntniſsvermögen zunächst aus diesen beyden Hauptzweigen besteht. Es kann aber bey der Erkenntniſs entweder die Anschauung (im weitesten Sinne genommen) dem Begriffe vorhergehen — wenn nämlich das Subjektive durch das Objektive bestimmt wird — dann ist die Thätigkeit des Gemüths und folglich auch dessen Erkenntniſs theoretisch; oder es kann der Begriff der Anschauung vorhergehen — wenn nämlich das Objektive durch das Subjektive bestimmt wird — dann ist die Thätigkeit und also auch die Erkenntniſs des Gemüths praktisch (§. 75. Anmerkung 3.) *). Wo keiner von beyden Fällen statt findet, da findet auch keine Erkenntniſs im eigentlichen Sinne statt. Wenn nun gleichwohl behauptet wird, daſs etwas sey oder seyn werde, in Beziehung worauf gar keine Anschauung möglich ist, so ist der Gegenstand nichts Erscheinendes (φαινο-μενον, *sensibile*) sondern bloſs etwas Denkbares (νοουμενον, *intelligibile*). Die Behauptung kann aber eben darum nicht auf einem objektiven, sondern nur auf einem subjektiven Grunde beruhen.

---

*) Wenn ich handle (im engern Sinne) um einen Zweck zu realisiren, so geht der Begriff von dem Zwecke der Handlung vorher, der Zweck mag nun dunkel oder klar gedacht werden. Ist die Handlung geschehen und der Zweck dadurch realisirt, so nehme ich das Produkt der Handlung wahr. Die Anschauung folgt also im Praktischen immer auf den Begriff; im Theoretischen aber ist's umgekehrt.

Denn da von dem Gegenstande keine Anschauung
möglich ist, so kann ich auch in Beziehung auf ihn
nicht wissen — er kann nicht als Objekt meinem
Bewußtseyn gegeben werden — sondern bloß glauben — ich kann nur um eines anderweiten im Subjekte allein liegenden Grundes willen von dem, was
ich behaupte, überzeugt seyn. Also ist von solchen
bloß denkbaren Dingen keine Erkenntniß, obwohl
Überzeugung möglich. Werden dann die darauf
sich beziehenden Überzeugungen dennoch Erkenntnisse genannt, so wird das Wort Erkenntniß im uneigentlichen oder weitern Sinne genommen,
indem der gemeine Sprachgebrauch sich nicht an die
philosophische Bestimmtheit der Begriffe bindet.

Anmerkung 5.

Die Sinnlichkeit oder das sinnliche Vorstellungs-
und Erkenntnißvermögen kann auch das niedere,
und der Verstand oder das intellektuelle Vorstellungs-
und Erkenntnißvermögen das höhere genannt werden, da die Intelligenz beym Denken auf einer höheren Stufe der Thätigkeit steht, als beym Anschauen
und Empfinden, indem sie sich hier mehr leidend,
dort mehr thätig beweist. Gleichwohl kann man nicht
sagen, daß die Sinnlichkeit bloß leidend, der Verstand bloß thätig sich verhalte, mithin jene bloße Rezeptivität, dieser lautere Effektivität sey. Denn wenn
ich auch durch ein Affizirtwerden zu Vorstellungen
gelange, so ist doch die Vorstellung selbst mein Produkt oder Produkt meiner Sinnlichkeit, nicht das

Produkt dessen, wodurch ich affizirt werde. Wenn ich dagegen durch Verbindung des Mannichfaltigen gegebner Vorstellungen zu Begriffen gelange, so verhält sich der Verstand, wiefern ihm diese Vorstellungen gegeben sind, negativ thätig oder leidend. — Auch kann man nicht sagen, dafs die Sinnlichkeit den Verstand verwirre oder gar betrüge. Denn diefs würde so viel heifsen als, die Sinnlichkeit bringe die Erkenntnifs in Unordnung und verfälsche sie. Allein die Sinnlichkeit liefert in ihren Anschauungen und Empfindungen den gesammten Grundstoff der Erkenntnifs, welchen der Verstand verarbeiten d. h. durch Bildung der Begriffe zur würklichen Erkenntnifs erheben soll. Wenn also in der Erkenntnifs Unordnung und Irrthum herrscht, so ist es die Schuld des Verstandes und nicht der Sinnlichkeit. Überdiefs setzt Irrthum Urtheil voraus. Denn irren heifst falsch urtheilen. Das Urtheilen aber ist eine Funkzion des Verstandes, nicht der Sinnlichkeit. — Wo kein Verstand ist, da ist auch keine Erkenntnifs, weil die Begriffe fehlen. Wenn also die Thiere keinen Verstand haben, so haben sie auch keine Erkenntnifs. Indessen finden sich doch auch bey Thieren, besonders bey manchen Arten derselben, Spuren, dafs sie etwas erkennen. Also mufs ihnen auch Verstand, wiewohl im minderen Grade als dem Menschen, beygelegt werden. Das, wodurch sich der Mensch über das Thier erhebt, ist nicht der Verstand — denn man kann in manchen Fällen sogar sagen, ein Thier sey verständiger als dieser oder jener Mensch — sondern die

Vernunft, von der erst weiter unten die Rede seyn
wird.   Diese mangelt dem Thiere durchaus, wie
schon aus seiner absoluten Sprachunfähigkeit erhellet,
die sich selbst dann zeigt, wenn der Mensch dem
Thiere gewisse artikulirte Töne beybringt.   Daher
kann dem Thiere auch nicht einmal ein *Analogon ra-
tionis* beygelegt werden, sondern nur, wenn man
diesen Ausdruck beybehalten will, ein *Analogon intellectus* d. h. ein niederer Grad des Verstandes, da
jedes Vermögen in Rücksicht seiner Intension verschiedne Grade zuläfst, und der Verstand, als empirisches Vermögen, selbst bey Menschen in verschiednem
Grade vorkommt, obgleich der transzendentale Verstand d. h. der Verstand in seiner ursprünglichen Bestimmtheit bey allen als gleich vorausgesetzt werden
mufs (§. 74. Anm. 2.). — Ob übrigens ein in tuiti-
ver Verstand oder ein intellektuelles Anschauungsvermögen stattfinden könne, ist eine
Frage, die keinen recht vernünftigen Sinn zu haben
scheint, und der Streit über die Möglichkeit einer
intellektuellen Anschauung scheint ebenfalls
nichts weiter als ein leerer Wortstreit zu seyn.   Sinnlichkeit und Verstand sind ja nicht in uns selbst so
getrennte Vermögen, als sie die philosophische Theorie absondert, um sie genauer im Einzelnen betrachten zu können.   Wir zerstückeln alles durch unsre
Abstrakzionen und Reflexionen, und betrachten es
nach und nach und theilweise, was an und für sich ein
unzertrennliches Ganze ausmacht.   Daher entstehen
eine Menge von schiefen Ansichten und einseitigen

Behauptungen. Wenn nun Sinnlichkeit und Verstand ein und dasselbe Vorstellungs- und Erkenntnifsvermögen im Ganzen konstituiren, so ist unser Verstand selbst intuitiv und unser Anschauungsvermögen intellektuell. Intellektuelle Anschauung muſs daher überall stattfinden, wo würkliche Erkenntnifs stattfinden soll d. h. Anschauung und Begriff müssen immer innig verbunden seyn und ein Ganzes der Vorstellung ausmachen. Soll aber ein intuiver Verstand ein solcher seyn, welcher von der Sinnlichkeit gleichsam losgerissen dennoch sinnlich thätig wäre, und ein intellektuelles Anschauungsvermögen ein solches, welches vom Verstande abgetrennet dennoch Verstandesthätigkeit aüfseite, so gestehe ich, daſs ich mir von einer solchen Thätigkeit schlechterdings keinen Begriff machen kann und die intellektuelle Anschauung in diesem Sinne für nichts weiter als ein hölzernes Eisen halte. Soll daher die intellektuelle Anschauung, welche die Wissenschaftslehre dem Philosophiren zum Grunde legt, irgend etwas mögliches und würkliches seyn, so ist sie nichts anders, als diejenige Thätigkeit, durch welche ich mich vermittelst des innern Sinnes selbst anschaue und das, was ich in mir selbst wahrnehme, in Begriffe fasse, um mich selbst erkennen zu lernen. Sie ist also mit einem Worte das Philosophiren selber, wie es oben charakterisirt worden ist §. 30 und 31.

§. 80.

Die Funkzion der praktischen Intellektualität (des Willens) ist das Wollen oder das mittelbare Streben nach einem Gegenstande, welches darin besteht, daſs das Gemüth nach einem Zweckbegriffe, mithin nach einer das Mittel zur Realisirung des vorgestellten Zwecks bestimmenden Regel thätig ist. Die Bestrebungen des Willens sind also intellektuelle Bestrebungen und heissen Wollungen (*volitiones*, θελης;). Mithin kann der Wille auch ein intellektuelles Bestrebungsvermögen genannt werden. Die aus demselben hervorgehenden Bestimmungen des Gemüths, vermöge welcher es auf gewisse Weise würksam ist, heiſsen Gesinnungen und machen die praktische Denkungsart aus. Da nun der Trieb immer auf dieselbe in einer wenigstens negativen Beziehung steht, so hat die praktische Sensualität und Intellektualität an unsrer Denkungsart gemeinschaftlichen Antheil.

Anmerkung 1.

Das Wollen und das ihm entsprechende Nichtwollen ist von dem bloſsen Begehren und Verabscheuen wesentlich verschieden. Der Trieb nämlich,

als solcher (d. h. wiefern er lediglich auf das Angenehme und Unangenehme gerichtet ist, und jenes begehrt, dieses verabscheut §. 78. Anmerk. 1 und 2.),
würkt blind. Denn das Subjekt ist sich dabey keines Zwecks und keiner auf diesen Zweck sich beziehenden Regel seiner Thätigkeit bewufst. Das Begehren
und Verabscheuen ist ein blofses Angezogen und Abge-
stofsen werden (ὁρμὴ καὶ αφορμη). Wir können uns
aber auch bey unsrer praktischen Thätigkeit beliebige
Zwecke setzen d. h. Begriffe von möglichen Objekten
unsrer Thätigkeit bilden und aus diesen Objekten irgend
eins als Ziel unsers Handelns bestimmen. Wir müssen
dann nachdenken über die Mittel zum Zwecke
d. h. über die Bedingungen, unter welchen und durch
welche jenes Ziel erreicht werden kann. In diesem
Falle sind wir thätig nach einer Regel d. h. nach
einer vorher bestimmten Handlungsweise zur Realisirung des Zwecks durch gewisse Mittel. Da also bey
dieser Thätigkeit ein Wählen möglich ist, so heifst
das Streben alsdann ein Wollen. Der Wille überhaupt (oder im weitern Sinne) ist folglich ein nach
Begriffen und Regeln thätiges, mithin ein intellektuelles Bestrebungsvermögen.

Anmerkung 2.

Da die Objekte, auf welche der Wille gerichtet
seyn kann, von doppelter Art sind, so erscheint auch
der Wille in einer zwiefachen Qualität. Erstlich können es solche Objekte seyn, die als Mittel des Ange-
nehmen betrachtet werden, ob sie gleich vielleicht

an und für sich selbst nicht angenehm, vielleicht gar
unangenehm sind (z. B. eine bittre Arzney) oder die
als Mittel des Unangenehmen betrachtet werden, ob
sie gleich an und für sich selbst nicht unangenehm,
vielleicht gar angenehm sind (z. B. ein süfses Gift).
Solche Objekte heifsen **nützlich** und **schädlich**,
oder auch **gut** und **böse**. Aber sie sind nur **relativ**
(d. h. in Beziehung auf den Trieb, dem sie in ihren Folgen angemessen oder entgegen sind) **gut** und **böse**.
Der Wille erscheint alsdann als **ein durch Reflexion geleiteter Trieb**, weil er wie der Trieb auf
das Angenehme und Unangenehme, obwohl nur **mittelbar**, nämlich durch das Nützliche und Schädliche,
gerichtet ist, da hingegen der Trieb, wiefern er **u n-
mittelbar** auf das Angenehme und Unangenehme
geht, **ein blinder Trieb ist** *). Indessen mufs

---

*) Man nennt den Trieb in dieser Rücksicht auch **thierischen Trieb** (*instinctus brutus*) oder **Instinkt
schlechthin** (*instinctus* κατ' ἐξοχὴν). Da aber den
Thieren, besonders den vollkommnern, wie oben
(§. 79. Anm. 5.) bemerkt wurde, unstreitig ein gewisser Grad des Verstandes zukommt, so würkt auch
bey ihnen der Trieb nicht immer blind, sondern er
mufs zuweilen durch eine Art von Reflexion geleitet
werden, weil sonst viele ihrer Thätigkeiten durchaus
unbegreiflich seyn würden. So wie man daher den
Thieren ein *Analogon intellectus* beylegen mufs, so
mufs ihnen auch ein *Analogon voluntatis* zugeschrie-
ben werden, und dieses *Analogon voluntatis* ist nichts
anders als das sogenannte *Arbitrium brutum*, wie sich

der Wille auch noch andre Objekte seines Strebens
haben. Denn wir sind uns bewuſst, daſs, obgleich
etwas angenehm oder nützlich ist, wir dennoch oft an
der Handlung selbst, wodurch wir Genuſs oder Vortheil bewürken könnten, ein Miſsfallen haben und sie
daher n i c h t w o l l e n, an andern Handlungen hingegen ohne Rücksicht auf Genuſs und Vortheil ein
Wohlgefallen haben und sie daher w o l l e n, und
zwar so wollen, daſs wir dieses Wollen sogar jedem
Andern anmuthen oder von ihm fodern. Es muſs also,
etwas geben, was a b s o l u t (d. h. an und für sich
selbst) g u t und b ö s e ist, was wir eben darum
s c h l e c h t h i n billigen und miſsbilligen, von dem
wir daher auch behaupten, daſs es jeder thun und lassen s o l l. Der Wille erscheint demnach hier als e i n
v o m T r i e b e u n a b h ä n g i g e s V e r m ö g e n, als
ein praktisches Vermögen, das sich nach anderweiten
Zwecken und Regeln richtet, als der durch Reflexion
geleitete Trieb. Welches diese Zwecke und Regeln
seyn und woher sie entspringen mögen, lassen wir
jetzt noch dahin gestellt seyn, und bemerken bloſs,

---

gleich zeigen wird. Der Trieb als Trieb (Instinkt)
würkt beym Menschen eben so blind als beym Thiere.
Die Kultur vermindert auch bey beyden die Energie
des Instinktes, nur dort im höheren Grade, weil
dort die Kultur einen höheren Grad erreicht. Die
m e n s c h l i c h e n Triebe aber, die man zuweilen den
t h i e r i s c h e n entgegensetzt, sind entweder veredelte
Triebe, oder Neigungen, die sich im Menschen aus
dem Triebe nach und nach entwickelt haben.

dafs der Wille, wiefern er in seiner Thätigkeit als der durch Reflexion geleitete Trieb erscheint, Willkür, wiefern er aber als ein vom Triebe unabhängiges Vermögen erscheint, Wille im strengern oder engern Sinne heifst *). Denn dort findet eine würkliche

---

*) Die Ausdrücke Willkür und Wille werden oft als gleichgeltend gebraucht; allein ob sie gleich verwandt sind, so findet doch ein bedeutender Unterschied statt. Willkür kommt her von wollen und küren, welches letzte bekanntlich so viel als wählen bedeutet. Es zeigt also einen Willen an, dem die Wahl nicht bestimmt ist, sondern der ganz beliebig wählen kann. Der schlechtweg sogenannte Wille hingegen ist ein Wille, dem die Wahl bestimmt ist, der nur Eins, was er soll, wählen darf, der also eigentlich nicht wählt, sondern nur will. Daher mufs man nothwendig Wille im weitern und engern Sinne unterscheiden. Wille im weitern Sinne kann man auch den Thieren beylegen; denn Willkür kommt den Thieren zu, insoferne sie wählen können, obgleich die Willkür bey ihnen natürlich beschränkter ist, als bey den Menschen; daher man thierische Willkür (*arbitrium brutum*) und menschliche Willkür (*arbitrium humanum*) unterscheidet, welche aber nur dem Grade nach verschieden sind, und womit man den theologischen Unterschied zwischen *arbitrium servum* und *arbitrium liberum* nicht verwechseln darf. Wille im engern Sinne bezieht sich nur auf das Moralische und kommt den Thieren nicht zu, weil das Moralische nur durch Vernunft bestimmbar ist. Wenn es daher moralische Freyheit giebt, so giebt es nur eine Freyheit des Willens, nicht der Willkür. Denn die Willkür steht

Wahl statt; indem es mancherley Dinge geben
kann, die entweder gleich nützlich sind oder wovon
Eins nützlicher (relativ besser) ist, als das Andre,
wo also das Eine vor dem Andern ausgewählt werden
kann. Hier soll eigentlich keine Wahl stattfinden;
denn es ist in jedem bestimmten Falle immer nur Eins
gut, weil es schlechthin (absolut, mithin ohne Kom-
parativ) gut ist, welches daher auch nur gewollt werden soll. Der Wille hat also hier blofs einem höheren Gesetze zu gehorchen. Gehorcht er demselben
nicht (will das handelnde Subjekt nicht, was es soll),
so ist diefs ein Beweis, dafs der Wille nicht positiv
sondern negativ thätig gewesen ist d. h. dafs das handelnde Subjekt das Gute unterlassen hat, weil es sich
vom Triebe beherrschen liefs, dafs es also eine Wahl
anstellte zwischen dem relativ Guten und dem absolut
Guten, die es gar nicht anstellen sollte, dafs es mithin willkürlich handelte, statt gesetzlich zu handeln.

Anmerkung 3.

Alles, was relativ gut ist, gehört zur Glückseee-
ligkeit, alles, was absolut gut ist, zur Sittlichkeit. Glückseeligkeit ist nämlich Wohlseyn, Sittlichkeit Gutseyn oder Wohlverhalten, beydes in seiner

---

nur in mittelbarer Beziehung auf das Moralische, nämlich soferne der Wille die Willkür in der Wahl bestimmt. Denn da der Willkür die Wahl nicht bestimmt ist, so kann der Trieb oder der Wille diese
Wahl bestimmen.

Vollendung als Qualität eines handelnden Subjektes
gedacht. Glückseeligkeit findet also statt, wenn der
Trieb in der möglichsten Extension, Intension und
Protension befriedigt wird, mithin wenn das meiste,
lebhafteste und dauerhafteste Vergnügen genossen
wird. Man kann daher mit Recht sagen, alle einzelnen Triebe oder Neigungen des Menschen vereinigen
sich im Triebe nach Glückseeligkeit, obgleich das, was von Jedem zu seiner Glückseeligkeit gerechnet wird, von den empirischen Bestimmungen des Subjektes (von seiner Lage und den besondern Modifikazionen seiner einzelnen Triebe und Neigungen) welche in's Unendliche mannichfaltig sind,
abhangt. Daher ist das Wort Glückseeligkeit blofs
ein allgemeiner Titel, worunter von verschiednen
Subjekten und selbst von einem und demselben Subjekte zu verschiednen Zeiten die verschiedensten und
oft einander gerade entgegengesetzten Dinge zusam-
mengefafst werden. Folglich läfst sich auch in Beziehung auf Glückseeligkeit als höchstes Ziel der Thätigkeit gedacht keine allgemeingültige Regel des
Handelns aufstellen. Die Sittlichkeit hingegen mufs
durch eine solche Regel bestimmbar seyn, da sie
auf etwas gerichtet ist, was absolut, mithin für
alle handelnde Subjekte nothwendiger Weise gut ist.
Diese Regel aber kann nicht im Willen selbst liegen,
weil sie eben dieser befolgen soll, sondern sie mufs
ihm durch eine höhere Auktorität gegeben werden,
welches die der Vernunft ist, wie sich aus dem
Folgenden ergeben wird.

Anmer-

Anmerkung 4.

Da der Trieb durch sensuelle Vorstellungen (der Lust und Unlust, wieferne dieselbe empfunden wird) der Wille hingegen durch intellektuelle Vorstellungen (gewisser Verbindlichkeiten, wieferne sie als Regeln gedacht werden) bestimmbar ist, so kann jener das niedere, dieser das höhere Bestrebungs- und Handlungsvermögen (sonst Begehrungsvermögen) genannt werden (§. 79. Anm. 5.). Wenn jenes würksam ist, verhält sich das Subjekt mehr leidend, wenn dieses, mehr thätig; in keinem von beyden Fällen aber blofs leidend oder blofs thätig, indem bey der menschlichen Thätigkeit, die stets eine endliche und beschränkte ist, Passivität und Aktivität immer mit einander verbunden ist. Nur eine unendliche und unbeschränkte Thätigkeit würde als reine Aktivität gedacht werden müssen, ungeachtet wir uns von einer solchen Thätigkeit keinen bestimmten Begriff machen können.

§. 81.

Wenn wir endlich noch einmal auf unsre gesammte Thätigkeit reflektiren, so finden wir in uns noch ein Vermögen, welches sich das Absolute selbst zum Ziele seiner Würksamkeit setzt und insoferne nach dem Unendlichen strebt. Dieses Vermögen heifst die Vernunft und ist eine Quelle eigenthümlicher

Vorstellungen und Grundsätze, welche vorzugsweise Ideen und Prinzipien heißen. Wieferne sich diese Ideen und Prinzipien auf das Theoretische beziehen, heißt die Vernunft selbst theoretisch; wieferne sich aber jene auf das Praktische beziehen, heißt sie praktisch.

Anmerkung 1.

Der Ausdruck Vernunft zeigt unstreitig das Erhabenste, Vortreflichste in der menschlichen Natur an, dasjenige, worauf die ganze Würde des Menschen beruht, wodurch er sich wesentlich (*specie*, nicht blofs *gradu*) vom Thiere unterscheidet, was ihn über die sinnliche Ordnung der Dinge hinaus in eine übersinnliche Reihe der Wesen versetzt. Durch Vernunft vermag nämlich der Mensch sich selbst ein Höchstes und Letztes in Ansehung seiner gesammten Thätigkeit zu setzen. Dieses Höchste und Letzte kann man schlechtweg das Absolute oder Unbedingte nennen; denn es ist das in und durch sich selbst Bestimmte und Vollendete, was von keiner anderweiten Bedingung abhängig ist. Die Vorstellungen und Grundsätze, welche die Vernunft in Beziehung auf jenes Absolute bildet und aufstellt, heißen vorzugsweise Ideen und Prinzipien; denn in einer weitern Bedeutung heißen auch alle und jede Vorstellungen und Grundsätze Ideen und Prinzipien. Was durch Ideen vorgestellt wird, heißt auch idealisch und das Idealische ist immer ein Produkt der Vernunft, das der Verstand durch seine Begriffe nicht fassen kann. Das Idealische kann daher nur (gleichsam durch höhere Eingebung) vernommen aber nicht verstanden werden, und ebendaher scheint das oberste Thätigkeitsprinzip im Menschen (der in ihm wohnende höhere Dämon, der ihm die verborgenen Gründe der Dinge offenbart, in ihm redet und spricht u. s. w.) den Namen Vernunft (ratio, λογος) erhalten zu haben. Das Absolute aber, was die Vernunft sich zum Ziel ihrer Thätigkeit setzt, liegt für den Menschen als ein beschränktes Wesen in einer unabsehlichen Ferne, so daß er sich zwar demselben immer fortschreitend annähern, aber es nie erreichen kann. Daher liegt in der Vernunft eine stetige Tendenz zum Unendlichen; daher kann das Idealische nie in seiner ganzen Vollkommenheit realisirt werden; und daher ist der Mensch in Ansehung seiner gesammten, sowohl theoretischen als praktischen, Thätigkeit einer stetigen Vervollkommnung fähig. Auf der Vernunft beruht also einzig und allein die sogenannte Perfektibilität der menschlichen Natur und alles dessen, was dem Menschen gegeben oder von ihm erzeugt ist.

Anmerkung 2.

Die Würksamkeit der Vernunft oder die Tendenz des menschlichen Geistes zum Absoluten äußert sich auf eine doppelte Art; einmal in Beziehung auf das Vorstellen und Erkennen, wo die Vernunft

sich als theoretisches Vermögen ein Höchstes
und Letztes setzt d. h. Ideen und Prinzipien aufstellt,
nach welchen das Absolute in der Erkenntnifs oder durchgängige Einstimmung in den menschlichen Vorstellungen gesucht wird; sodann in Beziehung auf das Streben und Handeln, wo die
Vernunft sich als praktisches Vermögen ein
Höchstes und Letztes setzt d. h. Ideen und Prinzipien
aufstellt, nach welchen das Absolute im Handeln oder durchgängige Einstimmung in den menschlichen Bestrebungen gesucht wird. Dort erscheint die
Vernunft in der Qualität eines über Sinn und Verstand
erhabnen Vorstellungs- und Erkenntnifsvermögens;
hier in der Qualität eines über Trieb und Wille erhabnen Bestrebungs- und Handlungsvermögens. Nennt
man nun nach dem gewöhnlichern Sprachgebrauche
das theoretische Gemüthsvermögen Erkenntnifsvermögen und das praktische — Begehrungsvermögen: so giebt es eigentlich ein dreyfaches Er-
kenntnifs- und Begehrungsvermögen, nämlich

1.) ein niederes (*facultas cognoscendi et appetendi inferior*) $=$ Sinn und Trieb $=$ Sensualität.

2.) ein höheres (*facultas cognoscendi et appetendi superior*) $=$ Verstand und Wille $=$
Intellektualität.

3.) ein höchstes (*facultas cognoscendi et appetendi suprema*) $=$ theoretische und prak-
tische-Vernunft $=$ Razionalität.

Man befafst jedoch zuweilen das letzte mit unter dem
Titel des höheren Erkenntnifs- und Begehrungs-
vermögens. Daher werden denn auch oft die Ausdrücke Verstand und (theoretische) Vernunft als
gleichgeltend gebraucht, und eben so oft die Ausdrücke Wille und (praktische) Vernunft mit einander
verwechselt (z. B. wenn Verstand und Wille dem
Menschen ausschliefsend beygelegt werden, wenn die
Logik von Einigen eine Verstandes- von Andern eine
Vernunftwissenschaft genannt wird, wenn man sagt,
der Wille gebe sich selbst ein Gesetz oder das Gesetz
sey der praktischen Vernunft gegeben u. s. w.). Indessen kann dieser schwankende Sprachgebrauch keineswegs gebilligt werden; wenigstens ist er in der
Wissenschaft, wo die möglichste Bestimmtheit der
Begriffe und der ihnen entsprechenden Ausdrücke mit
Recht gefodert wird, durchaus nicht zu dulden.

Anmerkung 3.

Da die Prinzipien der theoretischen Vernuhft sich
blofs auf das Vorstellen und Erkennen beziehen, der
Inbegriff alles dessen aber, was ist und in Ansehung
seines Seyns und seiner Beschaffenheit als ein mögliches Objekt der Erkenntnifs betrachtet wird, Natur
(in materialer Bedeutung) heifst, so sind die Prinzipien der theoretischen Vernunft als blofse Naturgesetze (*leges physicae*) anzusehen, nach welchen
sich das Gemüth von selbst oder vermöge der Nothwendigkeit seiner Natur (in formaler Bedeutung)
richtet. Die Prinzipien der praktischen Vernunft

hingegen beziehen sich auf das Streben und Handeln,
mithin nicht auf das, was ist, sondern was seyn soll.
Die praktische Vernunft gebietet also hier etwas (*im-
perat*) und zwar schlechthin oder unbedingt (*absolute
s. categorice*) d. h. sie fodert ein gewisses Handeln
als etwas, das an sich selbst, mithin ohne Rücksicht
auf Genuſs oder Gewinn, gut ist. Für an sich selbst
gut aber kann die Vernunft, die auf durchgängige
Einstimmung in den menschlichen Bestrebungen sowohl als den menschlichen Vorstellungen gerichtet ist,
nur ein solches Handeln anerkennen, welches mit sich
selbst in allen Fällen und Hinsichten einstimmt und
daher auch von allen vernünftigen Subjekten gewollt
oder gebilligt werden kann. Nun kann sich alles unser Handeln entweder auf die Glückseeligkeit oder auf
die Sittlichkeit beziehen. Im ersten Falle ist es nur
relativ gut und kann nicht in allen Fällen und Hinsichten mit sich selbst übereinstimmen, weil das, was
zur Glückseeligkeit gerechnet wird, von lauter individuellen und momentanen Bestimmungen eines jeden
Subjektes abhangt *). Also ist nur das Sittlichgute

---

*) Vergl. §. 80. Anm. 3. — Es ist kein relatives Gut
in der Welt, das nicht durch zufällige Umstände ein
groſses Übel für den Menschen werden könnte. Selbst
das physische Leben, welches als Bedingung des Be-
sitzes und Genusses aller uns bekannten relativen
Güter am höchsten und allgemeinsten geschätzt wird,
kann für manchen zur unerträglichen Bürde werden. Daher kommt es, daſs der Mensch, der
bloſs nach relativen Gütern strebt, mithin die Glück-

absolut gut, und die Prinzipien der praktischen Vernunft sind als Sittengesetze (*leges ethicae*) anzusehen, nach welchen sich das Gemüth zwar nicht vermöge seiner Naturnothwendigkeit richtet, nach welchen es sich aber doch richten soll. Diesem Sollen entspricht nun das Wollen. Das Vermögen, an welches die praktische Vernunft ihre Anfoderungen richtet, ist also der Wille, so dafs jene gleichsam die gesetzgebende und dieser die ausführende Gewalt in Ansehung unsrer moralischen Würksamkeit hat. Die Prinzipien der praktischen Vernunft können daher auch Willensgesetze (d. h. Gesetze für den Willen) heifsen.

Anmerkung 4.

Gebürt der theoretischen oder der praktischen Vernunft der Primat? — Eine wunderliche Frage! Gleichsam als wenn theoretische und praktische Vernunft zwey verschiedne Behörden wären, die in Ansehung der Auktorität ihrer Gesetze wie zwey Magistraturen im Staate in einen Rangstreit gerathen könnten! Die Vernunft als solche. ist in Ansehung

---

seeligkeit zum einzigen und höchsten Ziele seines Handelns macht, folglich sein Thun und Lassen keinem höheren von der Glückseligkeit unabhängigen Gesetze unterwerfen und dadurch jenes Streben nicht beschränken will, gerade am unglückseligsten wird und am Ende sogar den Geschmack am physischen Leben, als dem höchsten relativen Gute, verliert.

ihrer Prinzipien durchaus mit sich selbst einig, sie
ist sich durchaus selbst gleich.   Also kann von einem
eigentlichen Primate der praktischen Vernunft vor der
theoretischen nicht die Rede seyn.   Wenn man indessen den von KANT sogenannten Primat so versteht,
daſs die Vernunft, wieferne sie Handlungsprinzipien
aufstellt, eine höhere Funkzion ausübe, als wieferne
sie Erkenntniſsprinzipien aufstellt, daſs daher Folgerungen, welche aus jenen gezogen werden, für den
handelnden Menschen mehr Gewicht haben, als Folgerungen, welche aus diesen gezogen werden, für den
blofs spekulirenden: so hat die Sache ihre gute Richtigkeit.   Denn der Mensch ist nicht zum Spekuliren,
sondern zum Handeln bestimmt; er·soll in der Welt
moralisch würksam seyn und nach immer höherer
Vollkommenheit streben.   Was also in nothwendiger
Beziehung auf sein Handeln steht oder als nothwendige Bedingung seiner sittlichen Thätigkeit in ihrer
Vollständigkeit angesehen werden muſs, dessen Realität muſs ihm eben so gewiſs und noch gewisser
seyn, als was er durch blofse Spekulazion erkannt
zu haben glaubt.

§. 82.

Dadurch daſs der Mensch ein vernünftiges
und sittliches Wesen ist, wird er zugleich
überzeugt, daſs er ein freyes Wesen ist.
Zu dieser Freyheit gehört 1.) daſs er sein
eigner Gesetzgeber in Anschung seiner sitt-

lichen Thätigkeit ist, und 2.) daſs er unabhängig von aller Naturnothwendigkeit sich selbst zur Beobachtung der von seiner Vernunft aufgestellten Gesetze bestimmen kann. Durch diese innere Freyheit behauptet der Mensch eine ihm eigenthümliche Würde, vermöge deren er als Person über alles, was bloſses Objekt der Freyheit ist und als solches Sache heiſst, weit erhaben ist. Daher kommt ihm auch im Verhältnisse zu andern Menschen aüſsere Freyheit zu.

Anmerkung 1.

Das Bewuſstseyn sittlicher Gesetze, welche die Vernunft diktirt, erhebt den Menschen über die Natur oder die Sinnenwelt, so daſs er, ob er gleich als ein sinnliches Wesen als Produkt und Theil der Natur erscheint mithin auch als solcher den Gesetzen der Naturnothwendigkeit unterworfen ist, dennoch als ein sittliches Wesen von jenen Gesetzen unabhängig, mithin frey ist. Der Mensch ist also

1.) in sittlicher Hinsicht sein eigner Gesetzgeber. Denn die praktische Vernunft stellt aus eigner Machtvollkommenheit Gesetze des Handelns auf, nach welchen der Mensch in seinem ganzen Verhalten sich richten soll. Diese Gesetze sind unabhängig von der Sankzion des Gefuhls der Lust und Unlust; denn

sie bestimmen nicht, was relativ gut ist — dem Triebe
Befriedigung verspricht, mithin von diesem oder jenem Subjekte begehrt wird — sondern was absolut
gut ist — was allgemein gebilligt werden kann, mithin objektiv gültig in praktischer Hinsicht ist. Daher
legt die Kritik mit Recht dem Menschen Autonomie
(besser Heautonomie) bey. Diese Autonomie ist
aber nicht eine Autonomie des Willens, sondern der
Vernunft; denn diese giebt, jener empfängt die Gesetze; man müſste denn unter dem Worte Wille die
praktische Vernunft zugleich mit verstehen. — Der
Mensch ist

2.) in sittlicher Hinsicht frey. Denn indem die
Vernunft etwas als schlechthin gut gebietet, so fodert sie auch einen freyen Gehorsam d. h. eine
Vollbringung des Guten um sein selbst willen, oder,
wie es die Kritik ausdrückt, aus reiner Achtung gegen
das Gesetz. Einen solchen Gehorsam könnte aber die
Vernunft nicht fodern, wenn nicht das handelnde
Subjekt sich mit absoluter Spontaneität über die Herrschaft des Triebes zu erheben und ohne Rücksicht auf
die Folgen gesetzmäſsiger Handlungen für den Trieb
zur Vollbringung derselben zu bestimmen vermöchte.
Das Subjekt, welches unter dem Gesetze steht, muſs
sich also als frey in seinen Handlungen beurtheilen;
es muſs denken, ich soll auf diese Weise handeln,
also muſs ich es auch können. Nun ist freylich, da
der Mensch als Natur- oder Sinnenwesen auch unter
den Naturgesetzen der Sinnenwelt steht, die Vereini-

gung der Freyheit und Naturnothwendigkeit in einem und demselben Subjekte der Thätigkeit durchaus unbegreiflich; und da alle Handlungen des Menschen, wieferne sie wahrgenommen werden sollen, in der Sinnenwelt erscheinen müssen, so müssen sie auch nach den Gesetzen der Sinnenwelt erfolgen, und können nur als solche erkannt werden, die durch vorhergehende Veränderungen in der Sinnenwelt bedingt sind. Allein dessen ungeachtet liegt kein Widerspruch darin, ein Subjekt der Thätigkeit in der einen Hinsicht (als sinnliches Wesen) als nicht frey und in der andern (als sittliches Wesen) als frey zu denken. Die Freyheit ist also wenigstens möglich. Und da diese Freyheit die einzig mögliche Bedingung der Erfüllbarkeit der Anfoderungen der Vernunft ist, so muß sie dem handelnden Subjekte auch würklich beygelegt werden. Man kann dieß auch so ausdrücken: Die praktische Vernunft, indem sie etwas absolut gebietet, postulirt für dieses Gebot einen freyen Gehorsam; also postulirt sie auch die Freyheit selbst. Daher nennt die Kritik nicht mit Unrecht die Freyheit ein Postulat der praktischen Vernunft. Die Freyheit aber wird zunächst dem Willen beygelegt (Freyheit des Willens oder freyer Wille), weil das Wollen dem Sollen entspricht und der Entschluß, daß, was geschehen soll, würklich geschehe, als vom Willen abhängig gedacht wird. Die Vernunftgesetze sind also, wieferne sie Willensgesetze sind, auch Freyheitsgesetze (§. 81. Anm. 3.).

Anmerkung 2.

Autonomie der Vernunft und Freyheit des Willens, welche nothwendig mit einander verknüpft sind und im Grunde Ein und eben dasselbe, nur von verschiednen Seiten betrachtet, bedeuten, charakterisiren den Menschen als Person und distinguiren ihn wesentlich von jeder Sache. Person ist nämlich ein Subjekt der Freyheit, Sache ein blofses Objekt derselben. Ein Subjekt der Freyheit vermag sich den Zweck seines Seyns und Würkens selbst zu setzen; eine Person ist also ein Selbstzweck (αυτοτελης). Ein blofses Objekt der Freyheit vermag sich den Zweck seines Seyns und Würkens nicht selbst zu setzen, sondern dieser Zweck wird ihm gesetzt durch ein Subjekt der Freyheit, das sich desselben durch Unterwerfung unter seine Gesetze zur Realisirung seiner Zwecke bedient; eine Sache ist also ein Mittel zu einem fremden Zwecke (ἑτεροτελης). So wie also Autotelie aus der Autonomie nothwendig folgt, so folgt Heterotelie aus der Heteronomie. Hierauf nun · beruht allein die Würde (dignitas) des Menschen, vermöge welcher er keinen Preis (pretium) hat d. h. nicht im Verhältnisse zu andern Sachen als wäre er selbst eine Sache (gleichsam eine Waare zum Verkauf und Verbrauch) geschätzt werden kann. Er hat also keinen relativen, sondern einen absoluten Werth. Jener kommt den Sachen, dieser nur den Personen zu. Die Würde des Menschen aber ist theils eine ursprüngliche, die ihm zukommt als sittlichem Wesen überhaupt

oder vermöge seiner Anlage zur Sittlichkeit, theils
eine erworbene, die ihm zukommt als einem
sittlichgut handelnden Wesen oder vermöge
seines moralischen Verhaltens. Durch dieses Verhalten kann er aber auch, wenn es nicht moralisch gut
sondern moralisch böse ist, seiner ursprünglichen
Würde Abbruch thun d. h. sich selbst erniedrigen
oder entehren, insofern er sich der Herrschaft des
Triebes unterwirft, mithin so handelt, als wenn er
nicht autonomisch und frey wäre. Er folgt alsdann
der Heteronomie seiner Neigungen und macht sich
selbst zum Sklaven derselben. Diese moralische Sklaverey, wodurch er seine Freyheit verloren zu haben
scheint, muß dennoch als aus seiner Freyheit
entsprungen betrachtet und ihm daher als
seine eigne That zugerechnet werden. Denn
da er ursprünglich frey ist als vernünftiges und moralisches Wesen, so muß er es auch immerfort bleiben;
seine Sklaverey muß also als eine freywillige
d. h. als eine solche beurtheilt werden, die er jeden
Augenblick abwerfen könnte, wenn er nur wollte.
Daß er nun gleichwohl als ein freyes Wesen ein
Sklav seyn und bleiben will, daß er als ein vernünftiges Wesen doch nicht thut, was die Vernunft fodert,
und daß er als ein sittliches Wesen dennoch unsittlich
handelt; daß also der Mensch ungeachtet seiner ursprünglichen Anlagen zum Guten gleichwohl ein böser
Mensch werden kann, ist völlig unbegreiflich, weil
die Freyheit selbst unbegreiflich ist. Daß aber diese
Unbegreiflichkeit niemanden auffällt, kommt lediglich

daher, weil jeder an sich selbst das Faktum, daſs er
böse gehandelt habe, wahrnimmt. Daher ist der Ursprung des Bösen unter den Menschen eben so uner-
forschlich als der Ursprung des Menschen überhaupt.
— Übrigens heiſst das Bewuſstseyn der Vernunftge-
bote, so wie sie sich in jedem gegebenen Handlungs-
falle im Innern des Menschen ankündigen, das sittliche Bewuſstseyn (*conscientia moralis*) oder
mit Einem Worte das Gewissen (*conscientia
κατ᾽ ἐξοχην*), weil sich der Mensch, wenn die Vernunft etwas gebietet, dessen am gewissesten bewuſst
ist. Daher heiſsen auch sowohl die Foderungen der
Vernunft als die Urtheile derselben über das Verhältniſs vergangener oder künftiger Handlungen zu ihren
Foderungen Aussprüche des Gewissens, und
das Gewissen selbst wird auch der innere Richter
genannt. Die Handlungen aber, zu welchen die Vernunft oder das Gewissen durch ihre Foderungen ver-
binden, heiſsen Pflichten, und die gewissenhafte
Beobachtung derselben macht den Charakter der Tugend aus. Tugend ist also sittliche Vollkommenheit als endliche Gröſse betrachtet; denn als unendliche Gröſse gedacht heiſst sie Heiligkeit.

Anmerkung 3.

Die innere Freyheit, die dem Menschen als ver-
nünftigem und sittlichem Wesen zukommt, ist zugleich der Garant seiner äuſsern Freyheit d. h. seiner Unabhängigkeit von fremder Willkür. (Der Zusatz — insofern er sich nicht selbst derselben unter

gewissen Bedingungen unterworfen hat — wäre über-
flüssig; denn ebendadurch, daß er selbst sich unterworfen und daß er es unter gewissen Bedingungen gethan hat, dokumentirte sich die Unabhängigkeit von fremder Willkür.) Die Persönlichkeit
nämlich, die dem Menschen an und für sich selbst zukommt, wenn ihm als Subjekte der Freyheit äußere
Objekte derselben gegeben sind, muß ihm auch im
Verhältnisse zu andern Menschen zukommen d. h. der
Mensch darf nicht von irgend einem andern Menschen
in Ansehung seiner äußern Würksamkeit so beschränkt
werden, daß dadurch seine Persönlichkeit aufgehoben
und er zur bloßen Sache gemacht würde. Er darf also
äußerlich frey handeln unter der Bedingung, daß er
nicht selbst durch seinen Freyheitsgebrauch die Persönlichkeit Andrer verletze. Dieses Dürfen ist also
reziprok, und ist nichts anders als das Rechtsverhältniß, in welchem die Menschen vermöge
ihrer praktisch-vernünftigen Natur gegen einander
stehen. Denkt man sich nun eine öffentliche Anstalt,
durch welche dieses Rechtsverhältniß so bestimmt und
gesichert wäre, daß die Freyheit jedes Einzelnen mit
der Freyheit aller Übrigen auf's Genaueste harmonirte,
so entwirft man die Idee eines juridischen gemeinen Wesens, welches bekanntlich Staat oder
bürgerliche Gesellschaft genannt wird.

Der apodiktischen Elementarlehre

viertes Hauptstück.

Von dem höchsten und letzten Zwecke der Thätigkeit des Ichs.

§. 83.

Das Bewußtseyn sittlicher Gesetze eröffnet dem Menschen auch eine Aussicht in eine **übersinnliche Welt.** Denn die praktische Vernunft stellt ihm eine **moralische Ordnung der Dinge,** vermöge welcher das Physische dem Moralischen gehörig untergeordnet und deren Resultat die **Seeligkeit** aller Sittlichguten ist, als **höchstes und letztes Ziel aller seiner Thätigkeit, als den Endzweck der Vernunft** selbst auf.

Anmerkung.

Dadurch, daß der Mensch ein sittliches Wesen ist, gehört er einer ganz andern Ordnung der Dinge an, als diejenige ist, welche wir mit unsern Sinnen wahrnehmen. In dieser richtet sich alles nach

noth-

nothwendigen Naturgesetzen und geht seinen Gang
unbekümmert um die Zwecke der Sittlichkeit fort.
Der Mensch aber soll durch sein Thun und Lassen
eine solche Ordnung der Dinge realisiren, daſs das
Moralische herrsche und das Physische ihm unterworfen werde, daſs also die gesammte Natur den
Zwecken der Sittlichkeit dienstbar sey. Dieſs würde
demnach eine moralische und — weil sie nicht
in die Sinne fällt sondern eine Idee der Vernunft ist
— ubersinnliche Weltordnung seyn. Denkt
man sich nun eine solche Ordnung der Dinge als
würklich oder realisirt, so würde das Resultat derselben eine durchgängige Übereinstimmung des Physischen mit dem Moralischen seyn; denn die Natur
könnte als nur der Sittlichkeit dienstbar mit ihr, in
keinem Widerstreite weiter begriffen seyn. Der Zustand eines moralischen Subjéktes aber, in welchem
jene Harmonie des Physischen mit dem Moralischen
stattfände, lieſse sich am schicklichsten durch das
Wort Seeligkeit bezeichnen. Seeligkeit ist nämlich etwas ganz anders als Glückseeligkeit. Glückseeligkeit ist ein Zustand, der aus der durchgängigen Befriedigung der Triebe und Neigungen entspringt (§. 80. Anm. 3.). Daſs diese befriedigt werden, hangt von zufälligen Umständen, die der Mensch
nicht in seiner Gewalt hat — vom Glücke — ab,
und je mehr man seine Triebe und Neigungen befriedigt, desto herrschender werden sie, desto mehr häuft
sich die Summe der Bedürfnisse, und — weil die
Mittel, sie zu befriedigen, und die Fähigkeit, zu

geniefsen, nicht in gleichem Grade zu - sondern vielmehr abnehmen — desto unglückseeliger wird der Mensch *). Daher thut das unbedingte Streben nach der Glückseeligkeit nothwendig der Seeligkeit Abbruch; denn man unterwirft dadurch das Moralische dem Physischen, weil es blofse Naturobjekte und Naturgesetze sind, durch und nach welchen Triebe und Neigungen befriedigt werden. Seeligkeit hingegen ist der Zustand eines vernünftigen Wesens, wo das Sittliche in ihm herrschend und das Physische dem Sittlichen dienstbar ist. Seeligkeit ist also eigentlich die wahre Ruhe der Seele, wo das handelnde Subjekt nicht von Begierden hin und her getrieben wird, sondern immer nur das will, was das Gesetz will, wenn auch der Trieb etwas Andres begehrte, und mit demjenigen zufrieden ist, was ihm unter dieser Bedingung in Ansehung des physischen Wohlseyns zu Theil wird, es sey viel oder wenig **). Diese Seeligkeit nun ist für

---

*) Die Glückseeligkeit, sobald sie in ihrer vollen Bestimmtheit (extensiv, intensiv und protensiv) gedacht wird, ist eigentlich ein wahres Hirngespinnst, ein Phantom, das immer weiter von uns flieht, je mehr wir ihm nachjagen. Daher ist Resignazion auf Glückseeligkeit das beste Mittel, um sich wenigstens nicht unglückseelig zu fühlen.

**) Viele Eudämonisten haben offenbar Glückseeligkeit und Seeligkeit verwechselt. Besonders war diefs der Fall bey *Epikur.* Seine Eυθυμια war nichts anders als jene Seelenruhe, jener seelige Zustand des Gemüths, wo es frey von stürmischen Begierden nur das Gute

jeden Menschen (und jedes endliche moralische Wesen
überhaupt) das **höchste Gut** (*bonum summum*)
und als Ziel des menschlichen Strebens und Handelns
gedacht der **letzte Zweck** oder der **Endzweck**
der praktischen Vernunft (*finis ultimus*, το τελος
κατ' εξοχην). Der Mensch soll nach der Seeligkeit
streben. Seeligkeit in und außer sich durch sein
Handeln zu verbreiten suchen *). In dieser Seeligkeit besteht also auch die **Bestimmung** des Men-

---

will und auch mit der kleinsten Summe des Wohlseyns zufrieden ist. Aber oft sprach er auch so, als
wenn nur das Angenehme oder Nützliche gut wäre
und als wenn nur Befriedigung der Neigungen
und Triebe diese Euthymie bewürken könnte. Die
Αταξσια der Stoiker aber war im Grunde dieselbe
Idee nur mit einigen unächten Bestimmungen aus ihrer überspannten Moral überladen.

*) Daß diese Formel mit der obigen: Die Vernunft fo-
dert die Realisirung einer moralischen Weltordnung,
einerley sey, erhellet jetzt von selbst. Denn die
Seeligkeit ist das Resultat dieser Ordnung. Der Ausdruck **Seeligkeit** zeigt also dasjenige in subjektiver Beziehung als Effekt an, was der Ausdruck **moralische Weltordnung** in objektiver Beziehung
als ein allgemeines Verhältniß des Moralischen und
Physischen gegen einander, wodurch jener Effekt begründet wird, anzeigt. Die moralische Weltordnung
zu realisiren suchen kann folglich in Ansehung des
Menschen nichts anders bedeuten, als Seeligkeit in
sich und andern Menschen zu bewürken suchen, oder
kurz, nach Seeligkeit streben.

schen; denn der Mensch ist zur Seeligkeit ursprünglich bestimmt, weil er nach ihr als dem höchsten Gute
streben soll. Da aber der Mensch die Seeligkeit in
diesem Leben oder dieser Welt nicht findet, so sucht
er sie in einem andern Leben oder in einer andern
Welt, indem er nur durch stetes Fortschreiten in der
sittlichen Vervollkommnung seelig werden kann. Er
kann aber nur seelig w e r d e n, ohne es je zu s e y n
d. h. er kann sich nur dem in unendlicher Ferne
schwebenden Ziele annähern, ohne es je zu erreichen.
Nur ein unendliches, ein allervollkommenstes Wesen
— wenn wir uns ein solches als würklich denken —
nur Gott kann seelig s e y n. Der Allein-Heilige
ist auch der Allein-Seelige, ob wir uns gleich
von seiner Seeligkeit so wenig als von seiner Heiligkeit einen Begriff machen können *). Gott würde

---

*) Da der Unendliche für jedes endliche Denkvermögen
durchaus unbegreiflich ist, so ist es auch seine Heiligkeit und Seeligkeit. Heiligkeit ist absolutvoll-
kommne Sittlichkeit, Sittlichkeit aber ist ohne Freyheit nicht denkbar. Gott müsste also auch als frey
gedacht werden. Da aber Gott gar nicht sündigen
könnte, weil er frey von widerstrebenden Neigungen
schon vermöge seiner Natur nur das Gute wollte
(keinen pathologischen sondern einen reinen Willen
hätte): so fiele bey ihm Freyheit und Naturnothwendigkeit, die wir nur im Gegensatze denken können,
als identisch zusammen, welches schlechthin unbegreiflich ist. Bey dieser absoluten Identität des Moralischen und Physischen in Gott können wir uns
aber auch von seiner Seeligkeit keinen Begriff machen;

also zwar nicht selbst nach der Seeligkeit streben, denn er wäre im ursprünglichsten Besitze derselben; aber er müſste doch gedacht werden als Seeligkeit auſser sich verbreitend, weil dieſs der Begriff eines moralischen Wesens mit sich bringt. Gott wäre demnach der Urquell der Seeligkeit, das ursprüngliche höchste Gut (*bonum summum originarium*) und alle Seeligkeit in der Welt wäre nur ein Ausfluſs seiner Seeligkeit, ein abgeleitetes höchstes Gut (*bonum summum derivativum*). Die Seeligkeit müſste also auch als Endzweck der Schöpfung gedacht werden; denn das unendliche moralische Wesen, wenn es als Weltschöpfer vorgestellt wird, könnte nur darum die Welt mit allen endlichen moralischen Wesen in's Daseyn gerufen haben, um Seeligkeit auſser sich zu verbreiten oder den endlichen moralischen Wesen Seeligkeit mitzutheilen.

§. 84.

Indem der Mensch auf die auſseren Bedingungen, wovon die Möglichkeit der Realisirung des Endzwecks der Vernunft

---

denn bey unserem Begriffe von Seeligkeit wird die Diversität von beyden vorausgesetzt und blofs die Reluktanz des Einen gegen das Andre als aufgehoben gedacht. So ist es aber auch bey allen Eigenschaften Gottes. Wir können nur bestimmen, was sie nicht sind, nicht was sie sind, weil das Endliche das Unendliche nicht fassen kann.

abhangt, reflektirt, so sieht er sich genöthigt,
ein höchstes Wesen, als unbeschränkten
Urheber und Regierer der Welt, und ein ewiges Leben, als Fortsetzung seiner gegenwärtigen beschränkten Existenz, anzunehmen,
mithin beydes in praktischer Hinsicht zu
glauben, ob es gleich in theoretischer Hinsicht für ihn unerkennbar und unbegreiflich
ist. Daher ist mit der Moralität die Religion, als Erhebung des Gemüths zum Übersinnlichen, Unendlichen und Ewigen, nothwendig verknüpft, und alles, was der sittlich
gesinnte Mensch thut, thut er mit Religion d. h. mit Hinsicht auf seine höhere
Bestimmung im Reiche Gottes.

Anmerkung 1.

Der Mensch sieht sich in Beziehung auf die Realisirung des höchsten Guts, als Endzwecks der Vernunft, in doppelter Hinsicht beschränkt. Für's Erste ist die Natur in Ansehung ihrer Existenz von
ihm völlig unabhängig, und in Ansehung dessen, was
in der Natur geschieht, vermag er durch seine endliche
Kraft nur einen sehr kleinen Theil der Natur nach
den Zwecken seiner Vernunft zu bestimmen. Für's
Zweyte gewinnt die Natur dennoch zuletzt über
seine endliche Kraft die Oberhand, so daß sie ihn aus

der Reihe ihrer organischen und lebenden Produkte
austilgt und dadurch seiner Würksamkeit in der Natur ein Ende macht.   Dadurch sieht sich nun der
Mensch in folgender Alternative befangen: Entweder die Idee einer moralischen Weltordnung als ein
Hirngespinnst völlig aufzugeben und auf die Realisirung derselben geradehin Verzicht zu leisten, oder
zu glauben, daſs die aüfsern Bedingungen, unter welchen allein die Realisirung seiner Idee denkbar ist,
stattfinden, ob er gleich von diesen Bedingungen weiter keine Wissenschaft oder Erkenntniſs habe, da sie
in gar keiner Anschauung oder Empfindung gegeben
werden können.   Jene Idee aufgeben und auf deren
Realisirung verzichten kann und darf er als vernünftiges und sittliches Wesen nicht; denn die Vernunft fodert von ihm unnachlaſslich, daſs er durchaus
moralisch handlen, daſs er also jene Idee seiner ganzen Würksamkeit zum Grunde legen, mithin die Realisirung derselben durch seine Würksamkeit sich zum
Zwecke machen soll.   Also muſs er glauben d. h.
die Würklichkeit der aüfsern Bedingungen, wovon die
Möglichkeit der Realisirung seiner Idee abhangt, annehmen, ohne sie erweisen zu können.   Welches
sind nun diese Bedingungen?

Anmerkung 2.

Der Mensch ist sich nach dem Vorhergehenden
bewuſst

1.) daſs die Natur in Ansehung ihrer Existenz
von ihm völlig unabhängig sey und daſs er durch

seine endliche Kraft nur einen kleinen Theil derselben
beherrschen könne.   Gäbe es aber ein moralisches
Wesen von unendlicher Kraft, von dem die Natur und der Mensch selbst in Ansehung der Existenz
abhinge, so würde dieses Wesen mit Allgewalt über
die Natur herrschen und alles in der Natur nach moralischen Zwecken lenken und leiten, mithin auch den
Handlungen der Menschen (und aller endlichen moralischen Weltwesen, wenn es dergleichen aufser den
Menschen giebt) denjenigen Effekt verschaffen können, welchen sie an und für sich wegen der endlichen
Kraft des Menschen nicht haben würden.   Dieses Wesen würde also der Mensch als Weltschöpfer und
Weltregierer, mithin auch als seinen Urheber und
als den Lenker und Leiter seiner Schicksale betrachten
müssen.   Er würde es aber auch als das Urbild der
sttlichen Vollkommenheit, mithin als ein heiliges
Wesen, und, da dessen auf das Gute allein gerichteter
Wille für ihn als Geschöpf desselben gesetzliche Kraft
hätte, dieses heilige Wesen als höchsten Gesetzgeber verehren, mithin die Foderungen seiner Vernunft als einen Ausdruck des Willens von jenem Wesen befolgen müssen.   Auf diese Art müfste sich der
Mensch als Mitglied oder Bürger eines grofsen moralischen Reiches, an dessen Spitze ein höchstes Wesen stünde, betrachten, und dieses Wesen wäre die Gottheit oder Gott (gleichsam die
personifizirte Gutheit oder das absolute Gut in
Person).   Das Daseyn Gottes wäre also die
erste äufsere Bedingung der Realisirung einer

moralischen Weltordnung. — Der Mensch weifs
aber auch

2) dafs seine sinnliche Existenz früher oder
später ein Ende nehmen und dadurch seine Würksamkeit in der Natur aufhören werde. Wenn nun das
Daseyn oder die Dauer des Menschen als moralischen
Wesens nicht blofs auf diese sinnliche Existenz beschränkt wäre, wenn es ein anderweites oder höheres
Leben des Menschen gäbe, welches ungeachtet der
physischen Zerstörung des Menschen als organischen
Naturprodukts fortdauerte, in Rücksicht auf welches
also der Mensch einer solchen Zerstörbarkeit gar nicht
unterworfen wäre: so könnte der Mensch in alle
Ewigkeit hinaus seine moralische Würksamkeit immer
mehr intensiv und extensiv vervollkommnen und so
an der Realisirung einer moralischen Weltordnung unaufhörlich an seinem Theile arbeiten. In dieser Hinsicht könnte der Mensch sich oder seiner Seele, da
nach dem gemeinen Redegebrauche die Seele als das
Hauptprinzip der menschlichen Thätigkeit betrachtet
wird, Unsterblichkeit beylegen. Nächst dem
Daseyn Gottes ist also die Unsterblichkeit des
Menschen oder die ewige Fortdauer desselben als
eines moralisch würksamen Wesens (die endlose Fortsetzung des höheren Lebens, was der Mensch schon
hier in moralischer Hinsicht lebt) die zweyte äus-
sere Bedingung der Realisirung einer moralischen
Weltordnung.

Anmerkung 3.

Daſs nun ein Gott (mehre Götter anzunehmen ist kein vernünftiger Grund da, weil Einer hinreicht, alles Mögliche auszurichten) existire und der Mensch unsterblich sey, läſst sich freylich durch keine Spekulazion erweisen. Wir finden zwar in der Natur eine groſse Zweckmäſsigkeit und in dieser Zweckmäſsigkeit mannichfaltige Spuren von groſser Macht, Weisheit und Güte; aber diese Spuren sind sehr unvollständige Prämissen, um daraus das Daseyn eines **unendlichen** Wesens von der **höchsten** Macht u. s. w. und eines **Schöpfers** u. s. w. der Welt im **Ganzen** zu deduziren. Die Konklusion würde also weit mehr als die Prämissen enthalten und die spekulative Vernunft gar nicht befriedigen. Denn da jenes Wesen weder unser Sinn irgendwo finden noch unser endlicher Verstand überhaupt fassen kann, so ist es in spekulativer Hinsicht eine bloſse Idee, deren Realität dahin gestellt bleiben müſste, wenn nicht ein anderweiter, über alle Spekulazion und deren Zweifel erhabner, Überzeugungsgrund vorhanden wäre. Dieser Überzeugungsgrund ist die von der Vernunft in praktischer Hinsicht gefoderte Realisirung eines Zwecks, der nur unter Voraussetzung der Existenz eines höchsten Wesens erreichbar ist. Der Mensch handelt also mit dieser Voraussetzung d. h. er **glaubt praktisch** an ein höchstes Wesen. — Eben so finden wir zwar in uns selbst Anlagen, die einer in's Unendliche fortgehenden Entwickelung und Ausbildung fähig sind;

aber daſs diese Entwickelung und Ausbildung wůrk-
lich stattfinden werde, können wir ohne einen offen-
baren Sprung im Schlieſsen nicht folgern. Auch wissen wir gar nichts von einer anderweiten, als der
gegenwärtigen sinnlichen, Existenz, indem sie weder
mit unsern Sinnen wahrgenommen noch als unendliche Existenz von unserm endlichen Verstande überhaupt begriffen werden kann. Da also den Spekulazionen der Vernunft, sobald sie über dieses Leben
hinausgehen, ein vester Grund und Boden fehlt, so
ist die Unsterblichkeit in spekulativer Hinsicht eine
bloſse Idee, deren Realität dahin gestellt bleiben
müſste, wenn es nicht einen anderweiten, über alle
Spekulazionen und deren Skrupulositäten erhabnen,
Überzeugungsgrund gäbe, der den Menschen nöthigte,
praktisch an seine Unsterblichkeit zu glauben,
weil ihm ein Zweck geboten ist, der nur unter dieser
Bedingung für ihn realisirbar ist.

Anmerkung 4.

.Die Überzeugung vom Daseyn Gottes und von de.
Unsterblichkeit des Menschen heiſst ein praktischer oder moralischer Glaube, weil sie nicht
ein bloſses theoretisches Fürwahrhalten, sondern ein
Handeln mit der gewissen Zuversicht ist, daſs dasjenige, was die Vernunft als einzig mögliche Bedingung
der Realisirung ihrer Föderung anzuerkennen genöthigt ist, würklich sey, obgleich diese Würklichkeit
nicht eingesehen und bewiesen werden kann. (Der

Charakter des Wissens ist Einsicht, *evidentia*, der
des Glaubens — Zuversicht, *fiducia*, wie die Methodenlehre ausführlicher zeigen wird.) Der praktische oder moralische Glaube ist also mit der moralischen Praxis nothwendig verbunden. Er entspringt
von selbst in dem Gemüthe desjenigen, bey dem
Vernunft und Gewissen bis zur Ahnung seiner höheren Bestimmung erwacht sind. Daher eben ist jener Glaube so allgemein unter den Menschen verbreitet, dafs wir Spuren davon selbst bey ganz rohen Völkern finden, wenn sie nur nicht noch auf der untersten Stufe menschlicher Roheit stehen, wo der Mensch
sich blofs durch seine Gestalt vom Thiere unterscheidet; daher nimmt diesen Glauben selbst das kindliche
Gemüth so leicht und so gern in sich auf, sobald es nur
seine Vernunft brauchen und den Unterschied zwischen gut und böse kennen gelernt hat; daher kann
dieser Glaube nie unter den Menschen ausgerottet
werden, wenn ihn auch die sophistischen Blendwerke
einer falschen Spekulazion oder böser Neigungen hin
und wieder wankend machen oder ersticken können;
daher interessirt sich besonders ein moralisch gesinntes
Herz so lebhaft für diesen Glauben; daher endlich halten die meisten Menschen mit einer solchen Vestigkeit
an diesem Glauben, dafs sie denjenigen, welcher ihnen denselben rauben will, als einen Bösewicht verabscheuen, von ihrer Gemeinschaft ausstofsen und
wohl gar durch gewaltsame Behandlung eines Bessern
zu belehren suchen. Aus diesem Glauben haben sich

nach und nach alle Religionen entwickelt, welche unter den Menschen angetroffen werden.　Denn R e l i-
g i o n überhaupt ist selbst nichts anders als Glaube in
Gesinnung und Handlung　——　praktische Verehrung
eines höchsten Wesens als moralischen Gesetzgebers ——
Beziehung alles unsers Dichtens und Trachtens auf ein
moralisches Reich, dessen Bürger der Mensch und
dessen Oberhaupt Gott ist, auf ein Reich Gottes oder
ein Himmelreich.　Alle R e l i g i o n e n sind nur verschiedne Ansichten und Darstellungsarten, Ausschmük-
kungen oder Verunstaltungen jenes Glaubens und die
beste unter allen Religionen ist eben diejenige, welche
diesen Glauben am reinsten in sich enthält, welche
die Idee eines Himmelreichs am bestimmtesten aufge-
faßt und dadurch ein Prinzip fortschreitender Veredlung
lung in sich aufgenommen hat.　Eine K i r c h e aber
ist ein bloßes Symbol dieser Idee, eine durch Zusam-
mentretung mehrer Menschen zu einem ethischen gemeinen Wesen versinnlichte Darstellung des Reiches
Gottes auf der Erde. ——　Da nun die Ausdrücke:
M o r a l i s c h e W e l t o r d n u n g, und: S e e l i g k e i t,
ein und eben dasselbe höchste Gut, nur in verschied-
ner (objektiver und subjektiver) Beziehung andeuten,
so kann man auch sagen: Gott und Unsterblichkeit
sind unumgänglich nothwendige Bedingungen unsrer
Seeligkeit.　Mithin läßt sich das Wesen des moralischen oder praktischen Glaubens auch in folgenden
wenigen Worten ausdrücken: Ich glaube an Gott und
Unsterblichkeit, weil ich nach der Seeligkeit, als dem

höchsten Gute, streben soll und ich nur unter der Bedingung seelig werden kann, daß ein höchstes Wesen und ein ewiges Leben ist.

Anmerkung 5.

In der Kantischen Philosophie wird bekanntlich der Begriff des höchsten Gutes dahin bestimmt,
daß es aus zwey Elementen, der Sittlichkeit
und Glückseligkeit zusammengesetzt sey und in
der harmonischen Verbindung beyder, mithin in einer der Sittlichkeit angemessenen Glückseligkeit bestehe.   Sodann wird aus dem ersten
Elemente der Glaube an die Unsterblichkeit und aus
dem zweyten der Glaube an die Gottheit, beyde als
Postulate der praktischen Vernunft, abgeleitet *).   Allein mit dieser Theorie sind mancherley
Schwierigkeiten verknüpft, welche sie verwerflich
machen, nämlich

1.) Das höchste Gut soll Endzweck der Vernunft,
also die Realisirung desselben von der Vernunft geboten seyn.   Nun gesteht die Kritik selbst, Glückseligkeit an sich könne nicht Objekt eines Gebots
der praktischen Vernunft seyn, weil das menschliche
Herz (die Triebe und Neigungen) von selbst darnach strebe.   Wie kann denn nun doch Glückseligkeit

---

*) S. *Kant's* Kritik der praktischen Vernunft, S. 198 ff.
    (nach der 2. Aufl.)

ein Element des höchsten Guts und als solches von
der praktischen Vernunft geboten seyn?

2.) Die Glückseeligkeit soll nach der Kritik darin
bestehen, daß dem Menschen im Ganzen seiner
Existenz alles nach Wunsch und Willen gehe. Diese
Erklärung ist auch ganz richtig und sagt auf eine
populäre Art dasselbe, was oben von der Glückseeligkeit gesagt wurde, daß sie nämlich ein Zustand sey,
wo die Triebe und Neigungen des Menschen volle
Befriedigung (extensiv, intensiv und protensiv) finden. Allein eben daraus erhellet, wie auch schon
bemerkt worden, daß Glückseeligkeit etwas Schimä-
risches sey, das nicht nur nie erreicht werden kann,
sondern von dem man sich auch immer weiter entfernt, je eifriger man ihm nachstrebt, so daß man
desto unglückseeliger wird, je glückseeliger man zu
seyn wünscht. Wie kann also die Glückseeligkeit
mit der Sittlichkeit in irgend einer Proporzion stehen? Je sittlicher der Mensch wird, desto unabhän-
giger macht er sich von Trieben und Neigungen;
glückseeliger aber könnte er nur dadurch werden,
daß er seine Triebe und Neigungen im höheren
Maaße befriedigte; dieß würde ihn aber nur noch
unglückseeliger machen; und wenn er dieser höheren Befriedigung unbedingt nachstrebte, so würde
er zugleich ein sehr unsittlicher Mensch werden.
Eine proporzionirliche Vereinigung der Glückseeligkeit mit der Sittlichkeit ist also schlechterdings unmöglich.

3.) Wenn eine der Sittlichkeit angemessene Glückseeligkeit Endzweck der Vernunft, also letzter und
höchster Zweck alles Strebens und Handelns, seyn
soll, so gewinnt es gar sehr den Anschein, als
wenn am Ende doch Glückseeligkeit die Hauptsache und Tugend nur das tauglichste Mittel dazu sey. Diesem widerspricht nun zwar mit Recht
die ganze Kantische Moral nach ihrem innersten
Geiste. Aber wird sie nicht durch jene Theorie
vom höchsten Gute mit sich selbst uneinig und in-
konsequent?

4.) Wenn aus der Glückseeligkeit als dem zweyten Elemente des höchsten Gutes das Daseyn Gottes abgeleitet wird, so hat es wieder den Anschein,
als wenn Gott zum blofsen Diener der Sinnlichkeit
herabgewürdigt würde, als wenn der Mensch blofs
darum an Gott glaubte, damit durch denselben seine
Triebe und Neigungen in vollem Maafse befriedigt
würden. Nun betrachten zwar in der That viele
Menschen ihren lieben Gott blofs aus diesem Gesichtspunkte, so dafs sie sich wenig oder nichts um
Gott bekümmern würden, wenn sie nicht von ihm
Gesundheit, langes Leben, Segen ihrer Arbeit u.
s. w. für den Dienst oder die Ehre, die sie ihm er-
zeigen, erwarteten. Allein mit Recht hat sich bereits FICHTE gegen diese unwürdige Vorstellungsart
von Gott nachdrücklich erklärt, indem er sagt, dafs
dadurch Gott in einen Götzen verwandelt und ihm
ein Dienst zugemuthet werde, der jeden erträglichen

Men-

Menschen anekeln müßte. — Diese Schwierigkeiten
drücken, dünkt mich, die Kantische Theorie vom
höchsten Gute so sehr, daß sie nicht leicht gehoben werden möchten, und eine anderweite Theorie
wohl nöthig seyn dürfte, um konsequent zu verfahren, wenn man würklich eine reine Moral aufstellen will. Darum ist hier die Seeligkeit als
höchstes Gut bestimmt worden, nicht eine der Sittlichkeit angemessene Glückseeligkeit. Der Ausdruck Seeligkeit schließt das Sittliche, die Tugend,
schon in sich, und Befriedigung der Triebe und
Neigungen, die das Wesen der Glückseeligkeit ausmacht, ist zur Seeligkeit gar nicht nöthig. Die Tugend allein macht seelig, weil sie dem Moralischen
im Menschen die Herrschaft über das Physische
giebt und diese Herrschaft wahre Seelenruhe begründet. In Ansehung der Glückseeligkeit aber ist
der Tugendhafte mit jedem Grade des physischen
Wohlseyns zufrieden, den ihm der Himmel be-
scheert. Die Verminderung oder Erhöhung dieses
Grades modifizirt seine Seeligkeit nicht. Auch wenn
er physisch leidet, kann er seelig, obwohl nicht
glückseelig (beatus, quamvis non fortunatus) seyn.
Er strebt zwar auch nach physischem Wohlseyn,
aber theils nur sofern, als ihn seine physische Natur unwillkürlich dazu antreibt, theils nur sofern,
als die Befriedigung gewisser Neigungen und Triebe
zur pflichtmäßigen Erhaltung seiner Subsistenz und
allseitigen Würksamkeit nöthig ist, theils endlich

nur sofern, als diese Befriedigung seiner Sittlichkeit
keinen Abbruch thut. Das eigentliche Streben des
Tugendhaften als solchen ist gerichtet auf die Herrschaft des Moralischen über das Physische in und
aufser sich, und eben dadurch, dafs er diese moralische Ordnung der Dinge zu realisiren sucht, wird
er seelig. Er bedarf also der Gottheit nicht als eines Dieners seiner Sinnlichkeit — so unwürdig
denkt er nicht von sich selbst, geschweige von dem
Erhabensten, was die Vernunft sich vorstellen kann
— sondern nur als eines obersten Weltregenten,
dessen Allgewalt seinen beschränkten Bestrebungen
vollen Effekt verschaffen und die Hindernisse, die
ihm das Physische bey Realisirung einer moralischen
Ordnung der Dinge als unüberwindlich entgegensetzen möchte, besiegen kann. Und eben so bedarf
er auch einer ewigen Fortdauer nicht, um ewig ohne
Schmerz und Leiden den süfsesten Genüssen sich
hinzugeben — ein solches Schlaraffenleben wünscht
kein vernünftiger Mensch, der seine Bestimmung
kennt — sondern um seine Würksamkeit zur Realisirung einer moralischen Ordnung der Dinge immer
fortzusetzen, damit sie nicht plötzlich abgebrochen
werde, nachdem sie kaum angefangen hatte. Er
würde nun zwar sein Streben nach jener Ordnung
nicht schlechthin aufgeben, wenn er auch wüfste,
dafs kein Gott sey und kein ewiges Leben gehofft
werden dürfe; aber er würde dann an der Realisirung seines Zwecks verzweifeln müssen, weil es an

den äußern Brdingungen der Möglichkeit desselben
fehlte, und diese Verzweiflung an dem Erfolge seiner Bemühungen — dem endlichen Siege des Guten
über das Böse — müßte wohl oft seinen Eifer für
das Gute erkalten machen. Er bedarf also des Glaubens an Gott und Unsterblichkeit, um im Kampfe
mit dem Bösen stets muthig und standhaft zu seyn,
und insofern ist die Religion, so wie sie aus seiner
Tugend entspringt, hinwiederum eine Stütze seiner
Tugend, der moralische Glaube eine Quelle guter
Werke. Daher kann man auch wohl das Daseyn
Gottes und die Unsterblichkeit der Seele mit *Kant*
Postulate der praktischen Vernunft nennen; aber wenn es nur würklich Postulate der Vernunft und nicht der Sinnlichkeit seyn sollen, so
darf sich der Begriff der Glückseeligkeit in die Idee
des höchsten Gutes nicht einmischen; sonst kommt
man aus den Schlingen und Irrgängen des Eudämo-
nismes, der in der Moral und Religionsphilosophie
so lange sein Unwesen getrieben hat, nimmer heraus. — Wenn man indessen in dieser Lehre von
der einen Seite nicht mit Kant übereinstimmen kann,
so kann man es von der andern noch weniger mit
Fichte. Dieser macht nämlich die moralische Weltordnung selbst zu Gott und will von gar keinem selbst-
ständigen, würkenden, existirenden Gotte wissen *).

---

*) S. Niethammer's und Fichte's philosophisches
Journal, Band 8. Heft 2. S. 1 ff. vergl. mit des

Da diese Behauptung für atheistisch erklärt wurde,
so unterschied derselbe späterhin *ordo ordinans* und
ordo ordinatus, und meynte, nicht dieser, sondern
jener sey sein Gott. Allein da die moralische Weltordnung (in passiver Bedeutung) etwas ist, was erst
durch unsre Würksamkeit realisirt werden soll, so
ist, wenn außer dem Ich kein Gott selbständig
existirt und würkt, der *Ordo ordinans* nichts anders
als das Ich selbst und der *Ordo ordinatus* das Resultat der Würksamkeit des Ichs. Auch kann es
nach den Prinzipien des egoistischen Idealismes nicht
anders seyn; denn da nach diesen Prinzipien die
Welt selbst ein bloßes Produkt des Ich's ist und
alles nur in, durch und für das Ich existirt, so ist
auch das Göttliche (το Θειον) nur im Ich und durch
das Ich und für das Ich. Daher führt der Idealism,
wenn er konsequent verführt, nothwendig auf A u -
t o t h e i s m, so wie der konsequente Meterialism auf
P a n t h e i s m hinaus. Jener muß das Ich, dieser
das All oder die Welt zu Gott machen, wenn in
diesen Systemen überhaupt von einer Gottheit die
Rede seyn soll. Da nun die Unstatthaftigkeit beyder Systeme schon oben hinlänglich dargethan worden ist (§. 60 — 68.): so würde eine besondre Prüfung der Gründe, worauf insonderheit Fichte die
Behauptung stützt, es sey widersprechend, Gott als

Letzten Appellazion an's Publikum und *Beyder* gerichtlichen Verantwortung.

ein selbständig existirendes und würkendes Wesen
zu denken, es müsse also Gott als ein blofses reines
Handeln (*actus purus*) mithin als eine moralische
Ordnung der Welt (*ordo ordinans*) gedacht werden,
überflüfsig seyn, vornehmlich auch deswegen, weil
jene Gründe metaphysisch sind und folglich in der
Fundamentalphilosophie nicht hinlänglich gewürdigt
werden können.

---

*) In einer Anmerkung nur so viel. Bekanntlich sagt
FICHTE, die Begriffe der Substanzialität, Kaussalität,
Existenz u. s. w. sind reine Verstandesbegriffe und
dürfen daher nur auf Gegenstände der Erfahrung,
nicht auf das Übersinnliche, angewendet werden.
Allein FICHTE hat nicht bedacht 1.) dafs auch sein
actus purus und *ordo ordinans* ohne den Begriff der
Kaussalität gar nicht gedacht werden kann, und
2.) dafs, da wir einmal nicht anders als durch Kate-
gorien denken können, wir entweder das Übersinnliche gar nicht denken und folglich auch nicht von
ihm reden dürfen, oder wir müssen uns ebenfalls
der reinen Verstandesbegriffe bedienen, jedoch so,
dafs wir von der sinnlichen Bedingung, unter welcher sie auf Objekte der Erfahrung angewendet werden (dem *Schema*) abstrahiren und blofs die reine
Kategorie denken, übrigens aber das Wesen des dadurch gedachten Objektes unbestimmt lassen, weil
uns keine Merkmale dazu durch Wahrnehmung gegeben sind.   Nennen wir also Gott Substanz, Ursache u. s. w. so sind diese Begriffe blofse Stützen
unsers endlichen Denkvermögens, um uns mit unsern Gedanken zum Unendlichen erheben zu können.

Denn sollten wir Gott weder als ein Substanzielles noch als ein Adhärirendes, weder als ein Würkendes noch als ein Gewürktes u. s. w. denken, so verschwände uns die Idee Gottes ganz, und selbst die moralische Weltordnung (aktiv und passiv) wäre ein. Unding. Vergl. auch KANT's Kritik der praktischen Vernunft, S. 245 ff.

Der

Fundamentalphilosophie

zweiter Theil.

Methodenlehre.

———————

Einleitung.

§. 85.

Die Methodenlehre der Fundamentalphilosophie besteht wie die Elementarlehre (§. 4.) aus zwey Haupttheilen, nämlich einem didaktischen und einem architektonischen. In jenem müssen die verschiedenen Methoden des Philosophirens selbst (dogmatische, skeptische u. s. w.) nach ihrer Gültigkeit untersucht und in diesem gezeigt werden, wie nach der einzig gültigen Methode ein wissenschaftliches Ganze, ein in allen seinen Theilen zusammenhangendes und wohlgeordnetes Gebaüde der Philosophie, gemäſs der Idee eines organischen d. h. sich selbst organisirenden Ganzen, als eines Produktes der philosophirenden Vernunft, zu Stande zu bringen sey.

Anmerkung.

Die Forschungsmethode und die Bildungsmethode der Philosophie machen also den

Inhalt oder den Vorwurf der fundamentalphilosophi-
schen Methodenlehre aus.   Jene könnte man auch
die Lehrmethode, diese die Baumethode, mithin den ersten Haupttheil der Methodenlehre philosophische Didaktik und den zweyten philosophische Architektonik nennen.

Der philosophischen Methodenlehre

erster Abschnitt.

Didaktische Methodenlehre.

§. 86.

Da man durch Philosophiren zu einer möglichst vesten und gewissen Überzeugung gelangen will, so müssen in der philosophischen Didaktik zuvörderst die verschiednen
Arten des Fürwahrhaltens und die denselben entsprechenden Grade der Überzeugung auseinandergesetzt werden, um hernach unter den verschiedenen Methoden
des Philosophirens diejenige auszumitteln, welche den höchsten Grad der Überzeugung gewähren möchte. Mithin zerfällt der
gegenwärtige Abschnitt wieder in zwey untergeordnete Theile.

Der didaktischen Methodenlehre

erstes Hauptstück.

Von den Arten des Fürwahrhaltens
und
den Graden der Überzeugung.

§. 87.

Das Fürwahrhalten überhaupt ist nichts anders als ein Anerkennen der Gültigkeit eines Urtheils. Denn Wahrheit bezieht sich eigentlich nicht auf Vorstellungen oder Begriffe als solche, sondern auf die Urtheile, wodurch jene verknüpft oder getrennt werden. Ist ein Grund oder sind mehre Gründe dieser Verknüpfung oder Trennung vorhanden, welche von dem Urtheilenden für gültig anerkannt werden, so hält er das Urtheil für ein wahres Urtheil, unangesehen, ob die Gründe von allen Urtheilenden für gültig anerkannt werden müssen oder nur von ihm anerkannt werden.

§. 88.

Mit diesem Anerkennen der Gültigkeit eines Urtheils ist zugleich ein Gefühl der Billigung verbunden, daſs man so urtheile, welches Beyfall heiſst. Der Beyfall ist nämlich eine eigne Art des Wohlgefallens an einem wahren Erkenntnisse als einem solchen, ohne Rücksicht, ob dasselbe für uns nützlich sey oder nicht. Denn wir interessiren uns schon von Natur für das Wahre. Das Falsche, der Irrthum ist uns an und für sich zuwider, wenn gleich zuweilen durch zufällige Umstände ein Vortheil daraus für uns entspringen kann. Ein Erkenntniſs kann sogar in gewisser Hinsicht für uns unangenehm seyn (z. B. wenn wir einsehen, daſs wir in einem Falle unrecht gehandelt haben, und uns deshalb verurtheilen) und doch geben wir Beyfall, sobald wir das Urtheil nur als gültig anerkennen; ein Beweis, daſs der Beyfall von der Beziehung der Erkenntniſs auf das Gefühl der Lust und Unlust völlig unabhängig ist.

§. 89.

Ist der Beyfall dauerhaft, so entspringt daraus derjenige Gemüthszustand, welcher **Überzeugung** heißt und ein beharrliches Bewußtseyn der Gültigkeit eines Urtheils ist. Denn wenn dieses Bewußtseyn schnell wieder aufhört, wenn das Gemüth in dem einen Augenblicke Beyfall giebt, in dem andern wieder zurücknimmt, so kann man eigentlich nicht sagen, man sey überzeugt gewesen, sondern man fing nur an sich zu überzeugen, es kam aber nicht zur würklichen Überzeugung. Diese setzt also einen (längere oder kürzere Zeit) fortdauernden Beyfall voraus.

Anmerkung 1.

Das Wort **Überzeugung** wird hier im **weitern** Sinne genommen, wo es die **Überredung** mit einschließt. Denn auch die Überredung ist eine Überzeugung (*persuasio*), aber eine eitle oder falsche (*vana persuasio*). Zuweilen wird auch das Wort Überzeugung in dem Sinne genommen, daß es das Urtheil selbst, welches man für wahr hält, bedeutet. Man muß also unterscheiden **die** Überzeugung und **eine** Überzeugung. Im letzten Sinne sagt man auch Überzeugungen in der Mehrzahl, z. B. die

moralisch - religiösen Überzeugungen dieses Menschen
sind unlauter.

Anmerkung 2.

Da die Gültigkeit eines Urtheils nicht gefühlt
oder empfunden werden kann, so kann die Überzeugung auch nicht ein Gefühl oder eine Empfindung der Wahrheit genannt werden. Das
sogenannte Wahrheitsgefühl bedeutet nur ein
solches Bewußtseyn der Gründe eines Urtheils, das
noch nicht zur deutlichen Erkenntniß erhoben worden ist, wo man sich über das was man für wahr
hält, nicht gründlich erklären, mithin von seiner Überzeugung keine Rechenschaft geben kann. Die Überzeugung selbst aber ist immer das Resultat von der
Würksamkeit des obern Erkenntnißvermögens, dem
Gefühl oder Empfindung nur die Materialien zu einem
Urtheile, von dessen Wahrheit man überzeugt ist,
darbieten kann. So wie also das Urtheilen überhaupt
keine Funkzion der Sinnlichkeit ist, so kann auch die
Gültigkeit eines Urtheils nicht gefühlt oder empfunden, sondern nur von Verstand und Vernunft anerkannt werden. Wo diese fehlen, kann Wahrnehmung, aber nicht Überzeugung von der Wahrheit
seyn.

§. 90

So wie es verschiedne Arten des Fürwahrhaltens giebt, so giebt es auch verschiedne Grade der damit verknüpften

Überzeugung. Der Grad der Überzeugung richtet sich nämlich nach dem Fürwahrhalten, so daſs die Überzeugung stärker ist, wenn man z. B. weiſs oder glaubt, als wenn man bloſs meynt oder wähnt, obgleich in allen diesen Fällen etwas, nur auf verschiedne Art, für wahr gehalten wird.

§. 91.

Die Arten des Fürwahrhaltens werden bestimmt durch die verschiednen Arten der Gründe, wovon das Fürwahrhalten abhangt; und die Grade der Überzeugung werden bestimmt durch die verschiednen Grade des Bewuſstseyns, welches man jenen Gründen zufolge von der Gültigkeit eines Urtheils hat.

§. 92.

Die Gründe des Fürwahrhaltens sind entweder zureichend oder unzureichend; jenes, wenn sie ein vollständiges, dieses, wenn sie nur ein unvollständiges Bewuſstseyn von der Gültigkeit eines Urtheils zu bewürken im Stande sind. Das Bewuſstseyn aber von dieser Gültigkeit ist vollständig,

wenn

wenn es mit dem Gedanken an die Nothwendigkeit dessen, wovon man überzeugt ist, verknüpft ist, mithin an die Möglichkeit des Gegentheils nicht weiter gedacht wird; im gegenseitigen Falle ist es unvollständig. Daher kann man auch die Überzeugung im ersten Falle eine vollständige oder gewisse, im zweyten eine unvollständige oder ungewisse nennen.

Anmerkung.

Daſs die Überzeugung, welche zu einer Zeit vollständig und gewiſs war, zu einer andern unvollständig und ungewiſs werden könne, und umgekehrt, versteht sich von selbst, da das Bewuſstseyn der Gründe des Fürwahrhaltens veränderlich ist. So kann auch die Überzeugung von derselben Sache bey verschiednen Subjekten dem Grade nach äuſserst verschieden seyn.

§. 93.

Die zureichenden Gründe des Fürwahrhaltens sind entweder objektive d. h. durch den Gegenstand selbst nach seiner gesetzmäſsigen Vorstellbarkeit und Erkennbarkeit bestimmte Gründe (z. B. sinnliche Wahrnehmungen, Gesetze der Erkenntniſs) oder subjektive d. h. auſserhalb dem Gegenstande und den Erkenntnifsgesetzen liegende Gründe (z. B. Neigungen, Bedürfnisse, Zeugnisse). Das Für-wahrhalten aus objektiven Gründen heifst Wissen (*scire*) und der ihm entsprechende Überzeugungsgrad E i n s i c h t (*evidentia*). Das Fürwahrhalten aus subjektiven Gründen heifst G l a u b e n (*credere*) und der ihm ent-sprechende Überzeugungsgrad G l a u b e (*fides*) oder Z u v e r s i c h t (*fiducia*). Einsicht be-deutet also eine objektive, Zuversicht eine subjektive Gewifsheit.

Anmerkung.

Die sogenannte d e m o n s t r a t i v e Gewifsheit ist nur eine besondre Art der objektiven und die m a t h e-m a t i s c h e oder g e o m e t r i s c h e nur eine besondre Art der demonstrativen, so wie die m o r a l i s c h e Gewifsheit nur eine besondre Art der subjektiven ist, die nicht mit der W a h r s c h e i n l i c h k e i t ver-wechselt werden darf, wie sich weiter unten zei-gen wird.

§. 94.

Die unzureichenden Gründe des Fürwahr-haltens sind entweder w ü r k l i c h e d. h. an und für sich betrachtet gültige Gründe, die aber nicht eine vollständige und gewisse Über-zeugung hervorzubringen vermögen (z. B. eine

unsichere Nachricht) oder eingebildete.
d. h. an und für sich betrachtet ungültige
Gründe, die aber durch einen gewissen Schein
sich dem Gemüthe als würkliche Gründe
aufdringen (z. B. ein Traum). Das Fürwahrhalten aus unzureichenden aber würklichen Gründen heifst Meynen (*opinari*) und
der ihm entsprechende Überzeugungsgrad
Wahrscheinlichkeit (*probabilitas*). Das
Fürwahrhalten aus unzureichenden und eingebildeten Gründen heifst Wähnen (*vane
opinari*) und der ihm entsprechende Überzeugungsgrad Wahn (*vana opinio*) oder Überredung (*vana persuasio*).

Anmerkung.

Es giebt also vier Arten des Fürwahrhaltens und
eben so viele Grade der Überzeugung im weitern
Sinne (§. 89. Anm. 1.), nämlich

1.) Wissen === Einsicht.

2.) Glauben === Zuversicht.

3.) Meynen === Wahrscheinlichkeit.

4.) Wähnen === Überredung.

Nimmt man aber das Wort Überzeugung im engern
Sinne, so giebt es nur drey Überzeugungsgrade,
weil dann die Überredung der Überzeugung entge-

gengesetzt wird. So lange indessen die Überredung
dauert, findet sich im Gemüthe ebenfalls ein beharrliches Bewußtseyn von der Gültigkeit eines Urtheils,
so daß man sich für überzeugt hält. Die Überredung ist also für den Überredeten (relativ) auch Überzeugung (*persuasio*) ob sie gleich an sich (absolut)
eine falsche (*vana*) ist. Übrigens versteht es sich
von selbst, daß, so wie jene vier Hauptarten des
Fürwahrhaltens mehre Unterarten befassen können,
auch jene vier Hauptgrade der Überzeugung mehre
Zwischengrade zulassen, die aber die Sprache nicht
durch besondre Ausdrücke bezeichnen kann.

§. 95.

Das Wissen ist also ein Fürwahrhalten,
welches in der Erkenntniß des Objekts hinlänglich gegründet ist oder auf objektiv-
zureichenden Gründen beruht (§. 93.).
Solche Gründe sind allgemeingültig und
würden daher auch stets subjektiv-zurei-
chend und allgemeingeltend seyn, wenn
es nicht in einzelnen Subjekten zufällige Hindernisse des Beyfalls gäbe (z. B. Mangel an
Fassungskraft, böse Gesinnungen). Sie setzen
daher, wenn sie Eingang in das Gemüth finden und würkliche Überzeugung bewürken
sollen, Empfänglichkeit von Seiten des Subjektes voraus, welches durch objektiv-zu-

reichende Gründe bestimmt werden soll, etwas für wahr zu halten.

§. 96.

Das Wissen ist entwéder empirisch
oder razional — empirisch, wenn und
wiefern es aus der sinnlichen Wahrnehmung
entspringt, mithin von der Erfahrung unmittelbar abhängig ist, razional, wenn und
wiefern es durch die Selbstthätigkeit der Intelligenz erzeugt ist, mithin unmittelbar von der
Vernunft abhangt. Was man sinnlich wahrnimmt, ist evident oder objektiv gewifs, so
wie dasjenige, was man nach oder aus allgemeinen und nothwendigen Prinzipien erkennt.
Jene Gewifsheit kann man die monstrative
oder diktische, diese die demonstrative
oder apodiktische nennen.

Anmerkung.

Das empirische Wissen ist mittelbar freylich
auch von der Vernunft abhängig, so wie das razionale
mittelbar von der Erfahrung abhangt. Denn ohne
Vernunft würde das empirische Wissen nichts als ein
dunkles unzusammenhangendes Bewufstseyn gesche-
hener Eindrücke seyn, und ohne Erfahrung würde
die Vernunft in uns gar nicht zur Thätigkeit erwachen.

Im menschlichen Gemüthe ist nichts so isolirt, wie es die Spekulazion abgesondert betrachtet, sondern alles hangt mit einander zusammen, mithin auch von einander ab. Bey Bestimmung des Unterschiedes zwischen dem razionalen und empirischen Wissen kann daher nur auf dessen nächste Quelle Rücksicht genommen werden. Übrigens kann man dieses auch *scientia s. cognitio ex datis*, jenes *scientia s. cognitio ex principiis* nennen. Beyde kommen in vielen Wissenschaften vermischt vor, daher dieselben **e m p i r i s c h - r a z i o n a l e** Wissenschaften heifsen müssen.

§. 97.

Das razionale Wissen ist entweder **m a - t h e m a t i s c h oder p h i l o s o p h i s c h** — **m a - t h e m a t i s c h**, wenn und wiefern es aus einer intuitiven, **p h i l o s o p h i s c h**, wenn und wiefern es aus einer diskursiven Konstrukzion der Begriffe entspringt. Daher ist die demonstrative Gewifsheit, die dem razionalen Wissen zukommt, theils **m a t h e m a t i s c h** (oder **g e o - m e t r i s c h**) theils **p h i l o s o p h i s c h;** und weil die Demonstrazion in der Mathematik wegen der sinnlichen Klarheit, wodurch sie begleitet wird, mit einem **h ö h e r e n G r a d e v o n E v i d e n z** verknüpft ist, so heifst zuweilen die mathematische Gewifsheit **v o r - z u g s w e i s e** die demonstrative, obgleich dieser

Ausdruck eigentlich das *Genus* und jener die *Species* andeutet.

Anmerkung 1.

Einen Begriff konstruiren heifst den innern Gehalt desselben so darstellen, dafs das, worauf er sich bezieht, dem Gemüthe würklich sich vergegenwärtigt. Geschieht dieses vermittelst der Einbildungskraft, so ist die Konstrukzion intuitiv, geschieht es vermittelst der blofsen Denkkraft, so ist die Konstrukzion diskursiv. Die erste Art der Konstrukzion findet in der Mathematik statt, sofern sie es als rein-mathematische Wissenschaft mit blofsen Quantitätsbegriffen zu thun hat. Denn diese beziehen sich auf das, was in Zeit oder Raum oder in beyden zugleich *a priori* darstellbar ist (Zahl, Figur, Bewegung). Es läfst sich also für jeden Begriff dieser Art ein sinnliches Bild (*Schema*) entwerfen, wodurch dasjenige, was im Begriffe gedacht werden soll, allgemein repräsentirt und vermittelst dessen dasjenige, was für jedes unter dem Begriffe enthaltene Objekt gilt, demonstrirt wird. (So wird im Pythagorischen Lehrsatze aus der intuitiven Konstrukzion des rechtwinklichten Triängels und der Quadrate seiner Seiten erwiesen, dafs in jedem solchen Triangel das Quadrat der Hypotenuse den Quadraten der beyden Katheten gleich sey.) Der Mathematiker schaut also das Allgemeine (den Begriff) im Besondern oder Einzelnen (dem Schema) an und gewinnt dadurch den möglich höchsten Grad wissenschaftlicher Evidenz, weil er

von der Nothwendigkeit des erwiesenen Urtheils und
der Unmöglichkeit des Gegentheils sinnlich und
zugleich *a priori* überzeugt wird.   Hierin kann es
ihm der Philosoph nicht gleich thun, und eben darum ist demonstrative Gewißheit in der Philosophie
zwar nicht unmöglich, aber doch schwerer erreichbar
als in der Mathematik; eben daher findet Evidenz
dort in einem minderen Grade statt als hier, und
eben diefs ist eine von den Hauptursachen, warum
auf dem Gebiete der Philosophie so wenig Einverständnifs unter den Arbeitern herrscht *).   Der Philosoph kann seine Begriffe nur durch blofse Denkkraft konstruiren, weil sie sich nicht auf das in
Raum und Zeit *a priori* Darstellbare, sondern auf
lauter intellektuelle Gegenstände beziehen (die ursprüngliche Form des menschlichen Geistes in Ansehung seiner Thätigkeit).   Er erhebt sich daher durch
seine Abstrakzion über das Besondre und Einzelne
(das Gegebne) und reflektirt blofs auf das Allgemeine (die Gesetze) er denkt jenes nur in diesem
und durch dieses (*in abstracto*).   Folglich fehlt es
seinem Wissen an sinnlicher Klarheit; es läfst sich,
was er weifs, gleichsam nicht so mit Händen greifen,

---

*) Hiezu kommt, dafs die Philosophie sich erst selbst
   Grund und Boden zubereiten mufs und dafs sie durch
   ihre Untersuchungen über die wichtigsten Angelegenheiten der Menschheit (Freyheit, Recht, Pflicht, Unsterblichkeit u. s. w.) auch das menschliche Herz in
   ihr Interesse zieht.

wie das, was der Mathematiker erkennt. Das Mittel, wodurch er das, was er innerlich durch seine Denkkraft konstruirt hat, äußerlich zu erkennen giebt, ist Sprache und Schrift, sind hörbare oder sichtbare Töne, wodurch das Innere nur unvollkommen angedeutet wird. Er räsonnirt und diskurirt; ob aber Andre seinen Diskurs gehörig verstehen und sein Räsonnement innerlich nachkonstruiren, muß er dahin gestellt seyn lassen.

Anmerkung 2.

KANT sagt in der Kritik der reinen Vernunft, S. 741. (Ausg. 3.): „Die philosophi-„sche Erkenntniß ist die Vernunfterkenntniß aus „Begriffen, die mathematische aus der Kon-„struktion der Begriffe. Einen Begriff aber kon-„struiren heißt die ihm korrespondirende An-„schauung a priori darstellen." — K. nimmt hier unstreitig das Wort Konstrukzion in einem zu engen Sinne, indem er darunter bloß die intuitive Konstrukzion versteht. Denn es muß jeder Begriff, sobald man nur würklich das, worauf er sich bezieht, denken will, innerlich konstruirt werden. Vermuthlich wurde K. zu jener engen Gränzbestimmung des Wortes Konstruktion durch die etymologische Bedeutung desselben verleitet, welche sich freylich zunächst auf das Sinnliche oder Anschauliche bezieht. Aber ist dieß nicht fast bey allen Ausdrücken der Fall, welche zur Bezeichnung innerer Thätigkeiten gebraucht werden (z. B. vorstellen, verstehen, begreifen, einsehen)?

Aus demselben Grunde behauptet auch K., daſs in
der Philosophie keine Definizionen und Demonstrazionen möglich seyen.   Denn S. 755. sagt
er: „Definiren soll, wie es der Ausdruck selbst
„giebt, eigentlich nur so viel bedeuten, als, den aus-
„führlichen Begriff eines Dinges innerhalb seiner
„Gränzen ursprünglich darstellen“ — und S. 762:
„Nur ein apodiktischer Beweis, sofern er intuitiv ist,
„kann Demonstrazion heiſsen.“ — Offenbar wird
hier aus der Etymologie der Ausdrücke: Definiren
und Demonstriren, zu viel gefolgert.   Denn wenn
auch richtige und vollständige Erklärungen in der Philosophie schwerer und seltner sind als in der Mathematik, weil dort gegebne, hier gemachte Begriffe erklärt werden und man bey diesen die Erklärung gleich
durch die Anschauung bewähren kann: so folgt doch
nicht, daſs es unmöglich sey, von philosophischen
Begriffen (Recht, Gebot, Gott, Tugend) eine würkliche Definizion aufzustellen, weil sich diese Begriffe
nicht (intuitiv) konstruiren lassen.   Sie können und
müssen doch diskursiv oder intellektuell konstruirt
werden, sonst wäre nicht einmal eine Exposizion von
ihnen möglich.   Und jede Exposizion, wie K. die
philosophischen Erklärungen genannt wissen will,
was ist sie anders, als eine würkliche Konstrukzion
des Begriffs durch die Denkkraft?   Und wird nicht
eben dadurch der Begriff in gewisse Gränzen eingeschlossen?   Weiter liegt doch aber nichts in
dem Worte Definiren.   Eben so ist es mit dem
Worte Demonstriren.   K. läſst Beweise in der

Philosophie zu und beweist selbst philosophische Lehrsätze. Warum sollen denn nun diese keine Demonstrazionen heißen? Beweisen im Deutschen ist ja nichts anders als *demonstrare* im Lateinischen, und απoδεικνυναι im Griechischen. Mit welchem Rechte kann man also fodern, daß nur ein apodiktischer Beweis, sofern er intuitiv ist, Demonstrazion heißen solle?

§. 98.

Aus dem Wissen entsteht die Wissenschaft in formaler Bedeutung. Wissenschaft in materialer Bedeutung ist nämlich das Wissen selbst (z. B. wenn man sagt, Wissenschaft von einer Begebenheit oder Sache haben). In formaler Bedeutung aber ist sie ein systematischer Inbegriff von evidenten Erkenntnissen. Wenigstens ist diefs die Idee der Wissenschaft überhaupt, welcher alle besondern Wissenschaften angemessen seyn sollen, ob sie es gleich nicht sind. Man muß daher die Evidenz des Wissens von der wissenschaftlichen Evidenz sorgfältig unterscheiden. Jene kommt der Wissenschaft in materialer Bedeutung, diese derselben in formaler Bedeutung zu; daher man jene auch die materiale, diese die formale Evidenz nennen kann.

Anmerkung.

Die Evidenz des Wissens entspringt bey empirischen Erkenntnissen aus der Lebhaftigkeit und Mannichfaltigkeit der Eindrücke und der dadurch bestimmten Wahrnehmungen; daher man Beobachtungen und Versuche anstellt, und dabey die sinnlichen Organe bewaffnet oder die Beobachtungen und Versuche wiederholt, um die Eindrücke zu verstärken und die Wahrnehmungen zu vervielfachen; bey razionalen Erkenntnissen aber aus der Deutlichkeit und Bestimmtheit der Begriffe, wieferne sie entweder intuitiv oder diskursiv konstruirt werden (§. 97. Anmerk. 1.); daher man die Gedanken ihrem Gehalte nach mehrmals prüft und bis zu den einfachsten Elementen und höchsten Prinzipien hinaufsteigt, um deren Gültigkeit zu untersuchen und dadurch zu einer immer deutlicheren und bestimmteren Einsicht zu gelangen. Die wissenschaftliche Evidenz aber entspringt lediglich aus der systematischen Anordnung der Erkenntnisse und ihrer konsequenten Ableitung aus den vorausgesetzten Prinzipien; daher man die ganze Schlußkette progressiv und regressiv durchgeht, um sich des Zusammenhangs der Schlußsätze mit den Vordersätzen zu versichern. Wenn aber die vorausgesetzten Prinzipien selbst nicht gewiß und evident sind, so kann es der Wissenschaft bey aller wissenschaftlichen Evidenz doch an der Evidenz des Wissens fehlen.

§. 99.

Das Glauben ist ein Fürwahrhalten, welches zwar nicht objektiv, aber doch subjektiv hinlänglich gegründet ist (§. 93.) oder diejenige Art des Fürwahrhaltens, wo man etwas um subjektiv zureichender Gründe willen annimmt, mithin ohne würkliche Erkenntniſs von einem Objekte dennoch etwas in Beziehung auf dasselbe als gültig anerkennt. Die mit dem Glauben verknüpfte Zuversicht zeigt folglich eine subjektive Gewiſsheit an, bey der man ungeachtet des Mangels an Einsicht dennoch nicht zweifelt. Der Glaube (*fides*) bedeutet bald eben diese Zuversicht (*fiducia*) bald das, wovon man überzeugt ist. Jenes ist der Glaube in subjektiver, dieses der Glaube in objektiver Bedeutung.

Anmerkung.

Soll ein subjektives Fürwahrhalten überhaupt stattfinden, so darf ihm kein Wissen entgegenstehen. Denn es kann nicht durch einen subjektiven Grund das als gültig bestimmt werden, dessen Gegentheil schon durch einen objektiven Grund als gültig bestimmt ist. Wüſste z. B. jemand, daſs kein Gott sey, so könnte er nicht an ihn glauben; oder wüſste man, daſs jemand heute noch lebte, weil

man ihn gesehen und gesprochen hätte, so könnte
man nicht g l a u b e n, daß er vor einem Jahre ge-
storben sey, wenn es auch noch so glaubwürdige
Zeugen versicherten.

§. 100.

Wenn die subjektiven Gründe der Überzeugung für alle überzeugungsfähige Subjekte
zureichen, so ist der Glaube a l l g e m e i n g ü l-
t i g d. h. er kann jedermann vernünftiger
Weise angesonnen werden. Wenn sie aber
nur für dieses oder jenes Subjekt zureichen
können, so hat der Glaube keine allgemeine
Gültigkeit; er kann also auch nicht vernünftiger Weise jedermann zugemuthet werden.

Anmerkung.

Die Glaubensgründe müssen für alle überzeugungsfähige Subjekte zureichen, wenn die subjektiven Bedingungen der Überzeugung entweder in a l l e n Subjekten auf g l e i c h e Weise angetroffen werden, weil
sie zur u r s p r ü n g l i c h e n Anlage derselben gehören oder die e i n z i g m ö g l i c h e n Bedingungen
sind, unter welchen jemand zur Überzeugung von einer Sache gelangen kann. So ist die Foderung der
praktischen Vernunft, daß ihr Endzweck realisirt
werden soll, ein allgemeingültiger Glaubensgrund;
denn jeder nicht ganz rohe und verdorbene Mensch
muß sich dieser Foderung bewußt werden. Eben so

ist das Zeugniſs eines alten glaubwürdigen Schriftstellers über eine Begebenheit seiner Zeit ein allgemeingültiger Glaubensgrund; denn ohne dieses Zeugniſs könnte man sich von einer solchen Begebenheit
gar nicht überzeugen, weil man ohne dasselbe gar
keine Notiz von ihr haben würde.

§. 101.

Die besondern Arten des Glaubens
können sich bloſs durch die Beschaffenheit der
Gründe unterscheiden, wodurch jemand zum
Glauben bestimmt wird. Diese Gründe können nämlich entweder in dem Subjekte
selbst und allein liegen, welches glaubt
und also durch sich selbst überzeugt ist,
oder zugleich in einem fremden Subjekte, dem man glaubt und durch dessen
Aussage man überzeugt wird, indem es von
seiner Überzeugung ein Zeugniſs ablegt, welchem man vertrauet. Jenes kann der Selbst-
glaube oder Eigenglaube, dieses der
historische Glaube heiſsen.

§. 102.

Der Selbst- oder Eigenglaube ist
demnach eine Überzeugung, die in der subjektiven Beschaffenheit des Überzeugten selbst

gegründet ist. Es kann aber derselbe beruhen erstlich auf gewissen empirischen (*a posteriori* entstandenen) mithin besondern und zufälligen Modifikazionen der menschlichen Natur, folglich auf solchen Bestimmungen, die nur gewissen Subjekten eigen sind. Dann reichen die Gründe nicht für alle Subjekte hin; der Glaube ist nicht allgemeingültig (§. 100.); er ist also nur ein Privatglaube.

Anmerkung.

Dieser Glaube kann wieder sehr mannichfaltiger Art seyn. Fast jeder Mensch hat seinen Privatglauben, der aber, sobald man ihn aus einem höheren Standpunkte betrachtet, nichts anders als Wahn oder Überredung ist. Nach der Menge der Subjekte, die solchem Glauben ergeben sind, läßt er sich wieder verschiedentlich eintheilen. Beruht er auf empirischen Bestimmungen eines einzelnen Subjektes, so ist er ein Individualglaube, weil die Gründe nur für ein Individuum zureichen, z. B. wenn ein vorgeblicher Künstler glaubt, er sey ein Virtuos, während er ein Stümper ist, oder wenn ein Wahnsinniger glaubt, er sey ein Krösus, während er ein Irus ist. Beruht aber der Privatglaube auf empirischen Bestimmungen mehrer Subjekte, so ist er ein Partikularglaube, weil die Gründe nur für einige Subjekte zurei-

zureichen. Zu diesem Partikularglauben gehören alle
die Einbildungen, die gewissen Familien, Geschlech-
tern, Ständen, Zünften, Nazionen u. s. w. eigen sind,
daher man den Familienglauben, Geschlechts-
glauben, Standesglauben, Zunftglauben,
Nazionalglauben u. s. w. als verschiedne Unterarten des Partikularglaubens ansehen kann. Wenn
also die alten Israeliten glaubten, sie wären ein Volk,
das Gott vor allen andern als seinen Liebling auser-
wählt hätte, oder wenn gewisse Familien glauben,
sie seyen schon von Natur edler als andre: so gehören
diese Überzeugungen zum blofsen Privatglauben, weil
sie auf subjektiven Gründen beruhen, die keine allgemeine Gültigkeit haben. Sie sind an sich betrachtet
blofse Überredungen und können nur in partikulärer
Beziehung Glaube genannt werden.

§. 103.

Der Selbst- oder Eigenglaube kann aber
auch zweytens auf den ursprünglichen
(*a priori* vorhandenen) mithin allgemeinen
und nothwendigen Bestimmungen der menschlichen Natur beruhen. Dann hat die Überzeugung universale Gültigkeit (§. 100. Anm.)
und mufs ein Gemeinglaube (*fides communis*, nicht *vulgaris*, denn dieser ist immer
nur partikulär) heifsen.

Anmerkung.

Der Gemeinglaube kann zu einer gewissen Zeit noch als Privatglaube. (als Individual- oder als Partikularglaube) erscheinen, wenn er sich wegen zufälliger Hindernisse noch nicht in allen Subjekten entwickelt hat. Er ist nichts desto weniger an sich betrachtet ein Gemeinglaube und muſs, wenn jene Hindernisse durch Fortschritt des Menschengeschlechts im Wahren und Guten gehoben sind, auch als solcher erscheinen. Der Privatglaube kann daher nur dann auf dauerhafte Beystimmung rechnen, wenn er der Erhebung zur Dignität des Gemeinglaubens fähig ist. So war der Glaube an Gott und Unsterblichkeit anfangs nur ein Glaube der Weiseren; er hat sich aber nach und nach, obwohl unter mancherley Gestalten, so unter den Menschen verbreitet, daſs er mit wenigen Ausnahmen als ein würklicher Gemeinglaube angesehen werden kann.

§. 104.

Der Gemeinglaube kann auch **Vernunftglaube** (*fides rationalis*) heiſsen, weil er seinen Grund in der Vernunft selbst haben und daher von allen, die vernünftig urtheilen, als gültig angesehen werden muſs. Er hat eben daher **volle Gewiſsheit**, obwohl nur **subjektive**, welche **Zuversicht** heiſst, indem es der Vernunft in Ansehung des Objektes des Glaubens an **Einsicht** mangelt. Da nun die Razionalität theils als theoretisches theils als praktisches Vermögen betrachtet werden kann (§. 81.), so kann auch der Vernunftglaube theils ein **theo-retischer**, theils ein **praktischer** seyn. Nimmt man nun das Wort praktisch im weiteren Sinne, so kann der praktische Glaube wieder in den **eigentlich praktischen** oder **moralischen** und den **pragmatischen** eingetheilt werden.

Anmerkung 1.

Es kann schon das **spekulative Interesse** der Vernunft das Gemüth bestimmen, etwas für wahr zu halten, wovon man keine objektive Erkenntniſs hat. Sobald nämlich in Beziehung auf ein gewisses theoretisches Problem nur eine einzige Antwort die Vernunft befriedigt, so sind wir geneigt, diese Antwort auch als die einzig wahre anzusehen, ob wir gleich übrigens dadurch keine Einsicht in die Sache selbst gewinnen. Man kann z. B. fragen: Woher ist in der Welt die bewundernswürdige Zweckmäſsigkeit, Ordnung und Schönheit? Aus bloſsen mechani chen und chemischen Kräften ist sie gar nicht begreiflich, und woher diese mechanischen und chemischen Kräfte selbst? Soll alles, was ist, durch Zufall seyn, so erscheint zu viel Nothwendigkeit darin; soll es durch

Nothwendigkeit seyn, so erscheint zu viel Zufällig-
keit darin.   Es bleibt also immer das Vernünftigste,
einen vernünftigen und freyen Urheber der Welt anzunehmen.   Da indessen jene Frage nur in spekulativer Hinsicht aufgeworfen ist, so kann die Spekulazion, welche als solche keine Gränzen kennt, so lange
noch etwas zu fragen übrig bleibt, in Beziehung auf
die gegebne Antwort eine Menge neuer Fragen aufwerfen, und, da diese nicht beantwortet werden können, eine Menge von Zweifeln gegen die Richtigkeit
der Antwort erheben.   Und weil man überdieß in
spekulativer Hinsicht etwas sehr wohl dahingestellt
seyn lassen und den neugierigen Frager mit einem:
„Ich weiß nicht,“ abfertigen kann, so findet hier eigentlich keine Nöthigung statt, etwas für wahr zu
halten, wovon man keine objektive Erkenntniß hat.
Der theoretische Vernunftglaube, welchen man auch
den doktrinalen nennen könnte, hat also an und
für sich betrachtet nicht Kraft genug, das Gemüth
über alle Zweifel zu erheben und ihm diejenige Zuversicht zu ertheilen, die mit dem ächten Glauben verknüpft seyn soll.   Gäbe es aber einen praktischen Ver-
nunftglauben, der von der Spekulazion unabhängig und
mithin auch über die Zweifel derselben erhaben wäre,
so könnte sich jener mit diesem vereinigen und dadurch selbst an Überzeugungskraft gewinnen.

Anmerkung 2.

Daß nun ein solcher praktischer Vernunftglaube
würklich stattfinde, erhellet bereits aus der Elemen-

tarlehre §. 84., wo derselbe seinem Gehalte nach ex-
ponirt und deduzirt worden ist. Es ist also hier nur
noch nöthig, den Unterschied desselben vom theoretischen sowohl als vom pragmatischen Glauben zu entwickeln. Der theoretische Glaube entspringt aus einem spekulativen, der praktische aus einem praktischen Interesse. Das praktische Interesse aber bezieht
sich entweder auf Zwecke der Klugheit oder auf
Zwecke der Sittlichkeit. Im ersten Falle ist es
eigentlich ein pragmatisches, im zweyten ein
moralisches Interesse. Aus jenem entspringt der
pragmatische, aus diesem der moralische oder
eigentlich praktische Glaube. Der pragmatische Glaube ist eine zuversichtliche Annahme oder
Voraussetzung dessen, was Bedingung der Erreichung
eines Zwecks der Klugheit ist. Es ist z. B. jemand
in Gefahr, sein Vermögen zu verlieren, und es ist
ihm nur Ein Mittel übrig, sich vom Ruine zu retten.
Dieses Mittel muß sogleich angewendet werden,
wenn es volle Würkung thun soll; er kann es aber
nicht anwenden, ohne dabey auf den guten Willen
eines entfernten Freundes zu rechnen, der ihn bey der
Ausführung unterstützen werde. Er glaubt also,
daß dieser es thun werde, und handelt diesem
Glauben gemäß. Oder ein Kaufmann kann durch
eine Handelsspekulazion einen großen Vortheil erringen. Er muß aber dabey voraussetzen, daß gewisse
Umstände zusammentreffen werden, um sein Unternehmen zu begünstigen. Er glaubt also, daß diese
Umstände stattfinden werden und handelt darnach.

Oder ein Feldherr befindet sich in der Nothwendigkeit, eine Schlacht zu liefern, ohne die Stärke, die Lage und den Angriffsplan des Feindes zu wissen. Er macht also seine Disposizionen nach gewissen Voraussetzungen und glaubt an die Richtigkeit derselben, indem er darnach handelt. In allen diesen Fällen findet ein pragmatischer Glaube statt. An sich betrachtet ist derselbe freylich blofs wahrscheinliche Meynung; aber die Gründe reichen doch für das handelnde Subjekt und für jedes andre, wenn es sich in derselben Lage befände, hin, um darnach mit Zuversicht zu handeln; es ist also subjektive Gewifsheit im Augenblicke des Handelns vorhanden, und ebendarum heifst die Überzeugung des Handelnden ein Glaube. Der Zweck des Handelns ist aber nicht absolut nothwendig, weil es nur ein politischer (Politik als Klugheitslehre überhaupt betrachtet) ist; der Erfolg ist also auch nicht zu verbürgen; vielmehr können die Gesetze des Weltlaufs es so mit sich bringen, dafs der Erste sein ganzes Vermögen verliere, der Zweyte nichts bey seiner Spekulazion gewinne und der Dritte vom Feinde besiegt werde. Es ist und bleibt also das Gegentheil dessen, was man pragmatisch glaubt, sehr wohl möglich, nur dafs man während des Handelns eben nicht an diese Möglichkeit denkt oder sich wenigstens nicht durch diesen Gedanken vom Handeln abhalten läfst. — Ganz anders verhält es sich mit dem eigentlich praktischen oder moralischen Glauben. Der Zweck des Handelns ist hier ethisch, nämlich

der Endzweck der praktischen Vernunft selbst; er
ist mithin von der Vernunft unnachlafslich geboten.
Die Vernunft sieht sich also genöthigt, auch dasjenige als würklich vorauszusetzen, ohne welches die
Realisirung jenes Zwecks gar nicht denkbar wäre.
Der moralische Glaube ist demnach eine zuversichtliche Annahme oder Voraussetzung dessen, was
Bedingung der Erreichung eines absolut nothwendigen Zwecks der praktischen Vernunft ist. Der
Mensch, dieses in Ansehung seines Würkungsvermögens und seines Daseyns in der Sinnenwelt so
beschränkte Wesen, sieht sich begriffen in der Lösung einer unendlichen Aufgabe d. h. einer solchen,
die nur durch Mitwürkung eines unbeschränkten
Würkungsvermögens und vermittelst einer unendlichen Fortdauer gelöst werden kann. Er glaubt also
praktisch an diese Bedingungen d. h. er handelt mit
zuversichtlicher Voraussetzung der Realität dieser
Bedingungen. Nicht also die Neugierde der Spekulazion soll durch Lösung jener Aufgabe befriedigt
werden; denn es ist hier gar von keinem spekulativen Probleme die Rede, sondern von einem praktischen: ein praktisches Vernunftbedürfnifs ist es, was
Befriedigung heischt. Daher kehrt sich auch der
moralisch Gläubige gar nicht an die Zweifel der
Spekulazion in Hinsicht auf jene Bedingungen. Ihm
genügt es, dafs seine Annahme nichts Widerspre-
chendes im Begriffe enthält. Sein Augenmeik ist
nur auf das Handeln unter jener Annahme gerichtet.
Daher ist zwar der praktische Glaube kein blofses

Handeln — denn das blofse Handeln kann man
nicht ein Glauben nennen; aber auch kein blofses
theoretisches Fürwahrhalten — denn dieses würde
den Zweifeln der Spekulazion blofs gestellt seyn;
sondern ein mit dem Handeln nothwendig verknüpf-
tes und aus dem pflichtmäfsigen Handeln nothwendig
hervorgehendes Fürwahrhalten, welches eben wegen
dieses Ursprungs zweifellos und im höchsten Grade
zuversichtlich ist. Diese Zuversicht als subjektive Gewifsheit heifst moralische Gewifsheit, welche
also etwas ganz Andres und weit Höheres als blofse
Wahrscheinlichkeit ist (§ 93 und 94.). Denn
diese kommt nur der Meynung zu. Man kann aber
eben so wenig sagen, ich meyne, dafs ein Gott oder
ein ewiges Leben sey, als ich weifs es, sondern ich
glaube es, und zwar mit moralischer Gewifsheit
d. h. ich bin durch das Gewissen so vest und innig davon überzeugt, dafs, ob ich gleich von Gott und dem
ewigen Leben keine Erkenntnifs habe, ich dennoch
unbedenklich so handle, als wenn ich die evidenteste
Erkenntnifs davon hätte. Dafs man zuweilen die
Wahrscheinlichkeit eine moralische Gewifsheit genannt und sie der demonstrativen oder mathematischen
entgegengesetzt hat, kommt theils von der Unbestimmtheit der Begriffe in Ansehung der Arten des Fürwahrhaltens und der Grade der Überzeugung überhaupt,
theils daher, dafs man sowohl über die den Handlungen eines Menschen zum Grunde liegenden moralischen Gesinnungen als auch über die aus diesen entspringenden zukünftigen Handlungen des Menschen

nur mit Wahrscheinlichkeit urtheilen kann. Man
nannte also diese Wahrscheinlichkeit eine moralische
Gewißheit und sagte z. B., es sey moralisch gewiß,
daß ein professionirter Spieler ein Betrüger sey, oder
daß ein Mensch, dessen boshafter und rachsüchtiger
Charakter schon anderweit bekannt war, den ihm an-
geschuldigten Mord seines Feindes begangen habe.
Dieß sind aber nur höchst wahrscheinliche Vermuthungen, aber keineswegs gewisse Glaubenswahrhei-
ten. — Da übrigens der sittliche Glaube sich als wahre
Religiosität im Denken und Thun, als stete Hinsicht
des Menschen auf seine höhere Bestimmung im Reiche
Gottes, ankündigt (§. 84. Anm. 4.): so kann man
jenen Glauben auch den Religionsglauben (*fides
religiosa*) nennen.

§. 105.

Wenn die subjektiv zureichenden Gründe
des Fürwahrhaltens in der Überzeugung eines fremden Subjekts liegen, wenn man also
etwas darum für wahr hält, weil ein andres
Subjekt davon auf irgend eine Art überzeugt
ist und von seiner Überzeugung ein Zeugniß
abgelegt hat, so ist der Glaube historisch
(§. 101.). Auch dieser Geschichtsglaube ist
wieder von doppelter Art, entweder material oder formal. Denn er bezieht sich entweder auf würkliche Thatsachen d. h. sinnlich

wahrnehmbare Objekte, wovon jemand Bericht erstattet oder worüber er ein Zeugniß
ablegt — der Glaube ist also hier selbst der
Materie nach historisch und kann daher
auch vorzugsweise oder schlechtweg
der historische Glaube heißen; oder er bezieht sich auf Vernunftwahrheiten d. h. auf
Objekte, die eigentlich nicht sinnlich wahrgenommen werden können, von deren Realität man sich aber durch ein fremdes Zeugniß überzeugen läßt — der Glaube ist also
hier bloß der Form nach historisch, indem man das Razionale wie ein Historisches
behandelt.

§. 106.

Der materiale Geschichtsglaube
macht mit Recht auf allgemeine Gültigkeit
Anspruch. Denn von sinnlich wahrnehmbaren Dingen, die man nicht selbst wahrgenommen .hat (von ehemaligen Begebenheiten
oder weit entfernten Gegenständen) kann man
nur durch fremdes Zeugniß Kenntniß erhalten (§. 100. Anm.). Wenn also der Zeuge
selbst nur glaubwürdig ist d. h. wenn er
fähig und ehrlich genug ist, ein richtiges

Zeugniſs abzulegen, so daſs er die Wahrheit
sagen kann und will: so verdient er, daſs
jedermann sein Zeugniſs als hinlänglichen
Überzeugungsgrund gelten lasse, mithin das,
was er aussagt, auf Treu' und Glauben an-
nehme. Da aber das Urtheil über die Glaub-
würdigkeit des Zeugen selbst nie bis zur
vollen Gewiſsheit gebracht werden kann,
und da der material - historische Glaube eigentlich ein mittelbares empirisches
Wissen, mithin ein unvollständiges
Wissen ist, so findet in Ansehung desselben nur höchst mögliche Wahrscheinlichkeit statt.

Anmerkung.

Daſs der historische Glaube (nämlich der materiale) eigentlich ein mittelbares empirisches
Wissen sey, ist offenbar. Denn sein Objekt kann
wahrgenommen, mithin empirisch gewuſst werden
(§. 96.). Wir setzen also voraus, daſs derjenige,
welcher ein Zeugniſs von einer Thatsache ablegt,
dieselbe wahrgenommen habe oder empirisch wisse,
und vermittelst desselben wissen wir es nun
auch. Dieses mittelbare Wissen ist aber ein unvollständiges Wissen. Denn ich kann nie völlig gewiſs seyn, daſs der Zeuge das, was er wahrgenommen haben will, auch würklich wahrgenommen

habe; ich nehme es nur auf Treu' und Glauben an,
weil ich ihn für einen verständigen und ehrlichen
Mann halte, und ebendarum heifst das mittelbare
historische Wissen ein Glauben.   Dafs aber jemand
im Augenblicke der Wahrnehmung bey gesunden
Sinnen und bey gesundem Verstande, dafs er aufmerksam und besonnen genug war, um nicht selbst
getäuscht zu werden; dafs er ferner, indem er mir
Bericht erstattete, der Wahrheit völlig getreu blieb
und sich weder bewufst noch unbewufst irgend eine
Verfälschung der Thatsache zu Schulden kommen
liefs — alles diefs läfst sich nicht mit Evidenz beweisen, sondern es ist und bleibt immer nur wahrscheinliche, vielleicht (wenn viele Zeugnisse zusam-
menstimmen) höchst wahrscheinliche Meynung, welche zu bezweifeln ungereimt wäre.   Aber Gewifsheit
im strengen Sinne ist doch nie vorhanden.   Ist nun
überdiefs der Zeuge selbst kein unmittelbarer Zeuge,
so dafs, was er bezeugt, er selbst nur mittelbar
weifs d. h. auf das Zeugnifs eines Andern glaubt,
so vermindert sich auch jene Wahrscheinlichkeit und
die wahrscheinliche Meynung wird zur blofsen Vermuthung.   Daher ist die Geschichte, besonders die
alte, gröfstentheils nichts als ein Aggregat von Vermuthungen, die sich auf unsichere Zeugnisse gründen, indem man nicht weifs, ob die Urheber derselben unmittelbare oder mittelbare, fähige oder un-
fähige, ehrliche oder trügerische Zeugen waren.
Ebendarum ist der historische Skeptizism, ob er gleich
übertrieben werden kann, dem gründlichen Geschicht-

forscher nicht genug zu empfehlen. Es ist immer besser, in der Geschichte so wie im gemeinen Leben zu wenig als zu viel zu glauben.

§. 107.

Der formal - historische Glaube (§. 105.) kann nur dann als gültig zugelassen werden, wenn die Vernunftwahrheiten, worauf er sich bezieht, würkliche Wahrheiten sind, und wenn der Glaubende, so weit es nach seiner subjektiven Beschaffenheit möglich ist, selbst prüft und das fremde Zeugnifs nur als ein Mittel braucht, gewisse Wahrheiten der Vernunft in sich zu beleben und zu bestätigen. Daher dient der formal historische Glaube sehr oft dem razionalen, und insonderheit dem moralisch-religiösen Glauben zu einem Introdukzionsmittel; er kann aber, wenn das Mittel zum Zwecke selbst erhoben wird, sehr leicht in blinden Glauben und Aberglauben ausarten.

Anmerkung 1.

Der formal-historische Glaube kann sich eigentlich auf Vernunftwahrheiten aller Art beziehen. So kann jemand einen mathematischen Lehrsatz, sogar ein ganzes philosophisches System auf Treu' und Glauben annehmen, wenn das *Αγτος εφα* ein für das Subjekt

hinlänglicher Grund des Fürwahrhaltens ist. Er findet
aber am haüfigsten statt in Ansehung moralisch - reli-
giöser Wahrheiten, welche eigentlich Objekte des razionalen Glaubens sind. Wenn nämlich in gewissen
Subjekten die Vernunft wegen zufälliger Ursachen
noch nicht die gehörige Reife erlangt hat (wie diefs
bey Kindern und ungebildeten Menschen unter kulti-
virten Völkern oder bey ganzen noch rohen Völkern
der Fall ist): so ist in ihnen auch der razionale
Glaube noch nicht entwickelt. Sie bedürfen also eines
aüfseren Hülfsmittels, damit dieser Glaube aus der ursprünglich moralischen Anlage, in welcher er gleichsam als Keim noch verborgen liegt, sich nach und
nach entwickele. Ein solches Hülfsmittel ist der formal - historische Glaube. Die moralisch - religiösen
Wahrheiten der Vernunft werden ihnen von Andern
vorgehalten und die Auktorität, das Zeugnifs dieser
Andern, reicht für sie schon hin, jene Wahrheiten
anzunehmen. Der moralisch - religiöse Unterricht soll
aber eigentlich jene Wahrheiten nicht dem Gemüthe
gleichsam einpflanzen oder eingiefsen, sondern er soll
nur das Gemüth des Lehrlings darauf hinleiten, so
dafs der razionale Glaube in ihm von selbst erzeugt
werde. Daher darf von dem Subjekte nicht gefodert
werden, dafs es auf eigne Prüfung in Ansehung des
empfangenen Unterrichts Verzicht leiste (die Vernunft
unter den Gehorsam des Glaubens gefangen gebe);
sondern es mufs ihm die eigne Prüfung, so weit dieselbe nach den jedesmaligen Umständen möglich ist,
zur Pflicht gemacht und ihm dazu durch den Unterricht

selbst Anleitung gegeben werden. Geschieht dieß
nicht, so verwandelt sich der formal historische
Glaube in einen blinden oder thierischen Glauben (*fides coeca s. bruta* — der sogenannte Köhler-
glaube), 'indem dadurch dem Menschen die Augen
verschlossen werden, um dem Lichte der Vernunft
den Eingang zu verwehren, und so der Mensch zu
einem vernunftlosen Wesen herabgewürdigt wird.
Eben dieses ist die Quelle alles Aberglaubens und aller
Schwärmerey in Religionssachen; daher diese Quelle
vorerst verstopft werden muß ehe man die Menschen
von diesen Übeln befreyen kann.

Anmerkung 2.

Der sogenannte Offenbarungsglaube (*fides
revelata*) ist subjektiv betrachtet nichts anders als ein
formal-historischer Glaube, ob er gleich, insofern er
sich außer den geoffenbarten moralisch-religiösen
Wahrheiten auch auf gewisse Thatsachen oder Begebenheiten bezieht, zugleich material-historisch ist.
Er hat also eigentlich eine doppelte Grundlage, eine
historische und eine razionale. Der Offenbarungsglaube, der sich auf Angelegenheiten der übersinnlichen Welt bezieht, wird auch aus der übersinnlichen Welt abgeleitet d. h. es werden gewisse
Thatsachen oder Erscheinungen der Sinnenwelt, wodurch den Menschen etwas Übersinnliches offenbar
wurde, auf eine Kaussalität außerhalb der Sinnenwelt bezogen. Mit welchem Rechte, muß die philosophische Religionslehre in ihrem angewandten

Theile untersuchen. Der Offenbarungsglaube setzt also schon den Glauben an eine übersinnliche Welt voraus und soll blofs zur Belebung und Bevestigung desselben dienen. Daher kann zwar der Offenbarungsglaube, wenn er das bleiben soll, nicht von allem Historischen entkleidet werden; aber eben so wenig darf man aus ihm das Razionale entfernen, wenn er nicht in den krassesten Aberglauben ausarten soll. Der razionale Glaube für sich kann auch N a - t u r g l a u b e (*fides naturalis*) heifsen, weil der Mensch durch seine moralische Natur schon auf denselben geführt werden kann. Indessen kann auch im w e i t e r n Sinne aller Glaube Naturglaube heifsen, der von keiner Offenbarung als abhängig gedacht wird.

§. 108.

Ein Glaube, dem objektive Gründe entgegenstehen (§. 99.) oder dessen subjektive Gründe nicht allgemeingültig sind (§. 100.), ist ein I r r g l a u b e. Dieser heifst W a h n - g l a u b e, wiefern auf dessen Falschheit überhaupt gesehen wird, A b e r g l a u b e aber, wiefern er sich vornehmlich durch Verwechselung und Vermischung des Natürlichen mit dem Übernatürlichen ankündigt. Der U n - g l a u b e hingegen besteht in einer fehlerhaften Denkungsart, vermöge welcher man nichts

für

für wahr halten will, als was man selbst
durch obiektiv zureichende Gründe eingesehen hat. Leichtgläubigkeit ist ein Fehler, der aus Mangel an Verstande (entweder
an natürlichem Verstande oder an Kultur des
Verstandes) entspringt, ein Hang zum Glauben, ohne nach Gründen zu fragen, woraus
dann weiter blinder Glaube und Aberglaube hervorgeht.

Anmerkung 1.

Aberglaube ist so viel als Afterglaube,
es bedeutet mithin das Wort ursprünglich einen falschen Glauben überhaupt; durch den Sprachgebrauch
aber ist es vorzüglich auf diejenige Art des falschen
Glaubens beschränkt, welche sich dadurch äußert,
daß man Natürliches und Übernatürliches auf gewisse
Weise mit einander vermischt und verwechselt. Da
dieß nun sowohl in Ansehung des Physischen selbst
als in Ansehung des Moralisch-Religiösen geschehen
kann, so läßt sich auch der Aberglaube in zwey Arten, den physikalischen und den moralisch-
religiösen, eintheilen. Wer daher glaubt, daß
Kometen und Nordlichter oder Krähengekrächz und
Eulengeheul künftiges Unglück ankündigen, ist phy-
sikalisch — wer aber glaubt, daß er durch bloßes
Fasten, Beten und Singen Gott wohlgefällig werden
könne, moralisch oder religiös aberglaübig.

Anmerkung 2.

Unglaube ist vom Aberglauben wesentlich ver-schieden. Der Aberglaübige glaubt zu viel, der Un-glaübige zu wenig. Er will nämlich durchaus nichts für wahr halten, als wofür sich objektiv zureichende Gründe anführen lassen. Wird diese fehlerhafte Den-kungsart konsequent durchgeführt, so führt sie noth-wendig zur Irreligion, wenigstens theoretisch oder in der Spekulazion, obgleich daraus nicht noth-wendig Irreligion in praktischer Hinsicht folgt. So-bald aber der Unglaube selbst aus Immoralität d. h. aus einer fehlerhaften Gesinnung, aus einem verdorbenen Herzen entspringt, so ist Irreligiosität damit nothwen-dig verknüpft. Daher wird der Unglaube mehr ge-fürchtet, als der Aberglaube; jener wird sogar oft ge-haſst und verfolgt, dieser begünstigt oder wenigstens geduldet. Da überdieſs die meisten Menschen (be-sonders der rohe Haufe) lieber zu viel als zu wenig glauben, so breitet sich auch der Aberglaube weit mehr aus als der Unglaube, und eben darum ist jener schäd-licher als dieser. Wenn aber zu irgend einer Zeit der Unglaube sich eben so weit verbreitete, als der Aber-glaube und selbst unter den niedern Volksklassen um sich griffe, so würde er weit schädlicher werden, als dieser, weil durch ihn die Stützen fallen würden, worauf die Legalität der meisten Menschen beruht, nämlich Furcht und Hoffnung. Da aber diese Legali-tät an sich keinen Werth hat und von der ächten Moralität wesentlich verschieden ist, so kann auch der Aberglaube nicht als ein Beförderungsmittel der

Moralität angesehen werden. Vielmehr ist er selbst
der wahren Moralität hinderlich. Mithin sind Unglaube und Aberglaube zwey Abwege, die auf gleiche
Weise zu vermeiden sind, um so mehr, da nach
dem bekannten Ausspruche: *Les extremes se touchent*,
aus dem Aberglauben oft Unglaube entspringt, und
der Unglaube zuweilen am Ende auch in Aberglauben übergeht. — Übrigens kann man den Unglau-
ben noch in den h i s t o r i s c h e n und den r a z i o-
n a l e n eintheilen. Wer in Ansehung des Sinnlichen nichts auf das Zeugniß Andrer annehmen, sondern nur dasjenige für wahr halten will, was er
selbst wahrgenommen hat, mithin durch eigne Anschauung und Empfindung weiß, ist historisch —
wer aber in Ansehung des Übersinnlichen nichts auf
das Zeugnils seines Gewissens annehmen, sondern nur
dasjenige für wahr halten will, was sich demonstriren
läßt, mithin apodiktische Gewißheit hat, ist razional
ungläubig. Die letzte Art des Unglaubens kommt
in der Erfahrung weit häufiger vor, als die erste,
welche sich immer nur als ein zu weit getriebener
historischer Skeptizism äußert.

§. 109.

Das Meynen ist ein Fürwahrhalten aus
Gründen, die zwar an sich nicht ungültig
sind, aber doch zur Hervorbringung einer
vollständigen und gewissen Überzeugung

nicht zureichen. Dadurch unterscheidet es sich vom Wähnen, dessen Gründe schon an und für sich ungültig oder eingebildet sind (§. 94.). Soll nun ein solches Fürwahrhalten überhaupt stattfinden, so darf ihm kein Wissen oder Glauben entgegenstehen; denn ein objektiv oder subjektiv zureichender Grund des Gegentheils einer Meynung würde dieselbe geradezu als verwerflich beweisen.

§. 110.

Die Meynung muſs aber auch ferner mit dem Wissen oder Glauben auf irgend eine Art zusammenhangen, weil der Mangel dieses Zusammenhangs beweisen würde, daſs die Meynung auf gar keinem gültigen Grunde beruhe, mithin bloſser Wahn oder Überredung sey. Ist jener Zusammenhang sehr entfernt, so heiſst die Meynung eine bloſse Vermuthung oder Muthmaſsung. Ob aber gleich das Meynen mit dem Wissen oder Glauben näher oder entfernt zusammenhangen muſs, so darf es doch mit keinem von beyden verwechselt werden.

Anmerkung.

Wenn ein Kritiker meynt, eine gewisse Lesart
sey die richtige, so muſs er entweder aus eigner
Einsicht der Manuskripte wissen oder auf das Zeugniſs Andrer, von welchen die Manuskripte verglichen
worden sind, glauben, daſs jene Lesart in einem
oder einigen derselben angetroffen werde. Wird sie
nicht selbst in den Manuskripten angetroffen, aber
doch solche Varianten, die mit der für richtig gehal-
tenen Lesart einige Ähnlichkeit haben und die durch
gewöhnliche Fehler der Abschreiber leicht aus jener
Lesart entstehen konnten, so ist die Meynung des
Kritikers zwar bloſse Vermuthung (*conjectura*);
aber sie ist doch nicht bloſs aus der Luft gegriffen,
sondern steht mit dem, was er von den Varianten einer gewissen Stelle weiſs oder glaubt, in einigem Zusammenhange. Fände gar kein solcher Zusammenhang
statt, sondern der Kritiker änderte die Lesart einer
Stelle nach Belieben, indem er sich einbildete, der
Verfasser des Buchs müſste gerade so geschrieben haben, wie es dem Kritiker den Worten und Sachen
nach gutdünkte: so wäre seine Vermuthung nichts
weiter, als ein leerer Wahn, ein Produkt seiner Einbildungskraft, ein Hirngespinnst *) — Übrigens braucht

---

*) Statt Hirngespinnst schreiben manche, und wenn ich
nicht irre, selbst WIELAND zuweilen, Hirngespenst.
Allein der letzte Ausdruck ist offenbar falsch, weil er
ein grober Pleonasm ist. Denn ein Gespenst ist eben
ein Hirngespinnst; also wäre ein Hirngespenst ein
Hirn - Hirngespinnst.

man zuweilen das Wort: Meynen, anstatt: Wissen. Dieser Sprachgebrauch scheint aus einer übelverstandenen Bescheidenheit entsprungen zu seyn, indem man eine Behauptung, von deren Gültigkeit man aus objektiv zureichenden Gründen überzeugt war, doch nur als unvorgreifliche Meynung aufstellte. Allein wenn man nur würklich etwas weiſs, so ist es eine Art von Verrath an der Wahrheit, wenn man das Wissen für ein bloſses Meynen ausgiebt. Da indessen der Mensch sich auch oft einbildet, etwas zu wissen, was er doch eigentlich nicht weiſs, sondern nur meynt oder gar bloſs wähnt, und da das eingebildete Wissen schon oft mit dem anmaſsendsten Tone und der unverschämtesten Groſssprecherey für ein höchst gewisses Wissen ausgegeben worden ist: so ist es weniger tadelnswerth, das Wissen für ein Meynen, als das Meynen für ein Wissen auszugeben. — Eben so werden im gemeinen Redegebrauche auch die Ausdrücke: Glauben und Meynen, mit einander verwechselt. Man sagt z. B.: Ich glaube, es wird heute gut Wetter werden, statt: Ich meyne u. s. w. Allein diese Unbestimmtheit des vulgären Sprachgebrauchs hebt den wesentlichen Unterschied jener Ausdrücke und der dadurch bezeichneten Begriffe nicht auf. Die philosophische Sprache aber muſs eben diesen Unterschied bemerklich machen und daher im Gebrauche jener Ausdrücke möglichst bestimmt seyn.

§. 111.

So wie beym Wissen und Glauben **Gewifsheit** (nämlich dort objektive hier subjektive) stattfindet (§. 93.): so findet beym
Meynen blofse **Wahrscheinlichkeit** (mithin **Ungewifsheit**) statt (§. 94.). Nun
ist Gewifsheit in Ansehung der Überzeugung
nur dann möglich, wenn der oder die Gründe,
worauf diese beruht, **vollständig** gegeben
sind. Mithin findet blofse Wahrscheinlichkeit statt, wenn sie **unvollständig** gegeben sind, weil alsdann etwas an der zureichenden Begründung des Urtheils fehlt, folglich man sich bewufst bleibt, dafs das Gegentheil wohl möglich sey. Da nun diese Un-
vollständigkeit gröfser oder geringer seyn
kann, so giebt es auch viele Grade der
Wahrscheinlichkeit.

Anmerkung.

Da die Wahrscheinlichkeit vermöge dieser Grade bald stärker bald schwächer seyn kann, so
wird auch das Wort Wahrscheinlichkeit bald im
weitern bald im engern Sinne genommen. In
jenem zeigt es den dem Meynen überhaupt eigenthümlichen Grad der Überzeugung an; in diesem
steht die Wahrscheinlichkeit der Unwahrscheinlichkeit

entgegen. Eine Meynung heißt dann wahrscheinlich, wenn die Gründe dessen, was man für wahr
hält, die Gründe für das Gegentheil übertreffen, unwahrscheinlich, wenn jene von diesen übertrof-
fen werden. Hiebey hat man aber natürlich nicht
bloß auf die Zahl sondern auch auf das Gewicht
der Gründe Rücksicht zu nehmen, nach der Regel:
*Non numeranda solum, sed et ponderanda sunt argu-
menta.* Wenn daher die Gründe einer Meynung selbst
nur wahrscheinlich sind (z. B. wenn man meynt, es
sey jemand dem Tode nahe, weil man vermuthet, daß
er die Auszehrung habe): so ist die Wahrscheinlichkeit zusammengesetzt und die Überzeugung verliert dadurch an Stärke, da sie hingegen gewinnt,
wenn die Wahrscheinlichkeit einfach ist d. h. wenn
die Gründe der Meynung ausgemacht und gewiß sind.
Darum sind Hypothesen verwerflich, welche zu ihrer
Unterstützung einer oder mehrer Hülfshypothesen bedürfen. Denn eine Hypothese ist eine Möglichkeit,
die man als Würklichkeit annimmt, um dadurch eine
anderweite gegebne Würklichkeit zu erklären. Man
setzt nämlich etwas an sich Mögliches als würklich,
um daraus zu begreifen, wie ein andres Würkliches
möglich sey. Reicht nun die Hypothese aus dieß zu
begreifen (z. B. das Kopernikansche System als Hypothese betrachtet zur Erklärung der Himmels-Phäno-
mene), so ist es wahrscheinlich, daß man das Wahre
vorausgesetzt habe. Reicht sie aber nicht aus, sondern muß man noch zu anderweiten Hypothesen seine
Zuflucht nehmen, um die Möglichkeit der ersten

Hypothese zu begreifen (z. B. das Tychonische System) so wird die Wahrscheinlichkeit einer solchen Hypothese eben dadurch vermindert, dass sie zu sehr zusammengesetzt ist. Übrigens ist zwar das Meynen und mithin auch das Hypothesen-Machen in Sachen des Wissens eigentlich nicht erlaubt, indem man sich hier entweder entscheidend (es sey für oder wider) erklären oder das Urtheil so lange aufschieben muss, bis man die Sache reiflich erwogen hat. Da aber der menschliche Geist nicht auf einmal zur vollen Einsicht zu gelangen, sondern immer erst die Wahrheit gleichsam nur von fern zu ahnen pflegt, so darf Niemanden die Befugniß genommen werden, eine Meynung oder Hypothese als ein problematisches Urtheil vorläufig aufzustellen, um durch fortgesetzte Prüfung derselben nach und nach zur apodiktischen Gewißheit zu gelangen.

§. 112.

Die Wahrscheinlichkeit ist entweder mathematisch oder dynamisch; jenes, wenn die Gründe gleichartig und von gleichem Werthe sind, mithin bloß gezählt zu werden brauchen; dieses, wenn die Gründe ungleichartig und von ungleichem Werthe sind, mithin gegen einander abgewogen werden müssen. Nur die erste Art der Wahrscheinlichkeit läßt sich berechnen.

Anmerkung.

Es haben sich einige philosophische Mathematiker
oder mathematische Philosophen die Mühe gegeben,
eine allgemeine Methode ausfindig zu machen, nach
welcher die Wahrscheinlichkeit berechnet werden
könnte. Sie betrachteten also die Wahrscheinlichkeit
als eine intensive Gröfse, die sich arithmetisch bestimmen liefse, und die Berechnung der Wahrscheinlichkeit als einen Theil der *Mathesis intensorum*. Allein sie bemerkten nicht, dafs jene Methode nur auf
wenig Fälle anwendbar ist, weil die Wahrscheinlichkeit in den meisten Fällen nicht blofs mathematisch,
sondern dynamisch ist. Wenn nämlich die Gründe,
worauf die Wahrscheinlichkeit beruht, völlig gleichartig und von gleichem Werthe sind, so darf man nur,
die Gründe für und wider zählen. Die Gewifsheit
stellt dann eine ganze Zahl, die Wahrscheinlichkeit
aber einen Bruch vor, dessen Zähler und Nenner in
unendlich mannichfaltigem Verhältnisse stehen, mithin auch unendlich viele Differenzen geben können.
Eine solche Berechnung der Wahrscheinlichkeit findet
z. B. statt in Ansehung des Gewinnes oder Verlustes
im Lotteriespiele oder in andern Glücksspielen, wo
der blofse Zufall herrscht und sich nicht etwa die
menschliche Kunst ehrlicher oder betrügerischer Weise
einmischt. Denn alsdann müfste diese Kunst mit in
Rechnung gebracht werden und wie grofs diese sey,
oder wie weit sich ihr Einflufs erstrecke, läfst sich
blofs unbestimmt (gleichsam nach dem Augenmaafse)
schätzen, nicht aber mathematisch ausmessen. Die

dynamische Wahrscheinlichkeit kommt nun in der
Geschichte, der Kritik und Auslegung, der Politik,
der medizinischen Praxis, der Ökonomie, dem Han-
del, dem Kriege u. s. w. so häufig vor, daſs man
von jener Wahrscheinlichkeits-Arithmetik nur selten
Gebrauch machen kann, und sich begnügen muſs,
ungefähr zu bestimmen, wie wahrscheinlich oder
unwahrscheinlich eine Meynung sey, welche man
theoretisch gelten lassen oder nach der man sich in
der Praxis richten soll.

§. 113.

Wenn die Gründe für und wider eine Behauptung an Zahl und Werth einander gleich
sind oder wenigstens zu seyn scheinen, so
entsteht der Zustand des Zweifelns. Sind
aber gar keine Gründe zur Entscheidung gegeben, so entsteht daraus Unentschiedenheit, welche dem Zweifel in Ansehung des
Effektes gleich ist. In beyden Fällen entsteht Wahn oder Überredung, wenn man
dennoch ein Urtheil wagt.

Anmerkung.

Beym Zweifeln urtheilt man nicht, weil man
eben so viele und eben so wichtige Gründe zum Bejahen als zum Verneinen hat; das Subjekt
hält also seinen Beyfall zurück (επιχω, daher επιχη,

sϕικτικοι). Bey der Unentschiedenheit aber urtheilt man nicht, weil gar keine Gründe, weder für noch wider zur Bestimmung des Urtheils gegeben sind. Der Effekt ist also in beyden Fällen derselbe — man urtheilt nicht; aber die Ursache ist verschieden — dort hat man entgegengesetzte, hier gar keine Bestimmungsgründe. Daſs gleichwohl der Effekt derselbe ist, kommt daher, daſs, wenn die Gründe *pro* und *contra* gleich sind, sie einander, wie positive und negative Gröſsen in der Mathematik, aufheben, mithin es ebensoviel ist, als wenn gar keine Gründe da wären. Wenn man nun in solchen Fällen dennoch ein Urtheil wagt, so kann nur Willkür oder Neigung entscheiden, und da diese als Bestimmungsgründe des Fürwahrhaltens völlig unstatthaft sind, so entspringt daraus nothwendig Wahn oder Überredung (§. 94.). Übrigens muſs man wohl unterscheiden den Zweifel (*dubitatio*) oder das Zweifeln (*dubitare*) und einen Zweifel (*dubium*). Der letzte ist ein bloſser Gegengrund gegen eine Behauptung, welcher den Zweifel in Beziehung auf dieselbe hervorbringen kann. Wird ein solcher Grund zur Bestreitung eines Satzes würklich vorgebracht, so heiſst er ein Einwurf oder Einwand (*objectio*). Daher nennt man zuweilen Einwürfe auch *dubia* oder *dubitationes*. Ein Zweifel, dessen man sich noch nicht deutlich bewuſst ist, heiſst auch ein Skrupel. Etwas bezweifeln bedeutet aber auch oft so viel als; es nicht glauben, oder es für unwahrscheinlich halten.

§. 114.

Der Zweifel ist entweder logisch oder transzendental. Jener besteht in einem blofsen Aufschieben des Urtheils und entspringt aus der Maxime, der Entscheidung sich so lange zu enthalten, bis man die Entscheidungsgründe gehörig aufgesucht und reiflich erwogen hat. Dieser besteht in einem völligen Aufgeben des Urtheils und entspringt aus der Voraussetzung, dafs es der menschlichen Erkenntnifs überhaupt an sichern Prinzipien fehle und sich daher nichts mit Gewifsheit behaupten lasse.

Anmerkung.

Die Maxime des logischen Zweiflers ist eine für die Erforschung der Wahrheit sehr wichtige Klugheitsregel. Des Cartes empfahl dieselbe vorzüglich; daher man den logischen Zweifel auch den Kartesianischen nennen kann. Gründliche Prüfung einer jeden Behauptung, um zu einer gewissen Erkenntnifs zu gelangen, ist sein Charakter und sein Zweck. Der transzendentale Zweifler leistet schlechthin Verzicht auf alles entscheidende Urtheil, weil er an der Wahrheit selbst verzweifelt. Er bestreitet alles, nicht um zur Gewifsheit zu gelangen, sondern um die Ungewifsheit aller Erkenntnifs darzuthun, mithin um die Erkenntnifs

selbst als wahre und gewisse Erkenntniß zu vernichten. Pyrrho unter den Alten und (wiewohl
nicht in demselben Umfange) DAVID HUME unter den
Neuern waren diesem transzendentalen Zweifel vorzüglich ergeben; daher man ihn auch den Pyrrhoni-
schen oder Humischen Zweifel nennen kann.
Logisch heißt jener Zweifel, weil er nothwendige Bedingung der logischen Vollkommenheit der
Erkenntniß ist; transzendental dieser, weil er
das transzendentale (ursprüngliche) Verhältniß des
erkennenden Subjektes zu den Objekten der Erkenntniß betrifft. Jener könnte auch der formale, dieser der materiale heißen. Der materiale Zweifel
ist, als eine besondre Methode des Philosophirens
gedacht, nichts anders als der sogenannte Skeptizism, wie der folgende Abschnitt lehrt.

Der didaktischen Methodenlehre

zweytes Hauptstück.

Von den Methoden des Philosophirens.

§. 115.

Unter einer Methode des Philosophirens ist zu verstehen das Verfahren der philosophirenden Vernunft, um zu irgend einer philosophischen Erkenntnifs zu gelangen, wieferne dasselbe einer gewissen Regel unterworfen ist.

Anmerkung.

Jeder Philosophirende will unstreitig durch sein Philosophiren irgend eine Erkenntnifs, sie sey von so grofsem oder so kleinem Umfange als sie wolle, in sich erzeugen, und zwar eine Erkenntnifs, die nicht blofs für ihn, sondern auch für alle Andre, welche mit ihm philosophiren möchten, gültig seyn soll. Er darf sich also hiebey nicht dem blinden Ungefähr überlassen, so dafs er durch blofses Herumtappen auf gut Glück jene Erkenntnifs zu erhaschen suchte, sondern er mufs einer gewissen Regel folgen.

Denn eine Regel giebt dem Verfahren Einheit und Übereinstimmung mit sich selbst und macht schon als bloſse Regel auf allgemeine Gültigkeit wenigstens Anspruch, da hingegen Regellosigkeit durch sich selbst darauf Verzicht leistet und Disharmonie in der Erkenntniſs zur nothwendigen Folge hat. Nur ein regelmäſsiges Verfahren der philosophirenden Vernunft kann also auf den Titel einer Philosophirmethode Anspruch machen. Da sich indessen mehre Regeln als möglich denken lassen, welche verschiedne Subjekte beym Philosophiren befolgen, so muſs es auch mehre Philosophirmethoden geben, und es entsteht daher die Frage, welche von allen möglichen Methoden die vorzüglichste sey d. h. welche am sichersten zu einer allgemeingültigen philosophischen Erkenntniſs führe.

§. 116.

Es kann nicht mehr Methoden des Philosophirens geben, als es Systeme der Philosophie giebt. Da nun blofs drey Hauptsysteme der Philosophie möglich sind (§. 67. Anm. 1.), so giebt es auch nur drey Hauptmethoden des Philosophirens.

Anmerkung.

Es ist sehr natürlich, daſs ein andres Verfahren im Philosophiren auch auf ein andres Resultat führt,

und

und dafs daher System und Methode in der engsten
Verbindung, gleichsam in Wechselwürkung auf einander, stehen. Abstrahirt man nun von den Verschiedenheiten einzelner philosophischen Systeme,
wieferne jene Verschiedenheiten blofse durch die Individualität der Philosophirenden erzeugte Modifikazionen eines und eben desselben Grundsystemes sind:
so giebt es, wie in der Elementarlehre ausführlich gezeigt worden, nur drey Hauptsysteme der Philosophie,
nämlich ein thetisches, ein antithetisches
und ein synthetisches. Also giebt es, wenn man
ebenfalls von den Modifikazionen der Methoden, welche einzelne philosophische Denker im Philosophiren
befolgten, abstrahirt, auch nur drey Hauptmethoden
des Philosophirens, nämlich eine thetische, eine
antithetische und eine synthetische. Will
man statt dieser Ausdrücke bekanntere, so kann man
auch sagen: Das Verfahren in der Philosophie oder
das Philosophiren selbst ist entweder dogmatisch,
oder skeptisch, oder kritisch. Denn Dogmatizism, Skeptizism und Kritizism bedeuten
nicht Systeme der Philosophie, sondern nur Methoden
des Philosophirens, obgleich diese Methoden mit jenen
Systemen in enger Verbindung stehen.

§. 117.

Der wesentliche Charakter des Dogmatizismes oder der thetischen Methode
besteht darin, dafs der Philosophirende ohne

Rücksicht auf den ursprünglichen Gränzpunkt
der philosophischen Erkenntniſs alles für wahr
und gewiſs hält, was er aus gewissen (ausdrücklich oder stillschweigend) als gültig angenommenen Sätzen folgerecht abzuleiten vermag, daſs er also seine Prinzipien willkürlich setzt und mit seinen Spekulazionen die
natürlichen Gränzen der Erkenntniſs überschreitet, mithin transzendent philosophirt.

Anmerkung.

Jeder ächte Dogmatiker geht von Prinzipien aus
und strebt nach der höchst möglichen Konsequenz in
der Ableitung seiner anderweiten Behauptungen aus
jenen Prinzipien. Aber diese Konsequenz allein ver-
bürgt ihm schon die Gültigkeit seines Systems. Die
Prinzipien selbst stellt er entweder ausdrücklich und
mit deutlichem Bewuſstseyn als solche auf oder sie
schweben ihm nur dunkel vor und er setzt sie daher
stillschweigend voraus. Im letzten Falle vermag er
sich gar nicht über die Gültigkeit seiner Prinzipien zu
rechtfertigen. Im ersten Falle aber meynt er, diese
Gültigkeit verstehe sich von selbst und er brauche sich
darüber nicht weiter zu rechtfertigen. Da er aber bey
seinem Philosophiren keine Rücksicht auf diejenigen
Schranken nimmt, welche seiner Erkenntniſs durch den
ursprünglichen Gränzpunkt des Philosophirens bestimmt
sind, so kann es nicht fehlen, daſs er, indem er

sich durch sein Nachdenken auf den höchsten Standpunkt der Spekulazion erheben will, schon bey Aufstellung seiner Prinzipien diesen Standpunkt überfliegt und in Regionen sich verliert, wo keine Wahrheit und Gewißheit für den menschlichen Geist mehr
möglich ist. In Ermangelung sicherer Entscheidungsgründe nimmt er also irgend eine beliebige Behauptung schlechtweg als wahr und gewiß an, setzt sie
als unbezweifeltes Dogma und braucht sie als Ableitungsprinzip andrer Behauptungen, die großentheils
eben so überschwenglich seyn werden, als das Prinzip
selbst. Willkür und Transzendenz sind daher
charakteristische Merkmale des Dogmatizismes. Aus
denselben entspringen als nothwendige Folgen Einsei-
tigkeit, Parteylichkeit, Anmaaßlichkeit, Rechthaberey
und unduldsame Härte in Bestreitung fremder Behauptungen, die man mit seinen Prinzipien nicht in Einstimmung bringen kann. Man kann daher den Dogmatizism als den philosophischen Despotism
betrachten. Denn der politische Despotism äußert
sich ebenfalls durch Willkür in seinen Anordnungen
und Überschreitung der für die Sicherheit des Rechts
nothwendigen Schranken der Ausübung der höchsten
Gewalt durch gewisse Personen im Staate. Daß nun
eine solche Methode zu philosophiren auf keine
allgemeingültige philosophische Erkenntniß führen
könne, erhellet eben daraus, daß sie willkürlich und
transzendent verfährt, mithin eine Menge von un-
stattbaften Behauptungen veranlassen muß, die, da verschiedne Dogmatiker von ganz verschiednen Prinzipien

ausgeben können, einander widerstreiten werden,
ohne doch einander gründlich zu widerlegen. Daher
sind so viele dogmatische Lehrgebäude in der Philosophie entstanden, dafs die Geschichte dieser Wissenschaft fast nichts als eine Erzählung der mannichfaltigen dogmatischen Verirrungen der philosophirenden
Vernunft ist. Das dogmatische oder thetische Philosophiren mufs also gänzlich aufgegeben werden,
wenn die philosophirende Vernunft mit einigem Erfolge sich ihrem Ziele annähern soll.

§. 118.

Der wesentliche Charakter des Skeptizismes oder der antithetischen Methode besteht darin, dafs der Philosophirende jede philosophische Behauptung, die
sich als wahre und gewisse Erkenntnifs ankündigt, bestreitet, weil er die Möglichkeit einer solchen Erkenntnifs überhaupt
bezweifelt, mithin auf ein entscheidendes
Urtheil in philosophischer Hinsicht durchaus Verzicht leistet.

Anmerkung.

Der Skeptizism ist zwar zunächst nur gegen den
Dogmatizism gerichtet. Er opponirt und protestirt unaufhörlich gegen dessen willkürliche Anmafsungen, indem er entweder die Prinzipien desselben in Anspruch

nimmt oder dessen Blößen in den Folgerungen aus
jenen Prinzipien aufdeckt.   Aber hiebey bleibt der
Skeptiker nicht stehen und kann auch nicht füglich
stehen bleiben.   Denn sobald er gefragt wird, was er
denn selbst für wahr und gewiß halte, so bleibt ihm
nichts übrig, als entweder selbst irgend etwas dogmatisch zu behaupten, oder geradezu alles zu bezweifeln
und zu verneinen.   Das Erste kann er nicht, wenn
er nicht selbst wegen seiner dogmatischen Behauptung
in Anspruch genommen werden will.   Also bleibt ihm
nur das Zweyte übrig.   Er muß sich dem transzendentalen Zweifel (§. 114.) ergeben d. h. auf
alles entscheidende Urtheil Verzicht leisten und alle
Erkenntniß für unsicher und ungewiß ausgeben.
Hier findet er sich aber in einem neuen Dilemma befangen.   Man kann ihn nämlich wieder fragen, ob
der Satz: Alles ist ungewiß, von ihm selbst für
gewiß oder für ungewiß gehalten werde.   Hält er
ihn für gewiß, so widerspricht er sich, indem er alles
für ungewiß erklärt und doch diese seine Behauptung
für gewiß hält.   Hält er ihn für ungewiß, so bezweifelt er seinen eignen Skeptizism und er steht
dann wieder mit sich selbst im Widerspruche.   Die
alten Skeptiker fielen würklich auf dieses Extrem, indem sie sagten: *Nihil sciri posse, ne id ipsum qui-
dem.*   Und in der That muß der konsequente Skeptizism sich selbst mit einschließen. Dadurch
aber hebt er sich selbst wieder auf.   Denn
wenn auch das nicht einmal gewiß ist, daß nichts
gewiß sey, so verzweifelt der Skeptiker an sich selbst

und er weiſs eigentlich gar nicht, was er will.
Wozu bestreitet er denn die Behauptungen des Dog-
matikers? Doch wohl, um das Irrige und Falsche
in ihnen zu zeigen? Aber der menschliche Geist will
nicht bloſs das Irrige und Falsche einsehen, sondern
auch das entgegenstehende Wahre erkennen. Giebt
es gar kein entgegenstehendes Wahre, so giebt es
auch eigentlich nichts Irriges und Falsches. Denn es
ist etwas nur insofern irrig und falsch, als es der
Wahrheit widerstreitet. Und wenn ich einsehe, daſs
etwas irrig und falsch sey, so muſs ich doch diese Einsicht selbst für wahr halten, sonst hab' ich kein Recht,
jenes als irrig und falsch zu verwerfen. Der Skeptizism ist also, wenn er zu gar keinem gewissen Resultate führen soll, ein völlig zweckloses Disputirspiel.
Er kann demnach, so heilsam er auch als Zuchtmeister
des Dogmatizismes ist, an und für sich selbst nicht
gebilligt werden. Daher hat das skeptische oder antithetische Philosophiren nur einen r e l a t i v e n Werth
(nämlich in Beziehung auf die dogmatischen Philosophen, um die stolzen Anmaſsungen derselben nieder-
zuschlagen und sie vorsichtiger und bescheidner in
ihren Spekulazionen zu machen) aber keinen a b s o-
l u t e n. Denn es kommt dadurch keine allgemeingültige philosophische Erkenntniſs zu Stande, vielmehr
geht der Skeptizism auf Vernichtung einer solchen
Erkenntniſs aus *). Da aber das Bedürfniſs einer

---

*) Daher haben ſich die Skeptiker mit Unrecht Z e t e-
t i k e r (ζητητικοι) genannt; denn sie suchen eigentlich

solchen Erkenntniſs in theoretischer und praktischer
Hinsicht dem menschlichen Geiste stets fühlbar bleibt,
so vermag auch der Skeptizism den Dogmatizism nie
zu vertilgen; sondern, wenn auch jener diesen in einer gewissen Form zerstört hat, so hebt dieser dennoch über kurz oder lang sein Haupt in einer andern
Gestalt empor.   So wie nun der Dogmatizism ein
philosophischer Despotism ist (§. 117. Anmerkung), so kann man den Skeptizism einen philosophischen Anarchism nennen.   Denn da er
in der Philosophie gar keine sichern Erkenntniſsprinzipien zuläſst, so müſste auf dem Gebiete der Philosophie eine totale Anarchie stattfinden, wenn der
Skeptizism auf demselben herrschend wäre, wofern
anders dann noch von einem Gebiete der Philosophie
die Rede seyn könnte *).

---

keine wahre und gewisse Erkenntniſs, sondern wi-
derstreben derselben.   Schicklicher heiſsen sie auch
Aporetiker (απορητικοι), weil sie den transzendentalen Zweifel zur Grundmaxime ihres Philosophirens machen.

*) Der Skeptizism ist auf der einen Seite eine sehr na-
türliche Art zu philosophiren, sobald man die Mängel der vorhandnen dogmatischen Lehrgebäude einsieht und doch kein besseres an deren Stelle zu setzen
weiſs.   Auch ist diese Art zu philosophiren sehr be-
quem, indem es weit leichter ist, eine Behauptung zu
bestreiten, als selbst etwas zu beweisen.   Überdieſs
schmeichelt sie der Eitelkeit, indem sie dem Philosophirenden, der im Stande ist, die Mängel aller

§. 119.

Der wesentliche Charakter des Kritizismes oder der synthetischen Methode

dogmatischen Theorien zu durchschauen und sich dabey doch eines entscheidenden Urtheils zu enthalten, den Schein der Überlegenheit und zugleich der Bescheidenheit giebt. Aber auf der andern Seite ist sie der Natur des menschlichen Geistes so zuwider, daß selbst der Skeptiker sich nicht stets im Zustande der absoluten Epoche oder durchgängigen Aphasie behaupten kann, sondern wenigstens insgeheim der einen oder andern Meynung seinen Beyfall giebt und entweder für die Affirmative oder für die Negative eingenommen ist. Auch ist die gepriesene Ataraxie der Skeptiker nichts weniger, als eine nothwendige Folge des Skeptizismes. Denn woferne dieselbe nicht etwan eine völlige Gleichgültigkeit gegen die Wahrheit selbst ist (was wohl eben keine gute Folge des Skeptizismes wäre), so muß das Zweifeln an aller Wahrheit und Gewißheit der Erkenntniß das Gemüth um so mehr beunruhigen, je lebhafter ein Mensch seiner höhern Bestimmung eingedenk ist und je inniger er zur Erreichung derselben eine sichere Richtschnur seines Thuns und Lassens und einen vesten Grund seines Glaubens und Hoffens wünschen muß. Der Skeptizism ist daher für Moralität und Religiosität keineswegs so gefahrlos, als man beym ersten Anblicke glauben möchte. Wenn übrigens einige den Skeptizism einen negativen Dogmatizism genannt und ihn dem positiven oder dem schlechthin sogenannten Dogmatizisme entgegengesetzt haben, so kann jene Benennung in-

besteht darin, daſs der Philosophirende auf
der einen Seite weder willkürlich noch transzendent verfährt, sondern, indem er sich
zuvörderst allgemeingültiger Prinzipien und
durch dieselben des absoluten Gränzpunktes
der philosophischen Erkenntniſs zu bemächtigen sucht, mit steter Rücksicht auf
beydes die ursprünglichen Gesetze
seiner Thätigkeit erforscht, auf der
andern abeɪ weder alles bezweifelt noch alles
für wahr und gewiſs hält, was den Schein

---

soferne stattfinden, als der Skeptiker die Behauptung.
Nichts ist gewiſs, als ein zweifelloses Dogma aufstellt und als Prinzip seiner Philosophie den Prinzipien der Dogmatiker entgegensetzt. Sofern aber der
konsequente Skeptiker seinen Zweifel selbst in jenen
Satz mit einschließt, hat er eigentlich mit dem Dogmatiker nichts weiter gemein, als daſs es seiner Philosophie (wenn man ein zweckloses *Pro*- und *Contra*-
disputiren Philosophie nennen will) an einem Fun-
damente fehlt. *Per indirectum* aber hat der Skeptizism zur Entstehung des antithetischen dogmatischen
Systems der Philosophie (des Idealismes) Veranlas-
sung gegeben. Denn nachdem die Skeptiker angefangen hatten, die Realität der Auſsenwelt zu bezweifeln,
konnte es nicht an Dogmatikern fehlen, welche sie
geradezu laügneten. Daher ist der Dogmatizism nur
vermittelst des Skeptizismes von einem Extreme zum
andern übergegangen.

der Wahrheit und Gewißheit an sich trägt,
sondern jede Behauptung, bevor er sie
als Lehrsatz in das System seiner Überzeugungen aufnimmt, sorgfältig und genau
prüft.

Anmerkung 1.

Der Kritizism oder die synthetische Methode vermeidet die Fehler der beyden vorhergehenden Methoden und vereinigt in sich das Gute derselben.
Sie ist dogmatisch und skeptisch zugleich, wie das
System des transzendentalen Synthetismes, das aus
dieser Methode hervorgeht, realistisch und idealistisch zugleich ist. Sie hat mit dem Dogmatizisme
gemein, daß sie von Prinzipien ausgeht, aber sie
vermeidet bey Aufstellung derselben alle Willkür
und Transzendenz. Sie hat mit dem Skeptizisme gemein, daß sie bey allen Behauptungen das Für und
Wider reiflich erwägt, aber sie will dadurch nicht
alle Wahrheit und Gewißheit der Erkenntniß vernichten, sondern das Wahre und Gewisse erforschen
und von dem Falschen und Ungewissen rein absondern. Die synthetische Methode ist also die eigentliche zetetische, und der Kritizism der wahre
philosophische Republikanism. Denn wer
kritisch philosophirt, handelt weder im despotischen
noch im anarchischen, sondern im ächt republi-
kanischen Geiste, indem vermöge des kritischen Ver-
fahrens jedem, der vernünftige Gründe vorzubringen

weiſs, als Bürger des philosophischen gemeinen Wesens das Recht zukommt, die allgemeine Menschen-
vernunft in seiner Person zu repräsentiren und seine
Uberzeugung nicht als bloſse Privatmeynung sondern als Gesetz für alle denkende Mitbürger geltend
zu machen, da hingegen der Dogmatizism nur seinem Systeme gehuldigt wissen will und der Skepti-
·zism zum voraus jede Behauptung verurtheilt, welche
auf wissenschaftliche Evidenz Anspruch macht. Die
synthetische oder kritische Philosophirmethode ist
also einzig und allein dasjenige Verfahren, bey welchem die F r e y h e i t d e s e i g n e n U r t h e i l s mit
der s t r e n g s t e n G e s e t z m ä ſ s i g k e i t i m D e n-
k e n vereinbar ist, welches also auch am sichersten
auf Resultate führen muſs, die der allgemeinen Beystimmung würdig sind. — Übrigens darf der Kritizism nicht mit dem K a n t i z i s m e verwechselt
werden. Denn obwohl KANT in seinen kritischen
Schriften würklich nach kritischer Methode überhaupt
verfahren ist, so kommt doch diese Methode in jenen
Schriften mit gewissen eigenthümlichen Modifikazionen vor, die nicht als charakteristische Bestimmungen
derselben angesehen werden dürfen. Noch weniger
darf Kritizism mit k r i t i s c h e r oder k a n t i s c h e r
P h i l o s o p h i e verwechselt werden. Denn jener ist
Methode, diese System, und zwar entweder ein kri-
tisches d. h. nach kritischer Methode aufgeführtes
System überhaupt, oder ein kantisch-kritisches System, in welchem Mängel und Fehler mancherley
Art vorkommen mögen.

Anmerkung 2.

Alles Philosophiren ist anfangs dogmatisch; denn man lernt den Gränzpunkt des Philosophirens und die dadurch bestimmten Schranken der philosophischen Erkenntniß nur durch Philosophiren kennen. Bevor man also diese Keuntniß erlangt hat und die mannichfaltigen Abwege weiß, auf welche die Spekulazion ohne diese Kenntniß gerathen kann, so lange ist das Philosophiren nichts weiter als ein Dogmatisiren, durch welches die verschiedensten, oft einander geradezu entgegengesetzten Lehrmeynungen zum Vorschein kommen. Wenn nun die philosophirende Vernunft sich einige Zeit mit dogmatischen Spekulazionen beschäftigt und dadurch einige Stärke im Spekuliren gewonnen hat, so fängt sie auch an skeptisch zu philosophiren. Denn aus den verschiednen einander widerstreitenden Lehrmeynungen des Dogmatizismes entspringt sehr natürlich der Gedanke, ob wohl auch in allen diesen Behauptungen etwas Wahres und Gewisses enthalten, ja ob wohl überhaupt dem menschlichen Geiste eine wahre und gewisse Erkenntniß erreichbar seyn möchte. Dieser Gedanke entwickelt sich immer mehr und wird zur skeptischen Denkart, für und wider alles zu disputiren und nichts mit Gewißheit zu behaupten. Es werden sogar die skeptischen Argumente gegen die Wahrheit und Gewißheit der Erkenntniß (τροποι της εποχης) in ein System gebracht und so eine besondre Art zu philosophiren zu einer wüklichen Philosophie, genannt skeptische Philosophie, erhoben. Von nun an beginnt ein langer

Kampf zwischen dem Dogmatizisme und Skeptizisme, der nicht eher enden kann, als bis eine bessere Methode zu philosophiren die Vorzüge jener beyden in sich vereinigt, ohne sich ihre Fehler zu Schulden kommen zu lassen. Denn wenn der Kampf des Dogmatizismes und Skeptizismes nicht zwecklos seyn soll, so kann er nicht ewig dauern, sondern er muſs endlich auf Resultate führen, wodurch die Ansprüche beyder an einander befriedigt und die philosophirende Vernunft mit sich selbst in Einstimmung gebracht wird.

Anmerkung 3.

Man hat zuweilen aufser den bisher charakterisirten drey Methoden des Philosophirens noch eine vierte, die eklektische, empfohlen. Allein da sich aufser dem thetischen, antithetischen und synthetischen Verfahren der philo ophirenden Vernunft weiter kein regelmäfsiges Verfahren denken läfst, so ist der Eklektizism eigentlich keine Methode des Philosophirens, sondern vielmehr eine Unmethode. Denn er besteht lediglich darin, daſs man, ohne von Prinzipien auszugehen, aus allen Systemen verschiedner Philosophen allerley zusammenraft, was einem gerade das Wahrscheinlichste dünkt. Auf diese Art kommt aber blofs ein Aggregat heterogener Meynungen, welche das lose Band des Zufalls zusammengereihet hat, zu Stande, nicht aber eine vest gegründete und innig zusammenhangende Wissenschaft, kein System, in dem alle Theile durch die Idee des Ganzen und alle Behauptungen durch Prinzipien bedingt sind.

Der Eklektizism ist also nichts anders als ein seichter Synkretism; denn durch ihn werden alle Systeme in ein *Chaos confusum* zusammengemischt. Eine ächte Auswahl kann nur kritisch getroffen werden. Denn die wahre Krisis prüft jedes System und jede einzelne Behauptung unparteyisch und behält überall das Beste; aber sie findet dasselbe nicht durch beliebiges Zusammenraffen, sondern indem sie von sichern Prinzipien ausgeht, bietet sich das Wahre und Gute, was in andern Systemen zerstreut vorhanden ist, von selbst dar und stellt sich zugleich in diejenige Ordnung, die einer wahren Wissenschaft angemessen ist. Es giebt also nur drey Methoden des Philosophirens, nämlich:

I.) Thetische Methode — Dogmatizism.

II.) Antithetische Methode — Skeptizism.

III.) Synthetische Methode — Kritizism.

Eben so gab es ober nur drey Systeme der Philosophie, nämlich:

I.) Thetisches System — Realism.

II.) Antithetisches System — Idealism.

III.) Synthetisches System — Synthetism.

Mithin sind alle besondern Methoden und alle besondern Systeme einzelner Philosophen nur verschiedne Modifikazionen jener drey Grundmethoden und dieser drey Grundsysteme.

Der philosophischen Methodenlehre

zweyter Abschnitt.

Architektonische Methodenlehre.

§. 120.

Da durch die kritische Methode des Philosophirens die philosophische Erkenntnifs ein wissenschaftliches oder systematisches Ganze werden soll, so mufs sich von diesem Ganzen im voraus ein architektonischer Grundrifs entwerfen lassen. In diesem Grundrisse mufs zuerst die Idee des Ganzen selbst und sodann dieser Idee gemäfs die Zahl, die Beschaffenheit und das Verhältnifs der einzelnen Theile des Ganzen bestimmt werden. Folglich zerfällt die architektonische Methodenlehre wieder in die Lehre vom Begriffe der Philosophie und in die Lehre von den Theilen der Philosophie, als zwey untergeordnete Theile.

Anmerkung.

Daſs vom Begriffe und von den Theilen der Phi
losophie erst am Ende der Fundamentalphilosophie
gehandelt wird, liegt in der Natur der Sache. Denn
man kann den Begriff und die Theile einer Wissenschaft nicht eher genau bestimmen, als bis man sich
der Prinzipien einer Wissenschaft bemächtigt hat.
Da indessen jedem, der eine Wissenschaft auch nur
zu bearbeiten anfangen will, schon eine dunkle Idee
von dem Inhalte und Umfange derselben vorschweben muſs, so sind bereits oben in der Einleitung
zur Fundamentalphilosophie vorläufige Erklärungen darüber gegeben worden, welche nun in diesem letzten Abschnitte derselben ihre Bestätigung
erhalten werden.

———————

Der

Der architektonischen Methodenlehre

erstes Hauptstück.

Vom Begriffe der Philosophie.

§. 121.

Der Begriff der Philosophie, als einer eigenthümlichen Wissenschaft, mufs sich von den Begriffen aller andern Wissenschaften durch die **Eigenthümlichkeit der philosophischen Erkenntnifs** unterscheiden.

§. 122.

Die philosophische Erkenntnifs soll ein **Wissen** von einem gewissen Gegenstande seyn und eben daraus soll die Wissenschaft, **Philosophie** genannt, entspringen.

§. 123.

So vielerley Arten des Wissens es giebt, so vielerley Arten der Erkenntnifs mufs es auch geben.   Nun giebt es zuvörderst ein empirisches und ein razionales Wissen (§. 96.); also giebt es auch eine empirische und razionale Erkenntniſs.

§. 124.

Daſs die philosophische Erkenntniſs keine empirische sey, verstcht sich von selbst. Denn der Philosoph ist eben nur dadurch Philosoph, daſs er sich über die bloſse Empirie durch Selbstthätigkeit seiner Vernunft erhebt und das Ursprüngliche oder *a priori* Bestimmte als Bedingung des Empirischen zu erforschen sucht. Mithin ist seine Erkenntniſs ihrem wesentlichen Charakter nach razional.

Anmerkung.

Der Philosoph geht zwar von etwas Empirischem, nämlich von Thatsachen des Bewuſstseyns aus, weil nur diese unmittelbar gewiſs sind, und bedient sich derselben als materialer Erkenntniſsprinzipien (§. 40 bis 44.). Aber eben weil er von denselben ausgeht, so dienen sie ihm nur als Anfangspunkte des Philosophirens (αρχαι), an welche er seine höheren Untersuchungen anknüpft. Der eigentliche Gegenstand seiner Nachforschung sind nicht jene Thatsachen selbst, sondern das Ursprüngliche, als transzendentale Bedingung des Empirischen, die *a priori* bestimmten Gesetze seiner Thätigkeit, wovon

eben jene Thatsachen abhangen. Diese Gesetze kann
er nur durch selbstthätige Spekulazion seiner Vernunft kennen lernen. Folglich ist seine Erkenntnifs
in Rücksicht ihres Gehalts (*materia*) eine razionale Erkenntnifs.

§. 125.

Da das razionale Wissen theils mathematisch theils philosophisch ist (§. 97.),
so ist auch die razionale Erkenntnifs theils
mathematisch theils philosophisch.
Die philosophische Erkenntnifs unterscheidet
sich also von der mathematischen eben dadurch, wodurch sich das philosophische Wissen vom mathematischen unterscheidet.

Anmerkung 1.

Der Philosoph konstruirt seine Begriffe eben so
wohl als der Mathematiker, wie bereits oben (in
den Anmerkungen zum 97. §.) erwiesen worden.
Aber dieser konstruirt sie durch und für das Anschauungsvermögen — intuitiv — jener durch und
für das Denkvermögen — diskursiv. Dieser Unterschied ist lediglich formal, ob er gleich aus dem
verschiednen Gehalte der Mathematik und Philosophie
nothwendig entspringt. Die philosophische Erkenntnifs ist also in Rücksicht ihrer Gestalt (*forma*)
eine diskursive Erkenntnifs.

Anmerkung 2.

Da die Thatsachen des Bewußtseyns nur durch innere Anschauung, durch Selbstanschauung des Ichs als philosophirenden Subjektes aufgegriffen werden können; da ferner die Begriffe von dem Ursprünglichen im Ich nur diskursiv konstruirt werden und diese Konstrukzion eine intellektuelle Thätigkeit des Gemüths ist; und da endlich jene Selbstanschauung und diese intellektuelle Thätigkeit zusammengenommen diejenige Operazion konstituiren, welche man Philosophiren nennt: so kann man wohl sagen, die philosophische Erkenntniß beruhe auf intellektueller Anschauung. Denn das Philosophiren ist selbst nichts anders als eine mit intellektueller Thätigkeit verbundne Selbstanschauung. Vergl. §. 79. Anm. 5.

§. 126.

Die Philosophie ist also die zur Wissenschaft (in formaler Bedeutung, §. 98.) oder zum System erhobne philosophische Erkenntniß, mithin die Wissenschaft von der ursprünglichen Gesetzmäßigkeit der gesammten Thätigkeit unsers Geistes — oder — von der Urform des Ichs.

Anmerkung 1.

Die Urform (*forma originaria*) des Ichs bedeutet nichts anders als dessen ursprüngliche

Handlungsweise (*forma agendi originaria*, §. 74.).
Die ursprüngliche Handlungsweise des Ichs aber ist
bestimmt durch die Gesetze seiner Thätigkeit, wieferne
sich die Vermögen des Ichs bey ihrer Würksamkeit
nach denselben richten und dadurch in gewisse
Schranken ursprünglich eingeschlossen sind. Da nun
die philosophische Erkenntniß eben dieses Ursprüngliche zum Gegenstande hat (§. 124.): so kann man
mit Recht sagen: Die Philosophie ist die Wissenschaft von der ursprünglichen Gesetzmäßigkeit des
menschlichen Geistes in aller seiner Thätigkeit, oder
von dem, was in unserm Gemüthe *a priori* bestimmt
ist, oder noch kürzer von der Urform des Ichs.

Anmerkung 2.

Mit dieser Bestimmung des Begriffs der Philosophie stimmen auch größtentheils die Erklärungen
überein, welche die Philosophen von jeher von ihrer Wissenschaft gegeben haben. Den Worten nach
lauten freylich diese Erklärungen sehr verschhieden;
auch enthalten dieselben bald mehr, bald weniger
Merkmale, oder die Merkmale sind nicht präzis genug angegeben. Aus allen aber leuchtet eine gewisse den Philosophen bald dunkler bald heller vor-
schwebende und sie bey ihren Untersuchungen lei-
tende Idee hervor, vermöge welcher sie nach den
höchsten und letzten Gründen der menschlichen Überzeugungen und Handlungen forschten
und diese Gründe in demjenigen zu finden glaubten,
was in der menschlichen Erkenntniß (der theore-

tischen und praktischen) allgemein und nothwendig sey. Jene Gründe aber können nur in
den ursprünglichen Gesetzen der Thätigkeit
des menschlichen Geistes liegen. durch welche zugleich dasjenige bestimmt ist, was im Theoretischen
und Praktischen für alle Menschen nothwendiger
Weise gültig ist. Also war es eigentlich den Philosophen von jeher um wissenschaftliche Erkenntniſs des Ursprünglichen oder des *a priori* Bestimmten in unserm Gemüthe zu thun, ob sie
gleich dasselbe oft mit dem Empirischen oder *a posteriori* Bestimmten verwechselten und vermischten,
weil sie sich jenen Zweck nicht deutlich genug
dachten. Unstreitig gebürt KANTEN die Ehre, daſs
er zuerst durch seine transzendentalen Untersuchungen den wahren Charakter der Philosophie genau
bezeichnet und sich schon dadurch ein Verdienst um
die Philosophie erworben hat, das von keinem seiner Nachfolger je verdunkelt werden kann.

Der architektonischen Methodenlehre

zweytes Hauptstück.

Von den Theilen der Philosophie.

§. 127.

Das System der Philosophie muſs zuvörderst
aus zwey Haupttheilen bestehen, wovon der
eine die philosophische Grundlehre
(*archologia philosophica* s. *philosophia fundamentalis*) und der andre die abgeleitete Philosophie (*philosophia derivativa*) heiſsen
kann.

Anmerkung 1.

Unter Theilen der Philosophie ist nichts
anders zu verstehen als die einzelnen Disziplinen,
welche das Ganze der Wissenschaft, Philosophie genannt, ausmachen.   Denn obgleich dieses Ganze,
wie ein organischer Körper, in allen seinen Theilen
aufs innigste zusammenhangt, so daſs kein Theil
ohne den andern ein vollständiges Ganze der Erkenntniſs ausmachen kann: so erfodert es doch die
Beschränktheit des menschlichen Denkvermögens, die

Theile selbst im Einzelnen zu betrachten, um sie
desto genauer erwägen zu können. Daher hat man
ganz natürlich die Philosophie wie jede andre Haupt-
wissenschaft (Mathematik, Medizin, Jurisprudenz
u. s. w.) in mehre einzelne Wissenschaften zerlegt,
welche blofse Theile der gesammten philosophischen
Erkenntnifs sind. Es mufs aber bey Betrachtung
oder Bearbeitung dieser Theile immer die Idee des
Ganzen dem Gemüthe vorschweben und man mufs
von Erwägung der einzelnen Theile immer wieder
sich zur Überschauung des Ganzen erheben, wenn
man nicht zu beschränkten und einseitigen Ansichten verleitet werden will. Eben darum soll jetzt
die architektonische Methodenlehre die sämmtlichen
philosophischen Wissenschaften als Theile eines und
desselben Ganzen darstellen.

Anmerkung 2.

Die Fundamentalphilosophie, als erster Theil
der Philosophie, ist die Wissenschaft von der Möglichkeit der Philosophie selbst. Sie untersucht daher
die Prinzipien der philosophischen Erkenntnifs überhaupt und stellt diejenigen Grundsätze auf, welche
für alle übrige philosophische Wissenschaften gültig
und von welchen diese abhängig sind. Sie heifst
ebendarum Grundlehre oder Archologie.
Auch kann sie schlechthin die erste Philosophie (*philosophia prima*) ihrem Range nach genannt werden, ob sie gleich ihrem Daseyn nach
die letzte unter den ausgebildeten philosophischen

Disziplinen ist *). Sie ist folglich auch das Organon für alle übrigen Theile der Philosophie. Denn diese enthalten lauter philosophische Erkenntnisse, welche nur als Folgesätze von den Lehrsätzen der Fundamentalphilosophie anzusehen sind. Daher kann man sehr schicklich alle übrigen philosophischen Wissenschaften unter dem Titel der Derivativphilosophie zusammenfassen und sie der Fundamentalphilosophie entgegensetzen.

Anmerkung 3.

Was hier Fundamentalphilosophie genannt worden ist, haben Einige auch Elementarphilosophie, Andre Transzendentalphilosophie genannt. Der erste Name ist darum nicht recht passend, weil die Fundamentalphilosophie selbst aus einer Elementarlehre und Methodenlehre besteht, mithin das Ganze nicht mit dem Theile einerley Namen führen kann. Die zweyte Benennung wäre a sich nicht ganz unschicklich, wenn man damit eine höhere, gleichsam über theoretische und praktische Philosophie erhabne Wissenschaft anzeigen wollte.

---

*) *Philosophia prima* wurde sonst auch die Ontologie genannt; da diese aber nur als erster Theil der Metaphysik die Grundlage von dieser besondern philosophischen Disziplin ist, so kann die Ontologie nur *philosophia prima sensu relativo* genannt werden. Die Fundamentalphilosophie aber ist als Grundlage der gesammten Philosophie *philosophia prima sensu absoluto.*

Da aber das Transzendentale das Ursprüngliche sowohl in Ansehung des Theoretischen als des Praktischen bedeutet, so ist eigentlich die ganze Philosophie, wieferne sie nicht angewandte, sondern reine Philosophie ist (wovon tiefer unten die Rede seyn wird), transzendental. Man müfste also Transzendentalphilosophie im engern und weitern Sinne unterscheiden. In jenem Sinne bedeutete der Ausdruck die philosophische Grundwissenschaft, in diesem die ganze reine Philosophie.

§. 128.

Da alle Thätigkeit des Gemüths entweder theoretisch oder praktisch ist, so mufs auch die Derivativphilosophie theils theoretisch theils praktisch seyn. Die theoretische Philosophie ist Wissenschaft von der ursprünglichen Gesetzmäfsigkeit des Ichs in Ansehung des Vorstellens und Erkennens oder der Bestimmung des Subjektiven durch das Objektive; die praktische aber Wissenschaft von der ursprünglichen Gesetzmäfsigkeit des Ichs in Ansehung des Strebens und Handelns oder der Bestimmung des Objektiven durch das Subjektive.

Anmerkung.

Der Unterschied der theoretischen und praktischen Thätigkeit ist bereits in der Elementarlehre

(§. 75.) auseinandergesetzt worden. Jene ist immanent und ideal, diese transeunt und real. Übrigens
heißt die theoretische Philosophie zwar auch Spekulativphilosophie und die praktische auch
Moralphilosophie. Man muß aber dann den
ersten Ausdruck im engern und den zweyten im
weitern Sinne nehmen. Denn spekulirt wird eigentlich auch in der praktischen Philosophie, nämlich
über die Praxis selbst; und die schlechthin sogenannte
Moral oder Sittenlehre macht nur einen Theil der
praktischen Philosophie aus. Die theoretische Philosophie betrifft eigentlich das Nothwendige, die praktische das Freye in unsrer Thätigkeit. Jene stellt daher Naturgesetze des menschlichen Geistes (*leges
physicae*), diese Sittengesetze (*leges ethicae*) auf.
§. 81. Anm. 3.

§. 129.

Die theoretische Philosophie zerfällt wieder
in drey Haupttheile oder untergeordnete Wissenschaften, nämlich die Denklehre (*logica
s. dianoeologia*), die Erkenntnißlehre (*me-
taphysica s. gnoseologia*) und die Geschmackslehre (*aesthetica s. callologia*).

Anmerkung 1.

Die Lehrsätze der Philosophie, wieferne sie theoretisch oder spekulativ ist, betreffen

1.) das bloße Denken oder das Denken als
bloße innere Thätigkeit betrachtet, welches

darin besteht, dafs die Vorstellungen nur auf einander selbst bezogen werden, ohne weiter auf den Gegenstand, worauf sie sich aufserdem noch beziehen
mögen, Rücksicht zu nehmen. Man kann dieses das
formale Denken nennen. Hierauf bezieht sich die
Logik, als erster Theil der theoretischen Philosophie,
welcher daher auch schlechtweg die Denklehre genannt werden kann, weil er sich mit der ursprünglichen Gesetzmäfsigkeit des blofsen Denkens beschäftigt. Das formale Denken kann mithin auch das logi-
gische, und die Logik selbst die theoretische
Formalphilosophie heifsen.

2.) Das Denken eines bestimmten Gegenstandes oder das materiale Denken. Hierauf
bezieht sich die theoretische Materialphilosophie. Diese ist aber wieder von doppelter Art.
Denn das materiale Denken kann erwogen werden

a.) an sich oder überhaupt, wieferne
sich die Vorstellungen auf einen Gegenstand als solchen beziehen und dieser dadurch als ein bestimmter
Gegenstand erkannt wird. Hierauf bezieht sich
die Metaphysik, als zweyter Theil der theoretischen Philosophie, welcher daher auch die Erkenntnifslehre genannt werden kann, weil er sich mit
der ursprünglichen Gesetzmäfsigkeit des Erkennens
beschäftigt. Das materiale Denken als Erkenntnifs
überhaupt kann mithin auch das metaphysische
heifsen.

b.) in besondrer Beziehung auf das
Gefühl (der Lust und Unlust) wieferne die Vor-

stellung eines Gegenstandes ein solches Spiel der Er-
kenntnifskräfte bewürkt, dafs aus der blofsen Kontem-
plazion des Gegenstandes dem Gemüthe ein uninteres-
sirtes Wohlgefallen an demselben entspringt, wo also
mit Empfindung dessen, was an einem erkannten
Gegenstande schön (und erhaben) ist oder mit
Geschmack gedacht wird. Hierauf bezieht sich
die Asthetik, als dritter Theil der theoretischen
Philosophie, welcher daher auch die Geschmackslehre genannt werden kann, weil er sich mit der
ursprünglichen Gesetzmäfsigkeit der Geschmacksur-
theile beschäftigt. Das materiale Denken als ein ge-
schmackvolles Denken kann mithin auch das ästhe-
tische heifsen.

---

*) Die Ausdrücke Metaphysik und Ästhetik wer-
den hier in ihrer alten Bedeutung genommen. Wir
verstehen also hier unter dem ersten nur die Metaphysik als theoretische Wissenschaft, welche KANT
Metaphysik der Natur nennt und ihr die Metaphysik der Sitten entgegensetzt. Denn diese ist nichts
anders als Rechts- und Tugendlehre; gehört folglich
zur praktischen Philosophie. Den letzten Ausdruck
aber verstehen wir so, wie ihn BAUMGARTEN als
Urheber verstanden hat. Denn die von KANT sogenannte transzendentale Ästhetik gehört zur
Metaphysik oder Erkenntnifslehre, indem diese von
den ursprünglichen Gesetzen der Sinnlichkeit, von
Raum und Zeit als Formen der Anschauung (und
Empfindung) handeln mufs.

Anmerkung 2.

Man kann den Charakter, das Verhältniſs und den Zusammenhang der drey Haupttheile der theoretischen Philosophie auch so darstellen. Es betrifft diese Philosophie die Übereinstimmung der Vorstellungen und Erkenntnisse

1.) unter einander,

2.) mit dem Objektiven an und für sich betrachtet, und

3.) mit dem Objektiven in seiner Beziehung auf das Subjektive, das Wohlgefallen; mithin das W a h r e, wiefern es abhangt vom l o g i s c h e n, m e t a p h y s i s c h e n und ä s t h e t i s c h e n Gebrauche des theoretischen Vermögens; folglich

1.) die Richtigkeit im Denken — l o g i s c h e W a h r h e i t,

2.) die Gründlichkeit im Erkennen — m e t a p h y s i s c h e W a h r h e i t, und

3.) den Geschmack im Beurtheilen der Erkenntniſsobjekte — ä s t h e t i s c h e W a h r h e i t.

§. 130.

Die praktische Philosophie zerfällt ebenfalls in drey Haupttheile oder untergeordnete Wissenschaften, nämlich die R e c h t s l e h r e (*jus naturae* s. *dicaeologia*), die T u g e n d l e h r e (*ethica* s. *aretologia*) und die R e l i g i o n s l e h r e (*ethico - theologia* s. *eusebiologia*).

Anmerkung 1.

Die Lehrsätze der Philosophie, wieferne sie praktisch oder moralisch ist, betreffen

1.) das blofse Handeln oder das Handeln als
blofse aüfsere Thätigkeit betrachtet, welches
darin besteht, dafs die Bestrebungen sinnlich-ver-
nünftiger Wesen nur als aüfsere Erscheinungen sich
auf einander beziehen und wechselseitig beschränken, ohne weiter auf die zum Grunde liegenden
Absichten oder Gesinnungen und deren Angemessen-
heit zum absoluten Pflichtgebote der Vernunft Rücksicht zu nehmen. Man kann dieses das formale
Handeln nennen. Hierauf bezieht sich das Naturrecht, als erster Theil der praktischen Philosophie,
welcher richtiger die Rechtslehre genannt wird,
weil das natürliche Recht selbst das Objekt der
Wissenschaft ist. Das formale Handeln kann mithin auch das juridische, und die Rechtslehre
selbst die praktische Formalphilosophie
heifsen.

2.) Das Handeln mit Zweck oder nach den
zum Grunde liegenden Gesinnungen und Absichten, das materiale Handeln. Hierauf bezieht sich die praktische Materialphilosophie. Diese ist aber wieder von doppelter Art.
Denn das materiale Handeln kann erwogen werden

a:) an sich oder überhaupt, wieferne sich
unsre Bestrebungen auf gewisse Maximen als innere
Bestimmungsgründe derselben und dadurch auf ein
unbedingtes Pflichtgesetz als oberste Norm

aller Maximen beziehen. Hievon handelt die Ethik
oder Moral im engern Sinne (§. 128. Anmerk.)
als zweyter Theil der praktischen Philosophie, welcher schicklicher die Tugendlehre genannt werden
kann, weil das tugendhafte Handeln das eigentliche
Objekt dieser Wissenschaft ist. Das materiale Handeln in dieser Hinsicht kann aber auch das ethische
oder moralische heißen, sobald man diese Ausdrücke nur im engern Sinne nimmt, in welchem die
Tugendlehre auch eine Sitten- oder Pflichten-
lehre genannt wird.

b.) in besondrer Beziehung auf den
Endzweck (der Vernunft), wieferne die Bestrebungen vernünftiger Wesen auf ihren Zustand, als
Besitz des höchsten Gutes, bezogen werden, an dessen mögliche Realisirung wir praktisch zu glauben
genöthigt sind. Hievon handelt die Ethikotheologie, als dritter Theil der praktischen Philosophie,
welcher auch die Religionslehre genannt werden
kann, weil der Glaube an Gott und Unsterblichkeit,
als Grundlehren aller Religionen, den Hauptgegen-
stand dieser Wissenschaft ausmachen. Das materiale
Handeln in dieser Hinsicht kann mithin auch das religiöse Handeln heißen (§. 84.) *).

Anmer-

---

*) Man sagt zuweilen auch natürliche Rechtslehre,
natürliche Sitten- oder Tugendlehre, und natürliche Religionslehre, um diese Wissenschaften als philosophische von den ihnen entsprechenden juristischen
und

Anmerkung 2.

Man kann den Charakter, das Verhältniſs und den Zusammenhang der drey Haupttheile der praktischen Philosophie auch so darstellen. Es betrifft diese Philosophie die Übereinstimmung der Bestrebungen und Handlungen

1.) unter einander,

2.) mit dem Objektiven (dem unbedingten Pflichtgebote) an und für sich betrachtet, und

3.) mit dem Objektiven in seiner Beziehung auf das Subjektive, die Seeligkeit; mithin das Gute, wiefern es abhangt vom juridischen, ethischen und religiösen Gebrauche des praktischen Vermögens; folglich

1.) die Rechtlichkeit im Verhalten — juridische Güte,

---

und theologischen Wissenschaften, welche positiv oder historisch-statutarisch sind, zu unterscheiden. Allein jener Beysatz ist nicht nöthig, weil es sich von selbst versteht, wenn Rechtslehre, Tugendlehre und Religionslehre schlechtweg gesagt wird, daſs die philosophischen Wissenschaften dieses Namens zu verstehen sind. Auch kann jener Zusatz Miſsverständnisse veranlassen, wenn man das Wort Natur in materialer und nicht in formaler Bedeutung nimmt. Denn ein eigentlich physisches Recht, eine physische Tugend und eine physische Religion sind Undinge. Recht, Tugend und Religion hangen nicht von der Natur auſer uns, sondern von der moralischen Anlage in uns ab, welche man zuweilen auch die moralische Natur des Menschen nennt.

2.) die Rechtschaffenheit in der Gesinnung — ethische Güte, und

3.) die Gottseeligkeit im ganzen Lebenswandel oder die Frömmigkeit — religiöse Güte.

§. 131.

Jede einzelne Disziplin der Derivativphilosophie kann theils als rein razionale theils als empirisch razionale Wissenschaft behandelt und ihr daher ein reiner und ein angewandter Theil gegeben, folglich auch die ganze Philosophie in die reine und angewandte eingetheilt werden.

Anmerkung 1.

In der Denklehre, Erkenntnißlehre u. s. w. müssen zuvörderst die Gesetze, welche sich auf die verschiednen Arten der Thätigkeit des Ichs beziehen — je nachdem diese den Gegenstand der Untersuchung in jeder besondern Disziplin ausmachen — so dargestellt werden, wie es der Urform des Ichs angemessen ist d. h. lediglich nach ihrer ursprünglichen Bestimmtheit. Sodann kann man aber auch die verschiednen Arten der Thätigkeit des Ichs unter denjenigen Modifikazionen erwägen, welche in Rücksicht ihrer stattfinden, wenn und wieferne sie sich auf gewisse in der Erfahrung gegebne Gegenstände und davon abhangende Bedingungen der Anwendung beziehen. Jene Darstellung ist rein philosophisch, diese empirisch philosophisch. Man kann daher nicht bloß dieser oder jener, sondern allen philoso-

phischen Disziplinen, die zur Derivativphilosophie
gehören — denn die Fundamentalphilosophie ist vermöge ihrer Natur blofs razional oder rein philosophisch — einen reinen fund einen angewandten
Theil geben. Allein der angewandte Theil gehört eigentlich nicht in die Philosophie, wieferne sie als
System oder Wissenschaft ein in sich selbst vollendetes
und in bestimmte Gränzen eingeschlossenes Ganze ausmachen soll, sondern er ist nur als ein Anhang zu
jeder besondern Wissenschaft zu betrachten, dessen
Inhalt und Umfang wegen der Unendlichkeit der Er-
fahrungsgegenstände und der davon abhangenden
Mannichfaltigkeit empirischer Bedingungen unsrer
theoretischen und praktischen Thätigkeit sich nicht er-
schöpfend und präzis bestimmen läfst. Daher ist auch
für die sogenannte empirische Philosophie
keine veste Gränzbestimmung möglich, sondern sie
ist einer unendlichen Erweiterung fähig und befafst
eigentlich alle empirisch razionale Wissenschaften,
welche nicht mathematisch sind, in oder unter sich.
Indessen ist es rathsam, der empirischen Philosophie
nur so viel Theile zu geben, als die reine hat, und
jedem Theile der reinen Philosophie den korrespondi-
renden Theil der empirischen sogleich beyzufügen,
wie diefs in Ansehung einiger Disziplinen (z. B. der
Logik, Moral) schon von manchen Bearbeitern geschehen ist.

Anmerkung 2.

Die rein philosophische Erkenntnifs ist,
wie alle reine Erkenntnifs, eine Erkenntnifs *a
priori;* nicht als wenn sie vor aller Erfahrung

in uns vorhanden, gleichsam angeboren wäre — denn alle Erkenntnifs, mithin auch die philosophische, entsteht erst in und mit der Erfahrung d. h. indem und nachdem wir in der Zeitreihe etwas wahrgenommen haben, und ist insofern Erkenntnifs *a posteriori* — sondern weil sich die rein philosophische Erkenntnifs auf das Ursprüngliche in uns bezieht. Dieses aber mufs als aller Erfahrung vorhergehend gedacht werden, denn es hangt selbst die Möglichkeit der Erfahrung davon ab, es liegt also als Bedingung der Erfahrung als dem Bedingten zum Grunde, mufs folglich *a priori* bestimmt seyn. Das Ursprüngliche in uns (die Vermögen, Gesetze und Schranken unsrer Thätigkeit) kann jedoch natürlicher Weise nicht eher zu unserm Bewufstseyn gelangen d. h. philosophisch erkannt werden, als bis wir schon thätig gewesen sind, bis sich unsre ursprüngliche oder *a priori* bestimmte Handlungsweise nach und nach an gegebnen Objekten entwickelt und gleichsam realisirt hat, also nur in und mit der Erfahrung. Daher mufs eben der Philosoph von Thatsachen des Bewufstseyns, welche innere Erfahrungen sind, ausgehen, um vermittelst derselben das Ursprüngliche in sich selbst zu erforschen. Aber daraus folgt nicht, dafs die auf diese Art bewürkte Erkenntnifs selbst empirisch oder *a posteriori* sey. Denn diefs ist nur diejenige Erkenntnifs, welche sich auf etwas bezieht, das uns erst durch Erfahrung gegeben wird, z. B. auf die Menschen, Thiere, Pflanzen u. s. w. die wir um uns her wahrnehmen. Das Ursprüngliche in uns selbst aber kann nicht durch Erfahrung gegeben

seyn, weil wir die Erfahrung selbst dadurch uns erst
erwerben und alles Empirische darnach beurtheilen.
Die Erkenntnifs des Ursprünglichen ist also auch wesentlich von der Erkenntnifs des Empirischen unterschieden. Sie entspringt nicht wie diese aus den
Sinnen, sondern aus der Vernunft selbst, wieferne
sie philosophirende Vernunft ist d. h. wieferne die Intelligenz ihre höhere Erkenntnifskraft auf sich selbst
absichtlich richtet und dadurch eine Erkenntnifs von
sich selbst aus sich selbst erzeugt oder vom gemeinen
Bewufstseyn zu einem philosophischen sich erhebt
(§. 74. Anm. 5., §. 96 und 97. und §. 124.). Eben
darum ist auch die rein philosophische Erkenntnifs ihrem wesentlichen Charakter nach durchaus transzendental und die gesammte reine Philosophie
(reine Logik, reine Metaphysik u. s. w.) eine Transzendentalphilosophie. Wird daher die Fundamentalphilosophie vorzugsweise so genannt, so ist der
Ausdruck dann im engern Sinne zu nehmen (§. 127.
Anm. 3.)

§. 132.

Das System der Philosophie mufs nach dem
Bisherigen aus folgenden Theilen bestehen:

I. Fundamentalphilosophie oder Grundlehre
(Archologie).

II. Derivativphilosophie.

A.) Theoretische oder Spekulativphilosophie.

1.) Theoretische Formalphilosophie — Logik oder Denklehre (Dianöologie).

a.) reine.   b.) angewandte.

2.) Theoretische Materialphilosophie.

   a.) Metaphysik oder Erkenntnifslehre (Gnoseologie).

     α.) reine.   *β*.) angewandte.

   b.) Ästhetik oder Geschmackslehre (Kallologie).

     α.) reine.   *β*.) angewandte.

B.) Praktische oder Moralphilosophie.

   1.) Praktische Formalphilosophie — Naturrecht oder Rechtslehre (Dikäologie).

     a.) reine.   *b*.) angewandte. ·

   2.) Praktische Materialphilosophie.

   a.) Ethik oder Tugendlehre (Aretologie).

     α.) reine,   *β*.) angewandte.

   b.) Ethikotheologie oder Religionslehre (Eusebiologie).

     α.) reine.   *β*.) angewandte.

Anmerkung.

Die Alten, welche bey Eintheilung der Wissenschaften überhaupt nicht genau verfuhren, theilten die Philosophie gewöhnlich in drey besondre Disziplinen und nannten dieselben Dialektik (*pars rationalis*), Physik (*pars naturalis*) und Ethik (*pars moralis*). Ihre Dialektik war so viel als unsre Logik, obwohl sie diese Wissenschaft mehr als Disputirkunst behandelten. Ihre Physik war grofsentheils metaphysisch, und ihre Ethik umfafste alle Theile der praktischen Philosophie. Einige setzten noch als vierten Theil die

Politik (*pars civilis*) hinzu, welche theils juridische (insonderheit staatsrechtliche) theils eigentliche
politische (die Klugheit in Verwaltung privater und
öffentlicher Angelegenheiten betreffende) Untersuchungen enthielt. Wie unvollständig und unlogisch
diese Eintheilung war, erhellet von selbst. In neueren
Zeiten hat man die Theile der Philosophie oder die
einzelnen philosophischen Wissenschaften verschiedentlich angegeben und angeordnet und zur Philosophie
überhaupt bald mehr bald weniger gerechnet, weil
man den Begriff dieser Wissenschaft verschiedentlich
bestimmte, von dieser Bestimmung aber nothwendig
auch die Bestimmung des Inhalts und Umfangs der
Wissenschaft abhängt. Wenn also jemand in unsrer
systematischen Klassifikation der philosophischen Wissenschaften einige vermißt, so rechnen wir entweder
dieselben gar nicht zu den philosophischen Wissenschaften oder wir betrachten sie nur als Theile der hier
angegebnen Wissenschaften. So gehört die sogenannte
empirische Psychologie gar nicht zur eigentlichen Philosophie, sondern zur empirischen Menschenkunde, Anthropologie genannt, welche besteht
aus einer empirischen Somatologie und einer empirischen Psychologie, nebst einem dritten Theile, welcher
den Menschen im Ganzen als einen blofsen Erfahrungs-
gegenstand betrachtet. Dafs man die empirische Psychologie so häufig in das System der Philosophie aufgenommen und sogar an die Spitze desselben gestellt
hat, kommt daher, dafs man den Charakter beyder
Wissenschaften verkannte und theils in die Philosophie eine Menge empirischer Untersuchungen über den

Menschen als ein Sinnenobjekt, theils in die Psychologie eine Menge transzendentaler Untersuchungen einmischte. Die empirische Psychologie bleibt also aus dem Systeme der Philosophie mit Recht verwiesen; die sogenannte razionale Psychologie (transzendente Seelenlehre) aber ist wie die Ontologie, razionale Kosmologie und razionale Theologie (transzendente Welt- und Gotteslehre) nur ein besondrer Theil der Metaphysik. Die moralische Anthropologie, welche manche auch als eine besondre philosophische Wissenschaft aufgeführt haben, ist nichts anders als angewandte Tugendlehre. Politik (als Klugheitslehre in öffentlichen und Privatsachen) und Ökonomik (als Haushaltungskunst) gehören gar nicht in das System der philosophischen Wissenschaften, ob sie gleich von Einigen dazu gerechnet worden sind. Sie machen mit der Pädagogik, Physiognomik und andern ähnlichen Disziplinen ein eignes System von Wissenschaften aus, welche man zusammengenommen anthropologische nennen kann. Die Vernunftkritik endlich, welche Kant selbst (in der Krit. d. reinen Vern. S. 869. Ausg. 3.) als eine besondre philosophische Wissenschaft aufführt, ist als Kritik nur Propädeutik, wie er sie auch selbst nennt, als wissenschaftliche Untersuchung aber gehören ihre Lehrsätze theils zur Fundamentalphilosophie, theils zur Metaphysik, theils zur reinen Philosophie überhaupt. Sie kann also nicht unter einem eignen Titel als philosophische Disziplin angeführt werden.

Lightning Source UK Ltd.
Milton Keynes UK
UKHW010747131218
333917UK00009B/548/P